상위권을 위한 교재

최고
수준

수학

중학
수학 **3**·1

최고수준 수학은 상위권 학생들을 위한 심화학습 교재입니다.
중등수학의 최고수준 문제를 체계적으로 다루어 교과서 심화
문제를 해결할 수 있도록 하였습니다. 또한 창의적인 문제를
다양하게 실어 창의적이고 유연한 수학적 사고력을 키울 수
있도록 하였습니다. 본 교재를 통하여 다양한 문제 해결력을
기르고 수학의 최고수준에 이르기를 희망합니다.

상위권을 위한 교재

최고수준

수학

중학 수학

3·1

1 필수 개념 학습과 적중도 높은 문제 해결을 목표로 하는 상위권 학생들에게 효과적인 교재입니다.

2 최신 기출 문제를 철저히 분석하여 필수 문제, 자주 틀리는 문제, 까다로운 문제를 개념별, 유형별로 정리한 후 우수 문제를 선별하여 구성하였습니다.

3 서술형 문제, 창의력 문제, 융합형 문제들을 수록하여 서술형 문제에 대비하고 창의 사고력과 문제 해결력을 키울 수 있도록 하였습니다.

◆ **이 교재의 난이도** (학교 시험 기출 문제 기준)

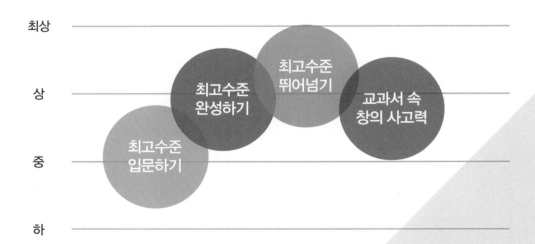

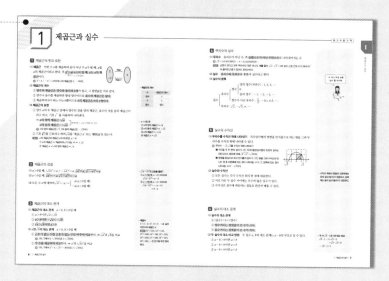

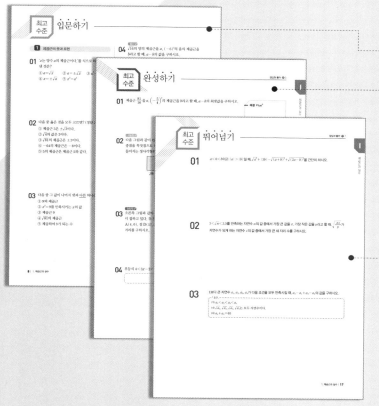

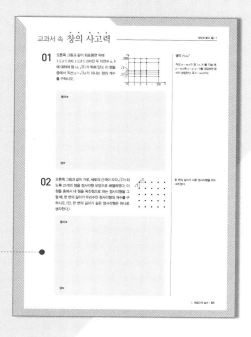

Contents
차례

I

제곱근과 실수

1 제곱근과 실수

1 제곱근의 뜻과 표현

(1) 제곱근 어떤 수 x를 제곱하여 음이 아닌 수 a가 될 때, x를 a의 제곱근이라고 한다. 즉 $x^2=a(a≥0)$일 때, x는 a의 제곱근이다.
└→ $x=±\sqrt{a}$와 같다.

예 $2^2=4$, $(-2)^2=4$이므로 4의 제곱근은 2, -2이다.

(2) 제곱근의 개수

① 양수의 제곱근은 양수와 음수의 2개가 있고, 그 절댓값은 서로 같다.

② 양수나 음수를 제곱하면 항상 양수이므로 음수의 제곱근은 없다.

③ 제곱하여 0이 되는 수는 0뿐이므로 0의 제곱근은 0의 1개이다.

(3) 제곱근의 표현

① 양수 a의 두 제곱근 중에서 양수인 것을 양의 제곱근, 음수인 것을 음의 제곱근이라고 하고, 기호 $\sqrt{}$ 를 사용하여 나타낸다.

➡ a의 양의 제곱근 : $\sqrt{a}$ ┐ 한꺼번에 $±\sqrt{a}$로 나타내기도 한다.
a의 음의 제곱근 : $-\sqrt{a}$ ┘

예 2의 양의 제곱근은 $\sqrt{2}$, 2의 음의 제곱근은 $-\sqrt{2}$이다.

② 기호 $\sqrt{}$ 를 근호라고 하며 $\sqrt{a}$를 '제곱근 a' 또는 '루트 a'로 읽는다.

참고 a의 제곱근과 제곱근 a의 비교(단, $a>0$)
① a의 제곱근 ➡ 제곱하여 a가 되는 수 ➡ $±\sqrt{a}$
② 제곱근 a ➡ a의 양의 제곱근 ➡ $\sqrt{a}$

2 제곱근의 성질

(1) $a>0$일 때, $(\sqrt{a})^2=a$, $(-\sqrt{a})^2=a$, $\sqrt{a^2}=a$, $\sqrt{(-a)^2}=a$

(2) $a<0$일 때, $\sqrt{a^2}=-a$, $\sqrt{(-a)^2}=-a$

(3) 모든 수 a에 대하여 $\sqrt{a^2}=|a|=\begin{cases} a(a≥0일\ 때) \\ -a(a<0일\ 때) \end{cases}$

3 제곱근의 대소 관계

(1) 제곱근의 대소 관계 $a>0$, $b>0$일 때

① $a>b$이면 $\sqrt{a}>\sqrt{b}$

② $a>b$이면 $-\sqrt{a}<-\sqrt{b}$

③ $\sqrt{a}>\sqrt{b}$이면 $a>b$

(2) a와 $\sqrt{b}$의 대소 관계 $a>0$, $b>0$일 때

① 근호가 없는 수를 근호가 있는 수로 바꾸어 비교한다. ➡ $\sqrt{a^2}$과 $\sqrt{b}$를 비교

예 2와 $\sqrt{3}$에서 $2=\sqrt{4}$이므로 $2>\sqrt{3}$이다.

② 각 수를 제곱하여 비교한다. ➡ a^2과 $(\sqrt{b})^2$을 비교

예 2와 $\sqrt{3}$에서 $2^2=4$, $(\sqrt{3})^2=3$이므로 $2>\sqrt{3}$이다.

• 제곱근의 개수

수	제곱근의 개수
양수	2
0	1
음수	없다.

• $a>0$일 때
① a의 양의 제곱근 ➡ $\sqrt{a}$
② a의 음의 제곱근 ➡ $-\sqrt{a}$
③ a의 제곱근 ➡ $±\sqrt{a}$
④ 제곱근 a ➡ $\sqrt{a}$

• $\sqrt{(a-b)^2}$의 근호를 풀면?
① $a≥b$일 때, $a-b≥0$이므로
$\sqrt{(a-b)^2}=a-b$
② $a<b$일 때, $a-b<0$이므로
$\sqrt{(a-b)^2}=-(a-b)$
$=b-a$

• 제곱수
$1=1^2$, $4=2^2$, $9=3^2$, …과 같이 자연수의 제곱인 수
참고 $11^2=121$, $12^2=144$, $13^2=169$, $14^2=196$, $15^2=225$, $16^2=256$, $17^2=289$, $18^2=324$, $19^2=361$, …은 암기해 두면 편리하다.

4 무리수와 실수

(1) 무리수 유리수가 아닌 수, 즉 순환소수가 아닌 무한소수로 나타내어지는 수

> **예** $\sqrt{2}=1.4142135623\cdots$, $\pi=3.1415926535\cdots$
>
> **참고** 근호가 있다고 모두 무리수인 것은 아니다. 예를 들어, $\sqrt{4}=\sqrt{2^2}=2$와 같이 근호 안의 수가 (유리수)^{2}의 꼴이면 근호가 있어도 유리수이다.

(2) 실수 유리수와 무리수를 통틀어 실수라고 한다.

(3) 실수의 분류

$$
\text{실수}
\begin{cases}
\text{유리수}
\begin{cases}
\text{정수}
\begin{cases}
\text{양의 정수(자연수) : } 1, 2, 3, \cdots \\
0 \\
\text{음의 정수 : } -1, -2, -3, \cdots
\end{cases} \\
\text{정수가 아닌 유리수 : } \dfrac{1}{2}, -0.1, 0.\dot{3}, \cdots
\end{cases} \\
\text{무리수 : } \sqrt{2}, -\sqrt{3}, \pi, \cdots
\end{cases}
$$

'수'라고 하면 보통 '실수'를 의미해.

5 실수와 수직선

(1) 무리수를 수직선 위에 나타내기 직각삼각형의 빗변을 반지름으로 하는 원을 그려 무리수를 수직선 위에 나타낼 수 있다.

> **예** 무리수 $-\sqrt{2}$, $\sqrt{2}$를 수직선 위에 나타내기
>
> ❶ 직각을 낀 두 변의 길이가 1인 직각이등변삼각형의 빗변의 길이는 피타고라스 정리에 의해 $\sqrt{1^2+1^2}=\sqrt{2}$이다.
>
> ❷ 원점을 중심으로 하고 반지름의 길이가 $\sqrt{2}$인 원을 그려 수직선과 만나는 점 중 오른쪽에 있는 점이 나타내는 수가 $\sqrt{2}$, 왼쪽에 있는 점이 나타내는 수가 $-\sqrt{2}$이다.

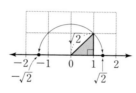

(2) 실수와 수직선

① 모든 실수는 각각 수직선 위의 한 점에 대응한다.

② 서로 다른 두 실수 사이에는 무수히 많은 실수가 있다.

③ 수직선은 실수에 대응하는 점들로 완전히 메울 수 있다.

• 수직선 위에서 원점의 오른쪽에는 양의 실수(양수)가 대응하고, 왼쪽에는 음의 실수(음수)가 대응한다.

6 실수의 대소 관계

(1) 실수의 대소 관계

① (음수) $< 0 <$ (양수)

② 양수끼리는 절댓값이 큰 수가 크다.

③ 음수끼리는 절댓값이 큰 수가 작다.

(2) 두 실수의 대소 비교 방법 두 실수 a, b의 대소 관계는 $a-b$의 부호로 알 수 있다.

① $a-b>0$이면 $a>b$

② $a-b=0$이면 $a=b$

③ $a-b<0$이면 $a<b$

• 두 수 $\sqrt{3}-1$과 1의 대소 비교
$$\sqrt{3}-1-1=\sqrt{3}-2$$
$$=\sqrt{3}-\sqrt{4}<0$$
$$\therefore \sqrt{3}-1<1$$

1 제곱근의 뜻과 표현

01 'x는 양수 a의 제곱근이다.'를 식으로 바르게 나타낸 것은?

① $a=\sqrt{x}$ ② $a=\pm\sqrt{x}$ ③ $a^2=x$
④ $x=\pm\sqrt{a}$ ⑤ $x^2=a^2$

02 다음 중 옳은 것을 모두 고르면? (정답 2개)

① 제곱근 3은 $\pm\sqrt{3}$이다.
② $\sqrt{4}$의 값은 2이다.
③ $\sqrt{81}$의 제곱근은 ±3이다.
④ -64의 제곱근은 -8이다.
⑤ 5의 제곱근은 제곱근 5와 같다.

03 다음 중 그 값이 나머지 넷과 <u>다른</u> 하나는?

① 9의 제곱근
② $x^2=9$를 만족시키는 x의 값
③ 제곱근 9
④ $\sqrt{81}$의 제곱근
⑤ 제곱하여 9가 되는 수

04 필수 ✓

$\sqrt{16}$의 양의 제곱근을 a, $(-6)^2$의 음의 제곱근을 b라고 할 때, $a-b$의 값을 구하시오.

05 오른쪽 그림과 같이 가로의 길이가 13, 세로의 길이가 10인 직사각형과 넓이가 같은 정사각형의 한 변의 길이는?

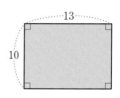

① $\sqrt{13}$ ② $\sqrt{65}$ ③ 11
④ $\sqrt{130}$ ⑤ 12

06 오른쪽 그림과 같이 $\angle B=90°$인 직각삼각형 ABC에서 $\overline{AB}=4\ cm$, $\overline{AC}=7\ cm$일 때, $\overline{BC}$의 길이를 구하시오.

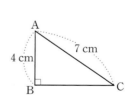

07 다음 수 중에서 제곱근을 근호를 사용하지 않고 나타낼 수 있는 것을 모두 고르시오.

| ㉠ $\sqrt{0.01}$ | ㉡ 169 | ㉢ $\sqrt{\dfrac{1}{81}}$ | ㉣ $0.\dot{4}$ |

10 $a>0$일 때, 다음 중 옳은 것은?

① $(-\sqrt{a})^2=-a$　　② $-\sqrt{(-a)^2}=a$

③ $-\sqrt{4a^2}=-4a$　　④ $\sqrt{(-9a)^2}=3a$

⑤ $-\sqrt{(-6a)^2}=-6a$

---

2 제곱근의 성질

08 다음 중 그 값이 나머지 넷과 <u>다른</u> 하나는?

① $\sqrt{2^2}$　　② $(\sqrt{2})^2$　　③ $-\sqrt{(-2)^2}$

④ $\sqrt{(-2)^2}$　　⑤ $(-\sqrt{2})^2$

필수 ✓

11 $a>0,\ b<0$일 때, $\sqrt{(-a)^2}+\sqrt{9b^2}-\sqrt{(-5b)^2}$을 간단히 하면?

① $-a-8b$　　② $-a+2b$　　③ $a-8b$

④ $a-2b$　　⑤ $a+2b$

09 다음 중 옳지 <u>않은</u> 것은?

① $(-\sqrt{5})^2+(\sqrt{3})^2=8$

② $\sqrt{169}-(-\sqrt{10})^2=3$

③ $\left(\sqrt{\dfrac{4}{5}}\right)^2\div\sqrt{\left(-\dfrac{8}{15}\right)^2}\times\sqrt{16}=6$

④ $\sqrt{36}\div(-\sqrt{2})^2+\sqrt{\dfrac{25}{9}}\times\sqrt{(-3)^2}=17$

⑤ $\sqrt{121}-\sqrt{(-5)^2}\div\sqrt{\dfrac{25}{36}}+(-\sqrt{7})^2=12$

서술형 ✍

12 $-3<x<4$일 때, $\sqrt{(x+3)^2}+\sqrt{(x-4)^2}$을 간단히 하시오.

3 자연수 또는 정수가 될 조건

필수 ✓

13 $\sqrt{126x}$가 자연수가 되게 하는 가장 작은 자연수 x 의 값을 구하시오.

14 $\sqrt{\dfrac{720}{x}}$이 자연수가 되게 하는 자연수 x의 값의 개수를 구하시오.

15 $\sqrt{69+x}$가 자연수가 되게 하는 자연수 x의 값 중 가장 작은 수는?

① 10   ② 11   ③ 12
④ 13   ⑤ 14

16 $\sqrt{18-x}$가 정수가 되게 하는 모든 자연수 x의 값의 합을 구하시오.

4 제곱근의 대소 관계

서술형 ✐

17 다음 다섯 개의 수를 큰 수부터 차례로 나열할 때, 세 번째에 있는 수를 구하시오.

$$-\sqrt{8}, \quad \sqrt{5}, \quad -3, \quad \sqrt{3}, \quad 2$$

18 다음 중 두 수 $\sqrt{5}$와 $\sqrt{13}$ 사이에 있는 수가 <u>아닌</u> 것을 모두 고르면? (정답 2개)

① 2   ② $\sqrt{7}$ ③ 3
④ $\sqrt{11}$ ⑤ 4

19 **필수 ✔**

$\sqrt{(4-\sqrt{15})^2}+\sqrt{(3-\sqrt{15})^2}$을 간단히 하시오.

5 무리수와 실수

22 다음 중 무리수인 것을 모두 고르면? (정답 2개)

① $-\sqrt{0.\dot{1}}$ ② π ③ $\sqrt{(-5)^2}$

④ $\sqrt{3.6}$ ⑤ $\sqrt{\dfrac{9}{100}}$

20 $4<\sqrt{3x}<5$를 만족하는 자연수 x의 개수를 구하시오.

23 **필수 ✔**

다음 중 옳은 것을 모두 고르면? (정답 2개)

① 유한소수는 유리수이다.

② 무한소수는 무리수이다.

③ 순환소수는 유한소수이다.

④ 두 유리수의 합은 항상 유리수이다.

⑤ 두 무리수의 합은 항상 무리수이다.

21 **필수 ✔**

부등식 $-6<-\sqrt{5x+2}<-3$을 만족하는 자연수 x의 값 중에서 가장 큰 값을 M, 가장 작은 값을 m이라고 할 때, $M-m$의 값을 구하시오.

24 다음 중 제곱근이 아래 □ 안에 속하는 것은?

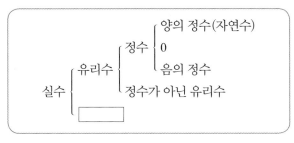

① 0 ② 16 ③ 49

④ 0.9 ⑤ $\dfrac{9}{16}$

6 실수와 수직선

[필수 ✔]

25 다음 중 옳지 않은 것은?

① 2와 3 사이에는 무수히 많은 유리수가 있다.

② $\sqrt{3}$과 $\sqrt{5}$ 사이에는 무수히 많은 무리수가 있다.

③ 서로 다른 두 정수 사이에는 무수히 많은 정수가 있다.

④ 모든 무리수는 수직선 위에 나타낼 수 있다.

⑤ 모든 실수는 수직선 위에 나타낼 수 있다.

26 다음 그림과 같이 한 눈금의 길이가 1인 모눈종이 위에 수직선과 두 직각삼각형 ABC, DEF를 그렸다. $\overline{CA}=\overline{CP}=\overline{CR}$, $\overline{ED}=\overline{EQ}=\overline{ES}$일 때, 네 점 P, Q, R, S의 좌표를 각각 구하시오.

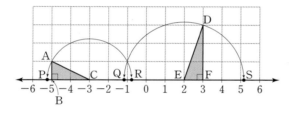

[서술형 ✐]

27 다음 그림에서 □ABCD는 정사각형이고 $\overline{AD}=\overline{AP}$, $\overline{AB}=\overline{AQ}$일 때, 두 점 P, Q에 대응하는 수를 각각 구하시오.

(단, 모눈의 한 눈금의 길이는 1이다.)

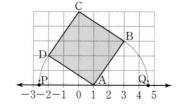

7 실수의 대소 관계

28 다음 중 두 실수의 대소 관계가 옳은 것을 모두 고르면? (정답 2개)

① $\sqrt{2}-1>\sqrt{3}-1$ ② $3>\sqrt{3}+1$

③ $\sqrt{10}-4<1$ ④ $2-\sqrt{0.5}<2-\sqrt{0.6}$

⑤ $\sqrt{20}+\sqrt{8}>3+\sqrt{20}$

[서술형 ✐]

29 다음 세 수 A, B, C의 대소 관계를 부등호를 사용하여 나타내시오.

$$A=\sqrt{11}-3, \quad B=1+\sqrt{2}, \quad C=2$$

30 다음 수를 수직선 위에 나타내었더니 아래 그림과 같이 네 점 A, B, C, D에 대응하였다. 각 수에 대응하는 점을 각각 구하시오.

$$\sqrt{5}-3, \quad \sqrt{2}+2, \quad 3-\sqrt{2}, \quad 1-\sqrt{5}$$

01 제곱근 $\dfrac{81}{16}$ 을 a, $\left(-\dfrac{5}{4}\right)^2$ 의 제곱근을 b라고 할 때, $a-b$의 최댓값을 구하시오.

해결 Plus⁺

서술형 ✎

02 다음 그림과 같이 한 변의 길이가 $\sqrt{80}$ cm인 정사각형 모양의 종이를 각 변의 중점을 꼭짓점으로 하는 정사각형 모양으로 계속하여 접을 때, [4단계]에서 만들어지는 정사각형의 한 변의 길이를 구하시오.

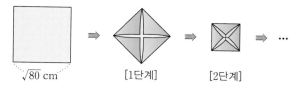

$\sqrt{80}$ cm   [1단계]   [2단계]   ⋯

정사각형 모양의 종이를 접을 때마다 종이의 넓이는 이전 단계의 종이의 넓이의 $\dfrac{1}{2}$이 된다.

융합형 ✎

03 오른쪽 그림과 같이 좌표평면 위에 세 정사각형이 접하고 있다. 두 점 A, D의 좌표가 각각 A$(4, 0)$, 점 D$(17, 8)$일 때, 두 점 E와 I 사이의 거리를 구하시오.

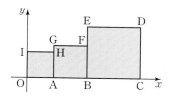

세 정사각형의 한 변의 길이를 생각해 보고 세 점 B, E, I의 좌표를 각각 구한다.

04 부등식 $4<3x-2<7$을 만족하는 x에 대하여 다음 식을 간단히 하시오.

$$\sqrt{(\sqrt{3}+x)^2}+\sqrt{(\sqrt{3}-x)^2}$$

05 $a-b>0$, $ab<0$일 때, $\sqrt{a^2}+\sqrt{b^2}-\sqrt{(b-a)^2}$을 간단히 하시오.

■ 해결 Plus⁺

$a-b>0$, $ab<0$임을 이용하여 a, b의 부호를 각각 구한다.

06 $-1<a<0$일 때, $\sqrt{\left(a-\dfrac{1}{a}\right)^2}+\sqrt{\left(\dfrac{1}{a}-a\right)^2}$을 간단히 하시오.

서술형 ✎

07 $\sqrt{102+x}$와 $\sqrt{168x}$가 모두 자연수가 되게 하는 가장 작은 자연수 x의 값을 구하시오.

08 $\sqrt{100-a}-\sqrt{100+b}$가 가장 큰 정수가 되게 하는 두 자연수 a, b에 대하여 $a+b$의 값을 구하시오.

$\sqrt{100-a}-\sqrt{100+b}$가 가장 큰 정수가 되려면 $\sqrt{100-a}$는 가장 큰 정수, $\sqrt{100+b}$는 가장 작은 정수이어야 한다.

제곱근과 실수

융합형 ✎

09 서로 다른 두 개의 주사위를 동시에 던져서 나온 눈의 수를 각각 a, b라고 할 때, $\sqrt{12ab}$가 자연수가 될 확률을 구하시오.

해결 Plus⁺

10 자연수 x에 대하여 $\sqrt{x}$ 이하의 자연수의 개수를 $f(x)$라고 할 때, 다음 물음에 답하시오.

(1) $f(1)+f(2)+f(3)+\cdots+f(10)$의 값을 구하시오.

(2) $f(15)+f(16)+f(17)+\cdots+f(n)=54$가 되게 하는 자연수 n의 값을 구하시오.

$n \leq \sqrt{x} < n+1$ (n은 자연수)이면 $f(x)=n$임을 이용한다.

11 $0 < a < 1$일 때, 다음 중 그 값이 가장 큰 것은?

① $\sqrt{a}$ ② a ③ a^2

④ $\dfrac{1}{a}$ ⑤ $\sqrt{\dfrac{1}{a}}$

12 두 수 a, b가 무리수일 때, 다음 보기 중 항상 무리수인 것을 모두 고르시오.

┌ **보기** ┐

ㄱ $a+b$ ㄴ $a-b$ ㄷ $-3b$ ㄹ $a+1$

ㅁ $\dfrac{a+b}{2}$ ㅂ a^2 ㅅ $b+\sqrt{2}$ ㅇ ab

a, b에 구체적인 수를 대입하여 유리수가 되는 경우를 찾아본다.

13 자연수의 양의 제곱근 $1, \sqrt{2}, \sqrt{3}, 2, \sqrt{5}, \sqrt{6}, \sqrt{7}, \sqrt{8}, 3, \cdots$에 대응하는 점을 수직선 위에 나타내면 다음 그림과 같다. 물음에 답하시오.

$$\begin{array}{ccccccccc} 1 & \sqrt{2} & \sqrt{3} & 2 & \sqrt{5} & \sqrt{6} & \sqrt{7} & \sqrt{8} & 3 & \cdots \end{array}$$

⑴ 81개의 점을 수직선 위에 나타내었을 때, 무리수에 대응하는 점의 개수를 구하시오.

⑵ 위와 같은 방법으로 수직선에 점을 찍을 때, 두 자연수 30과 31 사이에 있는 무리수에 대응하는 점의 개수를 구하시오.

■ 해결 Plus⁺

14 오른쪽 그림과 같이 수직선 위에 한 변의 길이가 1인 두 정사각형이 있다. 점 P에 대응하는 수가 $3-\sqrt{2}$일 때, 두 점 Q, R의 좌표를 각각 구하시오. (단, $\overline{AC}=\overline{PC}$, $\overline{BD}=\overline{BQ}$, $\overline{CF}=\overline{CR}$이다.)

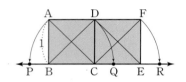

$\overline{AC}$의 길이와 점 P에 대응하는 수를 이용하여 점 B와 점 C에 대응하는 수를 알 수 있다.

15 $a=\sqrt{29}-3$, $b=2$일 때, 다음 식의 값을 구하시오.

$$\sqrt{(a+b)^2}-\sqrt{(b-a)^2}$$

주어진 두 수 a, b를 이용하여 $a+b, b-a$의 부호를 판단한다.

16 두 수 $3-\sqrt{5}$와 $4+\sqrt{2}$ 사이에 있는 정수의 개수를 구하시오.

01 $a < 0 < b$이고 $|a| > |b|$일 때, $\sqrt{a^2} + |3b| - \sqrt{(a+b)^2} + \sqrt{(2a-b)^2}$을 간단히 하시오.

02 $3 < \sqrt{n} < 3.5$를 만족하는 자연수 n의 값 중에서 가장 큰 값을 x, 가장 작은 값을 y라고 할 때, $\sqrt{\dfrac{xz}{y}}$가 자연수가 되게 하는 자연수 z의 값 중에서 가장 큰 세 자리 수를 구하시오.

03 1보다 큰 자연수 a_1, a_2, a_3, a_4가 다음 조건을 모두 만족시킬 때, $a_4 - a_1 + a_3 - a_2$의 값을 구하시오.

조건

(가) $a_1 < a_2 < a_3 < a_4$

(나) $\sqrt{a_1}, \sqrt{a_2}, \sqrt{a_3}, \sqrt{a_4}$는 모두 자연수이다.

(다) $a_1 + a_4 = 65$

04 200 이하의 자연수 n에 대하여 $\sqrt{n}, \sqrt{3n}, \sqrt{5n}$이 모두 무리수가 되게 하는 n의 값의 개수를 구하시오.

05 창의력⚡

두 정수 a, b에 대하여 $a+\sqrt{2}<n<b-\sqrt{2}$를 만족하는 정수 n이 6개 있을 때, $b-a$의 값을 구하시오.

06 STEP UP ↗

$0<a<1$일 때, 다음 세 수 A, B, C의 대소 관계를 부등호를 사용하여 나타내시오.

$$A=1-a, \qquad B=\sqrt{1-a}, \qquad C=1-\sqrt{a}$$

2 근호를 포함한 식의 계산

1 제곱근의 곱셈과 나눗셈

$a>0$, $b>0$이고 m, n이 유리수일 때

(1) **제곱근의 곱셈** 근호 안의 수끼리 곱하고, 근호 밖의 수끼리 곱한다.

  ① $\sqrt{a}\sqrt{b}=\sqrt{ab}$

  예 ① $\sqrt{2}\times\sqrt{3}=\sqrt{2\times3}=\sqrt{6}$

  ② $m\sqrt{a}\times n\sqrt{b}=mn\sqrt{ab}$

  ② $2\sqrt{3}\times4\sqrt{2}=2\times4\times\sqrt{3\times2}=8\sqrt{6}$

(2) **제곱근의 나눗셈** 근호 안의 수끼리 나누고, 근호 밖의 수끼리 나눈다.

  ① $\dfrac{\sqrt{a}}{\sqrt{b}}=\sqrt{\dfrac{a}{b}}$

  예 ① $\dfrac{\sqrt{6}}{\sqrt{2}}=\sqrt{\dfrac{6}{2}}=\sqrt{3}$

  ② $m\sqrt{a}\div n\sqrt{b}=\dfrac{m}{n}\sqrt{\dfrac{a}{b}}$ (단, $n\neq0$)

  ② $2\sqrt{6}\div4\sqrt{2}=\dfrac{2}{4}\sqrt{\dfrac{6}{2}}=\dfrac{\sqrt{3}}{2}$

(3) **근호가 있는 식의 변형**

  ① $\sqrt{a^2b}=a\sqrt{b}$

  예 ① $\sqrt{12}=\sqrt{2^2\times3}=2\sqrt{3}$

  ② $\sqrt{\dfrac{a}{b^2}}=\dfrac{\sqrt{a}}{b}$

  ② $\sqrt{\dfrac{2}{9}}=\sqrt{\dfrac{2}{3^2}}=\dfrac{\sqrt{2}}{3}$

- 제곱근의 나눗셈은 역수의 곱셈으로 바꾸어 계산할 수 있다.

  예 $\dfrac{\sqrt{5}}{\sqrt{6}}\div\dfrac{\sqrt{10}}{\sqrt{3}}=\dfrac{\sqrt{5}}{\sqrt{6}}\times\dfrac{\sqrt{3}}{\sqrt{10}}$
  $=\dfrac{1}{2}$

- 근호 밖의 음수는 근호 안으로 넣을 수 없다.

  예 $-2\sqrt{3}=\sqrt{(-2)^2\times3}$
  $=\sqrt{12}\,(\times)$
  $-2\sqrt{3}=-\sqrt{2^2\times3}$
  $=-\sqrt{12}\,(\bigcirc)$

$a\sqrt{b}$의 꼴로 나타낼 때, b는 가장 작은 자연수가 되어야 해.

2 분모의 유리화

(1) **분모의 유리화** 분모에 근호를 포함한 무리수가 있을 때, 분모와 분자에 0이 아닌 같은 수를 곱하여 분모를 유리수로 고치는 것

(2) **분모를 유리화하는 방법** $a>0$, $b>0$일 때

$$\dfrac{\sqrt{b}}{\sqrt{a}}=\dfrac{\sqrt{b}\times\sqrt{a}}{\sqrt{a}\times\sqrt{a}}=\dfrac{\sqrt{ab}}{a}$$

예 $\dfrac{\sqrt{2}}{\sqrt{3}}=\dfrac{\sqrt{2}\times\sqrt{3}}{\sqrt{3}\times\sqrt{3}}=\dfrac{\sqrt{6}}{3}$ → 유리수

- 분모가 $\sqrt{a^2b}$의 꼴일 때에는 $a\sqrt{b}$의 꼴로 만든 후 분모를 유리화한다.

3 제곱근의 값

(1) **제곱근표** 1.00부터 99.9까지의 수에 대한 양의 제곱근의 값을 반올림하여 소수점 아래 셋째 자리까지 구하여 나타낸 표

(2) **제곱근표를 읽는 방법**

처음 두 자리 수의 가로줄과 끝자리 수의 세로줄이 만나는 곳에 있는 수를 읽는다.

수	0	1	2	3
⋮	⋮	⋮	⋮	⋮
1.4	1.183	1.187	1.192	1.196
1.5	1.225	1.229	1.233	1.237
1.6	1.265	1.269	1.273	1.277
⋮	⋮	⋮	⋮	⋮

(3) **제곱근표에 없는 수의 제곱근의 값 구하기**

a가 제곱근표에 있는 수일 때

→ 지수가 짝수인 10의 거듭제곱

  ① 근호 안의 수가 100 이상의 수인 경우 근호 안의 수를 10^2, 10^4, $\cdots$과의 곱으로 나타낸 후 $\sqrt{k^2a}=k\sqrt{a}$를 이용한다. ➡ $\sqrt{100a}=10\sqrt{a}$, $\sqrt{10000a}=100\sqrt{a}$, $\cdots$

  ② 근호 안의 수가 0과 1 사이의 수인 경우 근호 안의 수를 $\dfrac{1}{10^2}$, $\dfrac{1}{10^4}$, $\cdots$과의 곱으로 나타낸 후 $\sqrt{\dfrac{a}{k^2}}=\dfrac{\sqrt{a}}{k}$임을 이용한다. ➡ $\sqrt{\dfrac{a}{100}}=\dfrac{\sqrt{a}}{10}$, $\sqrt{\dfrac{a}{10000}}=\dfrac{\sqrt{a}}{100}$, $\cdots$

- 제곱근표에서 $\sqrt{1.52}$의 값은 1.5의 가로줄과 2의 세로줄이 만나는 곳에 있는 수이다.
  즉 $\sqrt{1.52}=1.233$이다.

4 제곱근의 덧셈과 뺄셈

제곱근의 덧셈과 뺄셈은 다항식의 덧셈과 뺄셈에서 동류항끼리 모아서 계산하는 것과 같이 근호 안의 수가 같은 것끼리 모아서 계산한다.

$a>0$이고 m, n이 유리수일 때

(1) 제곱근의 덧셈 $\quad m\sqrt{a}+n\sqrt{a}=(m+n)\sqrt{a}$

예 $3\sqrt{2}+5\sqrt{2}=(3+5)\sqrt{2}=8\sqrt{2}$

(2) 제곱근의 뺄셈 $\quad m\sqrt{a}-n\sqrt{a}=(m-n)\sqrt{a}$

예 $4\sqrt{3}-2\sqrt{3}=(4-2)\sqrt{3}=2\sqrt{3}$

참고 근호 안의 수가 제곱인 인수를 약수로 갖는 경우에는 $\sqrt{a^2 b}=a\sqrt{b}$를 이용하여 제곱인 인수를 근호 밖으로 꺼낸 후 계산한다.

• $a \neq b$일 때
① $\sqrt{a}+\sqrt{b} \neq \sqrt{a+b}$
② $\sqrt{a}-\sqrt{b} \neq \sqrt{a-b}$

> $\sqrt{2}+\sqrt{3}$과 같이 근호 안의 수가 다른 경우에는 더 이상 계산할 수가 없어!

5 근호를 포함한 복잡한 식의 계산

(1) 분배법칙을 이용한 식의 계산

$a>0$, $b>0$, $c>0$일 때

① $\sqrt{a}(\sqrt{b}\pm\sqrt{c})=\sqrt{ab}\pm\sqrt{ac}$ (복부호 동순)

예 $\sqrt{2}(\sqrt{3}\pm\sqrt{5})=\sqrt{6}\pm\sqrt{10}$

② $(\sqrt{a}\pm\sqrt{b})\sqrt{c}=\sqrt{ac}\pm\sqrt{bc}$ (복부호 동순)

예 $(\sqrt{5}\pm\sqrt{2})\sqrt{3}=\sqrt{15}\pm\sqrt{6}$

(2) 분배법칙을 이용한 분모의 유리화

$a>0$, $b>0$, $c>0$일 때

$$\frac{\sqrt{a}+\sqrt{b}}{\sqrt{c}}=\frac{(\sqrt{a}+\sqrt{b})\times\sqrt{c}}{\sqrt{c}\times\sqrt{c}}=\frac{\sqrt{ac}+\sqrt{bc}}{c}$$

예 $\dfrac{\sqrt{2}+\sqrt{5}}{\sqrt{3}}=\dfrac{(\sqrt{2}+\sqrt{5})\times\sqrt{3}}{\sqrt{3}\times\sqrt{3}}=\dfrac{\sqrt{6}+\sqrt{15}}{3}$

(3) 근호를 포함한 복잡한 식의 계산

❶ 괄호가 있으면 분배법칙을 이용하여 괄호를 푼다.

❷ 근호 안의 수가 제곱인 인수를 약수로 가지면 근호 밖으로 꺼낸다.

❸ 분모에 근호를 포함한 무리수가 있으면 분모를 유리화한다.

❹ 곱셈, 나눗셈을 먼저 계산한 후 덧셈, 뺄셈을 계산한다.

• 유리수가 될 조건, 무리수가 서로 같을 조건
a, b, c, d가 유리수이고 $\sqrt{m}$이 무리수일 때
① $a+b\sqrt{m}$이 유리수 ➡ $b=0$
② $a+b\sqrt{m}=0$ ➡ $a=0$, $b=0$
③ $a+b\sqrt{m}=c+d\sqrt{m}$
  ➡ $a=c$, $b=d$

6 무리수의 정수 부분과 소수 부분

(1) 무리수는 순환소수가 아닌 무한소수이므로 (무리수)＝(정수 부분)＋(소수 부분)으로 나타낼 수 있다. 즉 (소수 부분)＝(무리수)－(정수 부분)이다.

(2) n이 음이 아닌 정수일 때, $n<\sqrt{a}<n+1$이면 $\sqrt{a}$의 정수 부분은 n이다.

• $\sqrt{2}$의 정수 부분과 소수 부분
$1<\sqrt{2}<2$이므로
① $\sqrt{2}$의 정수 부분 ➡ 1
② $\sqrt{2}$의 소수 부분 ➡ $\sqrt{2}-1$

입문하기

1 제곱근의 곱셈과 나눗셈

01 다음 중 옳지 <u>않은</u> 것은?

① $\sqrt{2} \times \sqrt{5} = \sqrt{10}$

② $\sqrt{\dfrac{15}{4}} \times \sqrt{\dfrac{20}{3}} = 5$

③ $-\sqrt{18} \times \sqrt{0.6} \times \sqrt{30} = -18$

④ $2\sqrt{3} \times 3\sqrt{11} = 6\sqrt{33}$

⑤ $\sqrt{\dfrac{5}{7}} \times \sqrt{\dfrac{14}{5}} = 2$

02 다음 중 계산 결과가 가장 큰 것은?

① $\dfrac{\sqrt{26}}{\sqrt{2}}$

② $\sqrt{27} \div (-\sqrt{3})$

③ $\dfrac{\sqrt{12}}{\sqrt{7}} \div \dfrac{\sqrt{3}}{\sqrt{7}}$

④ $\sqrt{\dfrac{35}{6}} \div \sqrt{\dfrac{7}{30}}$

⑤ $\sqrt{70} \div \sqrt{2} \div \sqrt{7}$

03 $\sqrt{20} = a\sqrt{5}$, $\sqrt{75} = b\sqrt{3}$일 때, $\sqrt{a}\sqrt{b}$의 값은?
(단, a, b는 유리수)

① $\sqrt{6}$ ② $\sqrt{10}$ ③ $2\sqrt{3}$

④ $\sqrt{15}$ ⑤ $2\sqrt{5}$

04 다음 중 옳지 <u>않은</u> 것을 모두 고르면? (정답 2개)

① $2\sqrt{7} = \sqrt{28}$ ② $3\sqrt{6} = \sqrt{18}$

③ $5\sqrt{2} = \sqrt{50}$ ④ $-4\sqrt{2} = -\sqrt{32}$

⑤ $-3\sqrt{3} = \sqrt{27}$

05 다음 보기 중 옳은 것을 모두 고르시오.

보기

㉠ $\sqrt{\dfrac{7}{100}} = \dfrac{\sqrt{7}}{10}$ ㉡ $-\sqrt{\dfrac{11}{81}} = -\dfrac{\sqrt{11}}{9}$

㉢ $-\sqrt{0.41} = -\dfrac{\sqrt{41}}{10}$ ㉣ $\dfrac{\sqrt{5}}{6} = \sqrt{\dfrac{30}{36}}$

㉤ $\dfrac{3\sqrt{3}}{2} = \sqrt{\dfrac{27}{4}}$ ㉥ $\sqrt{0.75} = \dfrac{\sqrt{3}}{4}$

필수 ✔

06 다음 식을 간단히 하시오.

$$\dfrac{\sqrt{42}}{2} \div 3\sqrt{15} \times \left(-\dfrac{\sqrt{5}}{\sqrt{18}}\right)$$

07 $\sqrt{3}=a$, $\sqrt{7}=b$라고 할 때, $\sqrt{189}$를 a, b를 사용하여 나타내면?

① $3ab$ 　② $7ab$ 　③ $3a^2b$

④ $7a^2b$ 　⑤ $21a^2b$

---

2 분모의 유리화

08 $\dfrac{15}{\sqrt{6}}=a\sqrt{6}$, $\dfrac{7}{\sqrt{28}}=b\sqrt{7}$일 때, $a+b$의 값을 구하시오. (단, a, b는 유리수)

09 오른쪽 그림과 같이 $\angle C=90°$인 직각삼각형 ABC의 점 C에서 $\overline{AB}$에 내린 수선의 발을 D라고 하자. $\overline{AB}=\sqrt{10}$, $\overline{BC}=\sqrt{6}$, $\overline{CA}=2$일 때, $\overline{CD}$의 길이를 구하시오.

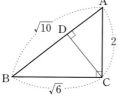

---

3 제곱근의 값

10 다음 제곱근표에서 $\sqrt{8.32}$의 값은 a이고 $\sqrt{b}$의 값은 2.846일 때, $1000a-100b$의 값을 구하시오.

수	0	1	2	3	4
8.0	2.828	2.830	2.832	2.834	2.835
8.1	2.846	2.848	2.850	2.851	2.853
8.2	2.864	2.865	2.867	2.869	2.871
8.3	2.881	2.883	2.884	2.886	2.888
8.4	2.898	2.900	2.902	2.903	2.905

11 다음 중 아래 제곱근표를 이용하여 제곱근의 값을 바르게 구한 것은?

수	0	1	2	3
3.1	1.761	1.764	1.766	1.769
3.2	1.789	1.792	1.794	1.797
3.3	1.817	1.819	1.822	1.825

① $\sqrt{3.2}=1.792$ 　② $\sqrt{3.33}=1.817$

③ $\sqrt{31}=17.61$ 　④ $\sqrt{322}=17.94$

⑤ $\sqrt{0.3331}=0.1819$

---

4 제곱근의 덧셈과 뺄셈

12 $\sqrt{24}+7\sqrt{2}+4\sqrt{6}-\sqrt{50}=a\sqrt{2}+b\sqrt{6}$일 때, $b-a$의 값을 구하시오. (단, a, b는 유리수)

13 $x=\sqrt{2}+\dfrac{1}{\sqrt{2}}$, $y=3\sqrt{2}-\dfrac{1}{\sqrt{2}}$일 때, $x+y$의 값을 구하시오.

서술형

16 오른쪽 그림과 같이 넓이가 차례로 $3\,\mathrm{m}^2$, $12\,\mathrm{m}^2$, $27\,\mathrm{m}^2$인 정사각형 모양의 세 밭에 당근, 무, 배추를 각각 심었다. 세 밭이 서로 붙어 있을 때, 밭 전체의 둘레의 길이를 구하시오.

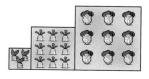

14 $\dfrac{1}{\sqrt{8}}+\dfrac{3}{\sqrt{18}}-\dfrac{1}{\sqrt{32}}$을 간단히 하시오.

17 다음 그림과 같이 한 변의 길이가 1인 정사각형 ABCD가 있다. $\overline{BD}=\overline{BP}$, $\overline{CA}=\overline{CQ}$일 때, $\overline{PQ}$의 길이를 구하시오.

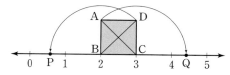

15 $a=2\sqrt{3}+3$, $b=5-3\sqrt{5}$, $c=3\sqrt{3}-1$일 때, a, b, c의 대소 관계를 옳게 나타낸 것은?

① $a<b<c$　② $b<a<c$　③ $b<c<a$
④ $c<a<b$　⑤ $c<b<a$

5 근호를 포함한 복잡한 식의 계산

18 $A=2\sqrt{6}-3\sqrt{2}$, $B=3\sqrt{3}-\sqrt{6}$일 때, $\sqrt{3}A+\sqrt{2}B$의 값을 구하시오.

19 $\dfrac{4-\sqrt{27}}{\sqrt{8}}$ 의 분모를 유리화하면 $a\sqrt{2}+b\sqrt{6}$일 때, $4b-a$의 값을 구하시오. (단, a, b는 유리수)

20 다음 식을 간단히 하시오.

$$\dfrac{3\sqrt{2}-\sqrt{15}}{\sqrt{3}}-\sqrt{2}(\sqrt{12}+\sqrt{10})$$

필수 ✔

21 $\sqrt{2}(3\sqrt{2}-a\sqrt{6})+\dfrac{3}{\sqrt{3}}-4a$가 유리수가 되도록 하는 유리수 a의 값을 구하시오.

22 오른쪽 그림과 같은 사다리꼴의 넓이를 구하시오.

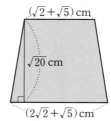

$(\sqrt{2}+\sqrt{5})$ cm

$\sqrt{20}$ cm

$(2\sqrt{2}+\sqrt{5})$ cm

6 무리수의 정수 부분과 소수 부분

필수 ✔

23 $\sqrt{10}$의 정수 부분을 a, 소수 부분을 b라고 할 때, $\dfrac{a}{b+3}$의 값을 구하시오.

24 $5+\sqrt{13}$의 정수 부분을 a, $9-\sqrt{a}$의 정수 부분을 b라고 할 때, $a+b$의 값을 구하시오.

최고 수준 완성하기

01 $\sqrt{2} \times \sqrt{3} \times \sqrt{a} \times \sqrt{8} \times \sqrt{3a} = 36$일 때, 자연수 a의 값을 구하시오.

02 $\sqrt{2} = a$, $\sqrt{5} = b$라고 할 때, $\sqrt{0.02} + \sqrt{50000}$의 값을 a, b를 사용하여 나타내면?

① $\dfrac{a}{10} + 10b$
② $\dfrac{a}{10} + 100b$
③ $\dfrac{a}{100} + 10000b$
④ $10a + \dfrac{b}{10}$
⑤ $100a + \dfrac{b}{10000}$

03 $ab = 50$일 때, $a\sqrt{\dfrac{8b}{a}} + b\sqrt{\dfrac{2a}{b}}$의 값을 구하시오. (단, $a > 0$, $b > 0$)

04 $\dfrac{10\sqrt{a}}{\sqrt{45}}$의 분모를 유리화하면 $\dfrac{2\sqrt{10}}{3}$이 될 때, 자연수 a의 값을 구하시오.

── 해결 Plus⁺

근호 안의 수를 지수가 짝수인 10 또는 $\dfrac{1}{10}$의 거듭제곱과의 곱으로 나타낸다.

$a > 0$, $b > 0$일 때, $a\sqrt{b} = \sqrt{a^2 b}$임을 이용한다.

분모가 $\sqrt{a^2 b}$의 꼴이면 $a\sqrt{b}$로 바꾼 후 분모를 유리화한다.

05 가로와 세로의 길이의 비가 2 : 3인 직사각형의 가로의 길이를 한 변으로 하는 정사각형의 넓이가 50일 때, 직사각형의 둘레의 길이를 구하시오.

06 오른쪽 제곱근표를 이용하여 $\sqrt{868}$의 값을 구하시오.

수	5	6	7	8
2.0	1.432	1.435	1.439	1.442
2.1	1.466	1.470	1.473	1.476
2.2	1.500	1.503	1.507	1.510

주어진 제곱근표를 이용할 수 있도록 근호 안의 수를 변형한다.

07 오른쪽 제곱근표를 이용하면 $\sqrt{493}=a$, $\sqrt{b}=0.2191$일 때, $a+100b$의 값을 구하시오.
(단, $b>0$)

수	0	1	2	3	4
4.5	2.121	2.124	2.126	2.128	2.131
4.6	2.145	2.147	2.149	2.152	2.154
4.7	2.168	2.170	2.173	2.175	2.177
4.8	2.191	2.193	2.195	2.198	2.200
4.9	2.214	2.216	2.218	2.220	2.223

08 다음 보기 중에서 $\sqrt{3}=1.732$임을 이용하여 그 값을 구할 수 <u>없는</u> 것을 고르시오.

보기
㉠ $\sqrt{\dfrac{3}{16}}$ ㉡ $\sqrt{18}$ ㉢ $\sqrt{0.03}$ ㉣ $\sqrt{75}$

근호 안의 수를 변형해 본다.

09 $\sqrt{(2\sqrt{5}-5)^2}-\sqrt{(6-3\sqrt{5})^2}$을 간단히 하시오.

━ 해결 Plus⁺

10 $(1+2\sqrt{2})a-(-1+\sqrt{2})b=4+5\sqrt{2}$일 때, $a-b$의 값을 구하시오.

(단, a, b는 유리수)

좌변을 간단히 정리하여 유리수 부분과 무리수 부분을 비교한다.

11 두 실수 a, b에 대하여 $a*b$를 $a*b=ab-\sqrt{2}a+1$이라고 할 때,
$(\sqrt{2}-1)*\dfrac{1}{\sqrt{2}}$의 값을 구하시오.

12 오른쪽 그림과 같이 사각뿔대를 뒤집어 놓은 모양의 입체도형이 있다. 이 입체도형의 부피를 구하시오.

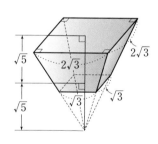

(사각뿔의 부피)
$=\dfrac{1}{3}\times$(밑넓이)$\times$(높이)

창의력 ⚡

13 오른쪽 그림과 같이 세 정사각형 A, B, C를 이어
붙여 새로운 도형을 만들었다. 정사각형 C의 넓
이는 정사각형 B의 넓이의 2배이고, 정사각형 B
의 넓이는 정사각형 A의 넓이의 2배이다. 정사
각형 A의 넓이가 5 cm^2일 때, 새로 만든 도형의 둘레의 길이를 구하시오.

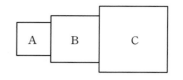

해결 Plus⁺

넓이가 a인 정사각형의 한 변의 길
이는 $\sqrt{a}$이다.

14 $\sqrt{x}$의 정수 부분이 4일 때, 이를 만족하는 자연수 x의 개수를 구하시오.

15 $\dfrac{4b-5a}{3a-b}=3$일 때, $\sqrt{\dfrac{2a-11b}{b-6a}}$의 정수 부분을 m, $\sqrt{\dfrac{20a^2-b^2}{4a^2+b^2}}$의 소수 부분을
n이라고 하자. 이때 $m-n$의 값을 구하시오.

16 자연수 n에 대하여 $\sqrt{n}$의 정수 부분을 $f(n)$, $\sqrt{n}$의 소수 부분을 $g(n)$이라고 할
때, $\dfrac{f(40)-g(80)-4}{g(5)+2}$의 값을 구하시오.

$\sqrt{a}$의 정수 부분이 n이면 $\sqrt{a}$의 소
수 부분은 $\sqrt{a}-n$이다.

뛰어넘기

01 오른쪽 그림과 같은 사다리에서 발판의 길이가 일정한 비율로 늘어난다고 할 때, a, b, c의 값을 각각 구하시오.

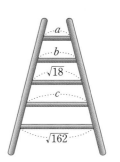

02 다음 그림과 같이 A0용지를 반으로 자르는 과정을 4번 반복하면 A4용지를 얻을 수 있다. 이때 반으로 자르는 과정에서 남은 종이를 버리는 것 없이 모두 사용하기 위해서 각 용지 사이의 길이의 비가 아래 표와 같이 일정하게 정해져 있다고 한다. A4용지를 B5용지로 축소하려면 몇 %로 축소 인쇄해야 하는지 구하시오. (단, $\sqrt{3}=1.732$)

각 용지의 가로의 길이의 비				
$\sqrt{2}$: 1	B0 : B1	B1 : B2	B2 : B3	⋯
$\sqrt{2}$: 1	A0 : A1	A1 : A2	A2 : A3	⋯
$\sqrt{1.5}$: 1	B0 : A0	B1 : A1	B2 : A2	⋯

03 창의력 ⚡

오른쪽 그림과 같이 넓이가 각각 2, 3, 8, 12인 네 개의 정사각형을 한 정사각형의 대각선의 교점에 다른 정사각형의 한 꼭짓점을 맞추고 겹치는 부분이 정사각형이 되도록 차례로 이어 붙여 새로운 도형을 만들었다. 새로 만든 도형의 둘레의 길이를 구하시오.

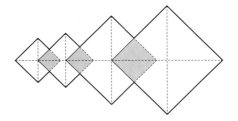

04

오른쪽 그림과 같이 밑면이 정사각형인 직육면체 A와 정육면체 B
가 있다. 정육면체 B의 밑면의 넓이는 직육면체 A의 밑면의 넓이
의 3배이고, 정육면체 B의 부피는 직육면체 A의 부피의 3배라고
한다. 이때 직육면체 A의 모든 모서리의 길이의 합은 정육면체 B
의 모든 모서리의 길이의 합의 몇 배인지 구하시오.

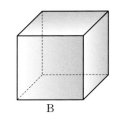

A　　　B

05

STEP UP 🖊

$\dfrac{\dfrac{d}{c}}{\dfrac{b}{a}}$ 와 같이 분모 또는 분자에 분수식이 있는 분수를 번분수라고 한다. 번분수는 다음과 같이 계산한다.

$$\frac{\dfrac{d}{c}}{\dfrac{b}{a}} = \frac{d}{c} \div \frac{b}{a} = \frac{d}{c} \times \frac{a}{b} = \frac{ad}{bc}$$

이를 이용하여 $\dfrac{1}{\sqrt{3}-\dfrac{1}{\sqrt{3}-\dfrac{1}{\sqrt{3}-\dfrac{1}{\sqrt{3}}}}}$ 을 간단히 하시오.

06

창의력 ⚡

아홉 자리 자연수 a에 대하여 $\sqrt{a}$의 정수 부분은 m자리 자연수이고, $x \geq y$인 자연수 x, y에 대하여
$\sqrt{x^2+y^2}$의 정수 부분이 7이 되도록 하는 순서쌍 (x, y)의 개수를 n이라고 할 때, mn의 값을 구하시오.

교과서 속 창의 사고력

01 오른쪽 그림과 같이 좌표평면 위에 $1 \le a \le 200$, $1 \le b \le 200$인 두 자연수 a, b에 대하여 점 $(a, \sqrt{b})$가 찍혀 있다. 이 점들 중에서 직선 $y = \sqrt{3}x$가 지나는 점의 개수를 구하시오.

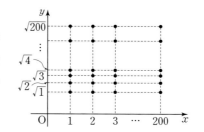

생각 Plus⁺

직선 $y = mx$가 점 (a, b)를 지날 때, $y = mx$에 $x = a$, $y = b$를 대입하면 등식이 성립한다. 즉 $b = ma$이다.

풀이▶

답▶

02 오른쪽 그림과 같이 가로, 세로의 간격이 각각 $\sqrt{2}$가 되도록 25개의 점을 정사각형 모양으로 배열하였다. 이 점들 중에서 네 점을 꼭짓점으로 하는 정사각형을 그릴 때, 한 변의 길이가 무리수인 정사각형의 개수를 구하시오. (단, 한 변의 길이가 같은 정사각형은 하나로 생각한다.)

한 변의 길이가 다른 정사각형을 모두 그려 본다.

풀이▶

답▶

03 오른쪽 그림과 같이 밑면의 한 변의 길이가 8 cm, 18 cm인 정사각형이고, 높이는 모두 5 cm인 직육면체 모양의 두 상자가 있다. 작은 상자는 큰 상자의 가운데에 올려놓고 그림처럼 묶어 매듭을 매려고 한다. 매듭을 매는 데 필요한 끈의 길이가 12 cm일 때, 필요한 끈의 전체 길이를 구하시오. (단, 끈은 모서리의 중점을 지나고, 끈의 두께는 무시한다.)

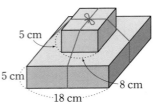

생각 Plus⁺

필요한 끈의 전체 길이에는 매듭을 매는 데 필요한 끈의 길이도 포함시킨다.

풀이▶

답▶

04 오른쪽 그림은 정사각형 모양의 판을 직각이등변삼각형 5개, 정사각형 1개, 평행사변형 1개로 나눈 칠교 놀이판이다. 정사각형 A의 한 변의 길이가 1일 때, 색칠한 세 삼각형의 둘레의 길이의 합을 구하시오.

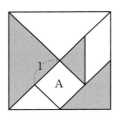

직각이등변삼각형에서 직각을 이루는 두 변의 길이가 a이면 빗변의 길이는 $\sqrt{a^2+a^2}=\sqrt{2}a$이다.

풀이▶

답▶

II

다항식의 곱셈과 인수분해

1 다항식의 곱셈

1 다항식과 다항식의 곱셈

분배법칙을 이용하여 전개하고 전개식에 동류항이 있으면 동류항끼리 모아서 간단히 정리한다.

$$(a+b)(c+d) = \underset{①}{ac} + \underset{②}{ad} + \underset{③}{bc} + \underset{④}{bd}$$

예 $(x+3)(x+5) = \underset{①}{x \times x} + \underset{②}{x \times 5} + \underset{③}{3 \times x} + \underset{④}{3 \times 5}$

$$= x^2 + \underbrace{5x + 3x}_{\text{동류항}} + 15 = x^2 + 8x + 15$$

참고 특정한 항의 계수 구하기

전개가 복잡할 때에는 모든 항을 전개하지 않고 필요한 문자가 들어 있는 항만 부분적으로 곱하여 계수를 구한다.

2 곱셈 공식

(1) 곱셈 공식 ① $(a\!+\!b)^2 = a^2\!+\!2ab\!+\!b^2$

$\qquad\qquad\qquad (a\!-\!b)^2 = a^2\!-\!2ab\!+\!b^2$

(2) 곱셈 공식 ② $(a+b)(a-b) = a^2-b^2$

(3) 곱셈 공식 ③ $(x+a)(x+b) = x^2 + \underset{\text{합}}{(a+b)}x + \underset{\text{곱}}{ab}$

(4) 곱셈 공식 ④ $(ax+b)(cx+d) = acx^2 + (ad+bc)x + bd$

3 복잡한 식의 전개

(1) 공통부분이 있는 식의 전개 공통부분을 한 문자로 치환한 후 곱셈 공식을 이용하여 전개한다.

예 $(x+y+3)(x+y-3)$ ┐ $x+y=A$로 치환한다.

$\quad = (A+3)(A-3)$ ┐ 전개한다.

$\quad = A^2 - 9$ ┐ $A=x+y$를 대입한다.

$\quad = (x+y)^2 - 9$ ┐ 전개하여 정리한다.

$\quad = x^2 + 2xy + y^2 - 9$ ┘

(2) ( )( )( )( )의 꼴의 전개

❶ 일차식의 상수항의 합이 같아지도록 2개씩 짝을 지어 전개한다.

❷ 공통부분을 한 문자로 치환한 후 곱셈 공식을 이용하여 전개한다.

예 $(x+1)(x+2)(x+3)(x+4)$ ┐ 일차식의 상수항의 합이 같아지도록 2개씩 짝을 짓는다.

$\quad = \{(x+1)(x+4)\}\{(x+2)(x+3)\}$ ┐ 전개한다.

$\quad = (x^2+5x+4)(x^2+5x+6)$ ┐ $x^2+5x=A$로 치환한다.

$\quad = (A+4)(A+6)$ ┐ 전개한다.

$\quad = A^2 + 10A + 24$ ┐ $A=x^2+5x$를 대입한다.

$\quad = (x^2+5x)^2 + 10(x^2+5x) + 24$ ┐ 전개하여 정리한다.

$\quad = x^4 + 10x^3 + 35x^2 + 50x + 24$ ┘

- $(a+b)(c+d)$에서
$c+d=M$이라고 하면
$(a+b)(c+d)$
$=(a+b)M$ ┐ 분배법칙
$=aM+bM$ ◄
$=a(c+d)+b(c+d)$ ┐ 분배법칙
$=ac+ad+bc+bd$ ┘

- **다항식의 내림차순, 오름차순**
  ① 내림차순 : 한 개의 문자에 대하여 차수가 높은 항부터 차례로 정리한것
  ② 오름차순 : 한 개의 문자에 대하여 차수가 낮은 항부터 차례로 정리한 것
  일반적으로 다항식은 내림차순으로 정리한다.

- **전개식이 같은 다항식**
$(a+b)^2 = (-a-b)^2$
$(a-b)^2 = (-a+b)^2$

- **곱셈 공식의 전개 과정**
  (1) $(a+b)^2 = (a+b)(a+b)$
  $\qquad = a^2+ab+ba+b^2$
  $\qquad = a^2+2ab+b^2$
  $\quad (a-b)^2 = (a-b)(a-b)$
  $\qquad = a^2-ab-ba+b^2$
  $\qquad = a^2-2ab+b^2$
  (2) $(a+b)(a-b)$
  $\qquad = a^2-ab+ba-b^2$
  $\qquad = a^2-b^2$
  (3) $(x+a)(x+b)$
  $\qquad = x^2+bx+ax+ab$
  $\qquad = x^2+(a+b)x+ab$
  (4) $(ax+b)(cx+d)$
  $\qquad = acx^2+adx+bcx+bd$
  $\qquad = acx^2+(ad+bc)x+bd$

- **치환(置換)** : 바꾸어 놓음

- 다음과 같이 부호가 반대인 경우에는 $-$로 묶으면 공통부분을 찾을 수 있다.
$(a-b-c)(a+b+c)$
$= \{a-(b+c)\}\{a+(b+c)\}$
$= (a-A)(a+A)$ → A로 치환
$= a^2-A^2$
$= a^2-(b+c)^2$
$= a^2-b^2-2bc-c^2$

4 곱셈 공식을 이용한 수의 계산

(1) 수의 제곱의 계산

$(a+b)^2=a^2+2ab+b^2$ 또는 $(a-b)^2=a^2-2ab+b^2$을 이용한다.

예 $102^2=(100+2)^2=100^2+2\times100\times2+2^2=10404$

$97^2=(100-3)^2=100^2-2\times100\times3+3^2=9409$

(2) 두 수의 곱의 계산

$(a+b)(a-b)=a^2-b^2$ 또는 $(x+a)(x+b)=x^2+(a+b)x+ab$를 이용한다.

예 $104\times96=(100+4)(100-4)=100^2-4^2=9984$

$106\times107=(100+6)(100+7)=100^2+(6+7)\times100+6\times7=11342$

(3) 제곱근을 포함한 수의 계산

제곱근을 문자로 생각하여 곱셈 공식을 이용한다.

예 $(\sqrt{2}+\sqrt{3})^2=(\sqrt{2})^2+2\times\sqrt{2}\times\sqrt{3}+(\sqrt{3})^2=2+2\sqrt{6}+3=5+2\sqrt{6}$

> 간단한 수의 제곱은
> 그냥 계산하는 것이 더 쉬워.
> 하지만 큰 수나 소수의 제곱은
> 곱셈 공식을 이용하는
> 것이 더 편리해.

• **자주 나오는 수의 계산**
① $102^2=(100+2)^2$
② $98^2=(100-2)^2$
③ 102×98
  $=(100+2)(100-2)$
④ 103×101
  $=(100+3)(100+1)$

5 곱셈 공식을 이용한 분모의 유리화

분모가 두 수의 합 또는 차로 되어 있는 무리수일 때, 곱셈 공식 $(a+b)(a-b)=a^2-b^2$ 을 이용하여 분모를 유리화한다.

> $a>0, b>0$일 때
>
> $$\frac{c}{\sqrt{a}+\sqrt{b}}=\frac{c(\sqrt{a}-\sqrt{b})}{(\sqrt{a}+\sqrt{b})(\sqrt{a}-\sqrt{b})}=\frac{c\sqrt{a}-c\sqrt{b}}{a-b}\ (단, a\neq b)$$

예 $\dfrac{2}{\sqrt{5}+\sqrt{3}}=\dfrac{2(\sqrt{5}-\sqrt{3})}{(\sqrt{5}+\sqrt{3})(\sqrt{5}-\sqrt{3})}=\dfrac{2(\sqrt{5}-\sqrt{3})}{5-3}=\sqrt{5}-\sqrt{3}$

6 곱셈 공식의 변형

두 수의 합과 곱 또는 두 수의 차와 곱을 알 때, 곱셈 공식의 변형을 이용하여 주어진 식의 값을 구한다.

(1) 곱셈 공식의 변형

① $a^2+b^2=(a+b)^2-2ab$

② $a^2+b^2=(a-b)^2+2ab$

③ $(a+b)^2=(a-b)^2+4ab$

④ $(a-b)^2=(a+b)^2-4ab$

(2) 두 수의 곱이 1인 식의 변형

① $a^2+\dfrac{1}{a^2}=\left(a+\dfrac{1}{a}\right)^2-2$

② $a^2+\dfrac{1}{a^2}=\left(a-\dfrac{1}{a}\right)^2+2$

③ $\left(a+\dfrac{1}{a}\right)^2=\left(a-\dfrac{1}{a}\right)^2+4$

④ $\left(a-\dfrac{1}{a}\right)^2=\left(a+\dfrac{1}{a}\right)^2-4$

• **6 – (1) 곱셈 공식의 변형 과정**
① $(a+b)^2=a^2+2ab+b^2$
  $\therefore a^2+b^2=(a+b)^2-2ab$
② $(a-b)^2=a^2-2ab+b^2$
  $\therefore a^2+b^2=(a-b)^2+2ab$
③ $(a+b)^2-2ab$
  $=(a-b)^2+2ab$
  $\therefore (a+b)^2=(a-b)^2+4ab$
④ $(a+b)^2-2ab$
  $=(a-b)^2+2ab$
  $\therefore (a-b)^2=(a+b)^2-4ab$

1 다항식과 다항식의 곱셈

01 $(-x+4)(3x-y+2)$를 전개하면?

① $-3x^2-xy+10x-4y+8$

② $-3x^2-xy+14x-4y+8$

③ $-3x^2+xy+10x-4y+8$

④ $-3x^2+xy+14x+4y+8$

⑤ $-3x^2+13xy-2x-4y+8$

02 $(4x-7)(6y-1)$의 전개식에서 x의 계수와 y의 계수의 합을 구하시오.

2 곱셈 공식 ①, ②

03 다음 중 옳은 것을 모두 고르면? (정답 2개)

① $(x-3)^2=x^2+6x+9$

② $(4x+1)^2=8x^2+8x+1$

③ $(3a-2b)^2=9a^2-12ab+4b^2$

④ $\left(a-\dfrac{1}{2}\right)^2=a^2-\dfrac{1}{2}a+\dfrac{1}{4}$

⑤ $\left(\dfrac{5}{2}x-4\right)^2=\dfrac{25}{4}x^2-20x+16$

04 다음 보기 중 $(a-b)^2$과 전개식이 같은 것을 모두 고르시오.

┌ 보기 ┐
㉠ $(a+b)^2$ ㉡ $-(a+b)^2$ ㉢ $(b-a)^2$
㉣ $-(a-b)^2$ ㉤ $(-a+b)^2$ ㉥ $(-a-b)^2$

05 다음 중 옳지 <u>않은</u> 것은?

① $(x+2)(x-2)=x^2-4$

② $(-4a+3)(-4a-3)=16a^2-9$

③ $(3+x)(3-x)=-x^2+9$

④ $(b-5a)(b+5a)=25a^2-b^2$

⑤ $\left(\dfrac{3}{2}x-\dfrac{4}{5}y\right)\left(\dfrac{3}{2}x+\dfrac{4}{5}y\right)=\dfrac{9}{4}x^2-\dfrac{16}{25}y^2$

06 다음 등식에서 □ 안에 알맞은 자연수는?

$$(1-a)(1+a)(1+a^2)(1+a^4)=1-a^{\square}$$

① 8 ② 10 ③ 12
④ 14 ⑤ 16

3 곱셈 공식 ③, ④

07 $\left(x+\dfrac{2}{3}y\right)\left(x-\dfrac{3}{4}y\right)=x^2+Axy+By^2$일 때, 상수 A, B에 대하여 AB의 값은?

① $-\dfrac{1}{6}$ ② $-\dfrac{1}{24}$ ③ $\dfrac{1}{48}$

④ $\dfrac{1}{24}$ ⑤ $\dfrac{1}{6}$

필수✔

08 다음 중 □ 안에 들어갈 수가 가장 작은 것은?

① $(a+4b)(2a-5b)=2a^2+\square ab-20b^2$

② $(7a+2)(1-3a)=\square a^2+a+2$

③ $(6x-5)(4x-3)=24x^2-38x+\square$

④ $(4x+y)(5y-3x)=\square x^2+17xy+5y^2$

⑤ $(2x+3y)(3x-y)=6x^2+\square xy-3y^2$

서술형✏

09 다음을 전개하여 간단히 하면 $2x^2+ax+b$일 때, $2a-b$의 값을 구하시오. (단, a, b는 상수)

$$(3x-5)(x+4)-(x+2)(x-6)$$

4 곱셈 공식의 도형에의 활용

필수✔

10 오른쪽 그림과 같이 가로의 길이, 세로의 길이가 각각 $7x$, $3x$인 직사각형에서 가로의 길이는 5만큼 줄이고 세로의 길이는 4만큼 늘였다. 이때 색칠한 직사각형의 넓이는?

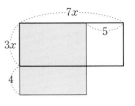

① $14x^2+x-20$

② $14x^2+13x-20$

③ $21x^2+x-20$

④ $21x^2+13x-20$

⑤ $21x^2+13x+20$

11 오른쪽 그림과 같이 세 모서리의 길이가 각각 $x+7$, $2x-1$, $3x+2$인 직육면체의 겉넓이를 구하시오.

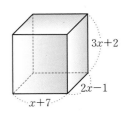

12 오른쪽 그림과 같이 가로의 길이, 세로의 길이가 각각 $8a$, $6a$인 직사각형 모양의 땅에 폭이 1로 일정한 길을 만들었다. 길을 제외한 땅의 넓이를 구하시오.

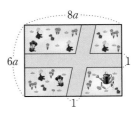

5 치환을 이용한 식의 전개

13 $(3x^2+2x+1)^2$의 전개식에서 x^3의 계수를 a, x의 계수를 b라고 할 때, ab의 값을 구하시오.

14 다음 식을 전개하시오.

$$(x-1)(x+2)(x+3)(x+6)$$

6 곱셈 공식을 이용한 수의 계산

필수 ✓

15 다음 중 993×1007을 계산하기 위해 이용하면 가장 편리한 곱셈 공식은?

① $(a+b)^2 = a^2 + 2ab + b^2$

② $(a-b)^2 = a^2 - 2ab + b^2$

③ $(a+b)(a-b) = a^2 - b^2$

④ $(x+a)(x+b) = x^2 + (a+b)x + ab$

⑤ $(ax+b)(cx+d) = acx^2 + (ad+bc)x + bd$

16 $(\sqrt{2}+3\sqrt{3})(5\sqrt{2}-\sqrt{3}) = a+b\sqrt{6}$일 때, $b-a$의 값은? (단, a, b는 유리수)

① 11 ② 12 ③ 13

④ 14 ⑤ 15

17 $(2-\sqrt{3})(2\sqrt{3}+a)$가 유리수가 될 때, 유리수 a의 값을 구하시오.

7 곱셈 공식을 이용한 분모의 유리화

서술형 ✎

18 $\dfrac{2\sqrt{5}+3\sqrt{2}}{2\sqrt{5}-3\sqrt{2}}$의 분모를 유리화하시오.

19 $\dfrac{3}{3+2\sqrt{2}}-\dfrac{2}{3-2\sqrt{2}}=a+b\sqrt{2}$ 일 때, $a-b$의 값을 구하시오. (단, $a,\ b$는 유리수)

22 $x+\dfrac{1}{x}=4\sqrt{5}$ 일 때, $\left(x-\dfrac{1}{x}\right)^2$ 의 값은?

① 80   ② 78   ③ 76
④ 18   ⑤ 16

8 식의 값 구하기

20 $x+y=4,\ x^2+y^2=20$ 일 때, $\dfrac{y}{x}+\dfrac{x}{y}$ 의 값을 구하시오.

23 $x^2-5x+1=0$ 일 때, $3x^2+x+\dfrac{1}{x}+\dfrac{3}{x^2}$ 의 값을 구하시오.

21 $x=2\sqrt{6},\ y=5\sqrt{3}$ 일 때, $(x-y)^2-(x+y)(x-y)$ 의 값은?

① $-60\sqrt{2}$ ② $48-60\sqrt{2}$
③ $-40\sqrt{3}+75$ ④ $-60\sqrt{2}+150$
⑤ $60\sqrt{2}+150$

24 $x=\dfrac{\sqrt{5}}{\sqrt{5}+2}$ 일 때, $x^2-10x+17$ 의 값을 구하시오.

01 $(x-ay-1)(x-2y+3)=x^2+3xy-10y^2+2x+by-3$일 때, $a+b$의 값을 구하시오. (단, a, b는 상수)

02 $(x-A)(x-B)$를 전개하면 x^2-Cx+8일 때, C의 값이 될 수 있는 수 중 가장 작은 수를 구하시오. (단, A, B, C는 정수)

창의력⚡

03 현우는 $(x-6)(x+5)$를 전개하는데 -6을 a로 잘못 보아 x^2+9x+b로 전개하였고, 성오는 $(2x-7)(3x+5)$를 전개하는데 x의 계수 3을 c로 잘못 보아 $dx^2+3x-35$로 전개하였다. 상수 a, b, c, d에 대하여 $a+b+c+d$의 값을 구하시오.

전개하려는 식에 잘못 본 계수를 대입한다.

04 두 자연수 A, B를 7로 나누었을 때의 나머지가 각각 5, 3일 때, A^2-B^2을 7로 나누었을 때의 나머지를 구하시오. (단, $A>B$)

자연수 N을 p로 나누면 몫이 q이고 나머지가 r이다.
➡ $N=pq+r$ (단, $0 \le r < p$)

05 $y=x-4$일 때, 다음 등식을 만족하는 상수 a, b의 값을 각각 구하시오.

$$(x+y)(x^2+y^2)(x^4+y^4)=a(x^b-y^b)$$

━ 해결 Plus⁺

II

다항식의 곱셈과 인수분해

06 가로의 길이가 a, 세로의 길이가 b인 직사각형 모양의 종이 ABCD를 오른쪽 그림과 같이 접었다. 이때 직사각형 HFJI의 넓이를 a, b의 식으로 나타내시오. (단, $a>b$)

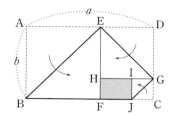

□HFJI=$\overline{\text{HI}}\times\overline{\text{IJ}}$이므로 $\overline{\text{HI}}$, $\overline{\text{IJ}}$의 길이를 각각 a, b의 식으로 나타낸다.

융합형

07 오른쪽 그림과 같이 가로의 길이가 15, 세로의 길이가 10인 직사각형 모양의 땅에 폭이 $2x$ 또는 y로 일정한 길을 만들었다. 이때 땅의 넓이를 x, y의 식으로 나타내시오.

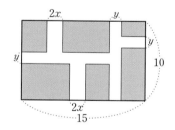

08 $(1-a+a^2-a^3)(1+a-a^2-a^3)$을 전개하시오.

각 다항식에서 두 항씩 짝 지어 공통부분을 만든다.

09 $x^2+2x-6=0$일 때, 다음 식의 값을 구하시오.

$$(x-3)(x-1)(x+3)(x+5)+100$$

해결 Plus⁺

( )( )( )( )의 꼴의 전개
➡ 일차식의 상수항의 합이 같아지
도록 2개씩 짝을 지어 전개한다.

10 $(2+3)(2^2+3^2)(2^4+3^4)(2^8+3^8)(2^{16}+3^{16})$을 간단히 하면?

① $2^{32}-3^{32}$ ② $2^{20}-3^{20}$ ③ $3^{32}-2^{32}$

④ $2^{20}+3^{20}$ ⑤ $2^{32}+3^{32}$

서술형

11 다음 식을 간단히 하시오.

$$(2+\sqrt{3})^3(2-\sqrt{3})^4-(2+\sqrt{3})^5(2-\sqrt{3})^7$$

m, n이 자연수일 때,
$a^m \times a^n = a^{m+n}$, $(ab)^m = a^m b^m$

12 x보다 크지 않은 최대의 정수를 $[x]$라고 할 때, $[3.05^2+2.95^2]$의 값을 구하시오.

창의·융합 ✿

13 길이가 84 cm인 끈을 적당히 두 개로 잘라 한 변의 길이가 각각 x cm, y cm인 두 정사각형을 만들었다. 두 정사각형의 넓이의 합이 261 cm²일 때, $(x-y)^2$의 값을 구하시오. (단, 끈은 남김없이 모두 사용하였다.)

■ 해결 Plus⁺

두 정사각형의 둘레의 길이의 합과 넓이의 합을 각각 x, y를 이용하여 나타낸다.

14 $x^2-x-1=0$일 때, $x^8+\dfrac{1}{x^8}$의 값을 구하시오.

서술형 ✎

15 $f(x)=\sqrt{x}+\sqrt{x+1}$일 때, $\dfrac{1}{f(1)}+\dfrac{1}{f(2)}+\dfrac{1}{f(3)}+\cdots+\dfrac{1}{f(35)}$의 값을 구하시오.

분모의 유리화를 이용하여 $\dfrac{1}{f(x)}$을 간단히 한다.

16 $x=\dfrac{\sqrt{3}+\sqrt{2}}{\sqrt{3}-\sqrt{2}}$일 때, $\dfrac{\sqrt{x+1}-\sqrt{x-1}}{\sqrt{x+1}+\sqrt{x-1}}+\dfrac{\sqrt{x+1}+\sqrt{x-1}}{\sqrt{x+1}-\sqrt{x-1}}$의 값을 구하시오.

01 다항식 $(1+x+x^2+x^3+x^4+x^5)^2$을 전개하였을 때, x^4의 계수를 a, 모든 항의 계수와 상수항의 총합을 b라고 할 때, $a+b$의 값을 구하시오.

02 $(x-a)(x+a)(x^2+a^2)(x^4+a^4)(x^8+a^8)$을 전개한 식이 x^b-256일 때, 상수 a, b에 대하여 $\dfrac{b}{a}$의 값을 구하시오. (단, $a>0$)

03
창의력 ⚡
$x^2-y^2+1=0$일 때, $\{(x+y)^n+(x-y)^n\}^2-\{(x+y)^n-(x-y)^n\}^2$의 값을 모두 구하시오.
(단, $n\geq 2$인 자연수)

II

융합형 ✎

04
오른쪽 그림과 같이 한 변의 길이가 2인 정사각형의 네 모퉁이에서 직각이등변삼각형을 잘라 정팔각형을 만들었다. 이 정팔각형의 넓이를 구하시오.

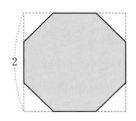

05
다음 조건을 모두 만족하는 두 실수 a, b에 대하여 $(a-b)(a^2+b^2)$의 값을 구하시오.

┌─ 조건 ─
(가) $a > b$

(나) $ab = -5$

(다) $\dfrac{-a+b}{a+2} = \dfrac{a-b}{b+2}$
└─────────

STEP UP ✐

06
둘레의 길이가 서로 같은 정사각형과 직사각형의 넓이의 차가 16일 때, 직사각형의 두 변의 길이의 차를 구하시오.

2 다항식의 인수분해

1 인수분해

(1) 인수 하나의 다항식을 두 개 이상의 다항식의 곱으로 나타낼 때, 곱해진 각각의 다항식을 처음 다항식의 인수라고 한다.

> 참고 모든 다항식에서 1과 자기 자신은 그 다항식의 인수이다.

(2) 인수분해 하나의 다항식을 두 개 이상의 인수의 곱으로 나타내는 것을 그 다항식을 인수분해한다고 한다.
└─→ 전개의 반대 과정

$$x^2+3x+2 \xleftarrow[\text{전개}]{\text{인수분해}} (x+1)(x+2)$$

┌→ 다항식의 각 항에 공통으로 들어 있는 인수
(3) 공통인수를 이용한 인수분해 다항식의 각 항에 공통인수가 있을 때에는 분배법칙을 이용하여 공통인수를 묶어내어 인수분해한다.

➡ $\underline{m}a - \underline{m}b + \underline{m}c = \underline{m}(a-b+c)$
　　　　　　　└→ 공통인수

• x^2+3x+2의 인수는 $1, x+1, x+2, (x+1)(x+2)$이다.

> 인수분해할 때에는 공통인수가 있는지를 가장 먼저 확인해!

2 인수분해 공식

(1) 완전제곱식 다항식의 제곱으로 된 식 또는 이 식에 상수를 곱한 식

> 예 $(a+b)^2, (x-y)^2, 3(x+2)^2, -\dfrac{1}{2}(a-2b)^2$

(2) 인수분해 공식 ① $a^2+2ab+b^2=(a+b)^2$, $a^2-2ab+b^2=(a-b)^2$

> 예 $x^2+4x+4=(x+2)^2, x^2-4x+4=(x-2)^2$

(3) 완전제곱식이 될 조건

① x^2+ax+b가 완전제곱식이 되기 위한 b의 조건 ➡ $b=\left(\dfrac{a}{2}\right)^2$

② x^2+ax+b^2이 완전제곱식이 되기 위한 a의 조건 ➡ $a=\pm 2b$

(4) 인수분해 공식 ② $a^2-b^2=\underset{\text{합}}{(a+b)}\,\underset{\text{차}}{(a-b)}$

> 예 $x^2-4=(x+2)(x-2)$

(5) 인수분해 공식 ③ $x^2+\underset{\text{합}}{(a+b)}x+\underset{\text{곱}}{ab}=(x+a)(x+b)$

> 예 $x^2-2x-3=(x+1)(x-3)$

> 참고 $x^2+(a+b)x+ab=(x+a)(x+b)$와 같이 인수분해하는 방법
> ❶ 곱했을 때 상수항이 되는 두 수를 모두 찾는다.
> ❷ ❶의 두 수 중 합이 x의 계수가 되는 두 수 a, b를 찾는다.
> ❸ $(x+a)(x+b)$의 꼴로 나타낸다.

(6) 인수분해 공식 ④ $acx^2+(ad+bc)x+bd=(ax+b)(cx+d)$

> 예 $2x^2+5x-3=(x+3)(2x-1)$　└→ $ac>0$일 때, a와 c는 모두 양수로 생각하고 인수분해하는 것이 편리하다.

> 참고 $acx^2+(ad+bc)x+bd=(ax+b)(cx+d)$와 같이 인수분해하는 방법
> ❶ 곱하여 x^2의 계수가 되는 두 정수 a, c를 세로로 나열한다.
> ❷ 곱하여 상수항이 되는 두 정수 b, d를 세로로 나열한다.
> ❸ ❶, ❷의 정수를 대각선 방향으로 곱하여 합한 것이 x의 계수가 되는 것을 찾는다.
> ❹ $(ax+b)(cx+d)$의 꼴로 나타낸다.

$$acx^2+\underline{(ad+bc)}x+bd=(ax+b)(cx+d)$$
$$ax \diagdown b \longrightarrow bcx$$
$$cx \diagup d \longrightarrow \underline{\quad adx\;} (+$$
$$(ad+bc)x$$

• ax^2+bx+c가 완전제곱식이 되기 위한 b의 조건
　➡ $b^2=4ac$

• $x^2-2=(x+\sqrt{2})(x-\sqrt{2})$로 인수분해할 수 있으나 중학교 과정에서는 유리수 범위에서만 인수분해한다. 즉 x^2-2는 더 이상 인수분해할 수 없다고 한다.

3 복잡한 식의 인수분해

(1) 공통부분이 있는 식의 인수분해 공통부분을 한 문자로 치환한 후 인수분해한다.

예 $(x-2y+1)(x-2y+2)-6$에서 공통부분인 $x-2y=A$로 치환하면

$$(x-2y+1)(x-2y+2)-6=(A+1)(A+2)-6$$
$$=A^2+3A-4=(A+4)(A-1)$$
$$=(x-2y+4)(x-2y-1)$$

치환하여 인수분해한 후 반드시 원래의 식을 대입하여 정리해!

(2) $(\ \ )(\ \ )(\ \ )(\ \ )+k$의 꼴의 인수분해 공통부분이 생기도록 2개씩 짝을 지어 전개한 후 공통부분을 치환하여 인수분해한다.

예 $(x+1)(x+2)(x+3)(x+4)-8=\{(x+1)(x+4)\}\{(x+2)(x+3)\}-8$

$$=(x^2+5x+4)(x^2+5x+6)-8 \quad \rfloor x^2+5x=A로 치환$$
$$=(A+4)(A+6)-8$$
$$=A^2+10A+16=(A+2)(A+8)$$
$$=(x^2+5x+2)(x^2+5x+8)$$

(3) 항이 4개인 식의 인수분해

① 공통인수가 나오도록 항을 2개씩 짝 지은 후 인수분해한다.

예 $xy+x-y-1=x(y+1)-(y+1)=(x-1)(y+1)$

② 완전제곱식이 되는 3개의 항과 나머지 1개의 항으로 나누어 A^2-B^2의 꼴로 만든 후 인수분해한다.

예 $x^2+2xy+y^2-4=(x+y)^2-2^2=(x+y+2)(x+y-2)$

(4) 항이 5개 이상인 식의 인수분해 차수가 가장 낮은 문자에 대하여 내림차순으로 정리한 후 인수분해한다.

예 $x^2+xy-3x-2y+2=xy-2y+x^2-3x+2$ ← y에 대하여 내림차순으로 정리

$$=(x-2)y+(x^2-3x+2)$$
$$=(x-2)y+(x-1)(x-2)$$
$$=(x-2)(x+y-1)$$

참고 문자의 차수가 같은 경우에는 임의의 한 문자에 대하여 내림차순으로 정리한다.

• **내림차순**
다항식을 한 문자에 대하여 차수가 높은 항부터 낮은 항의 순서로 나열하는 것

4 인수분해 공식의 활용

(1) 인수분해 공식을 이용한 수의 계산

복잡한 수의 계산을 할 때, 인수분해 공식을 이용하면 편리하다. 이때 인수분해 공식을 이용할 수 있도록 수의 모양을 바꾸어 계산한다.

① $ma+mb=m(a+b)$를 이용한다.

예 $17\times25+17\times75=17\times(25+75)=17\times100=1700$

② $a^2+2ab+b^2=(a+b)^2$, $a^2-2ab+b^2=(a-b)^2$을 이용한다.

예 $99^2+2\times99\times1+1=(99+1)^2=100^2=10000$

$101^2-2\times101\times1+1=(101-1)^2=100^2=10000$

③ $a^2-b^2=(a+b)(a-b)$를 이용한다.

예 $98^2-4=98^2-2^2=(98+2)(98-2)=100\times96=9600$

(2) 인수분해 공식을 이용한 식의 값

주어진 식을 인수분해한 후 문자의 값을 대입하여 계산한다.

예 $a=29$일 때, a^2+2a+1의 값은

$$a^2+2a+1=(a+1)^2=(29+1)^2=30^2=900$$

• **식의 값이 주어진 경우**
값이 주어진 식의 꼴이 나오도록 문제에서 주어진 식을 변형하거나 인수분해한 후 식의 값을 대입한다.

1 인수와 인수분해

01 다음 중 $4ab^2(a-3b)$의 인수가 <u>아닌</u> 것은?

① $4a$ ② $a-3b$

③ $4(a-3b)$ ④ $ab(a-3b)$

⑤ $a^2b^2(a-3b)$

02 $2x(a-b)+2y(b-a)$를 인수분해하면?

① $2xy(a-b)$ ② $(a-b)(2x-y)$

③ $(a-b)(2x+y)$ ④ $2(a-b)(x-y)$

⑤ $2(a-b)(x+y)$

2 인수분해 공식 ①, ②

필수✔

03 다음 중 완전제곱식으로 인수분해되지 <u>않는</u> 것은?

① x^2+2x+1 ② $a^2-8a+16$

③ $\dfrac{1}{4}a^2+a+1$ ④ $16a^2+28a+9$

⑤ $3x^2-12x+12$

필수✔

04 $(3x-4)(3x+8)+a$가 완전제곱식이 될 때, 상수 a의 값은?

① -36 ② -28 ③ 28

④ 32 ⑤ 36

05 $2<x<3$일 때, $\sqrt{x^2-4x+4}+\sqrt{x^2-6x+9}$를 간단히 하면?

① -1 ② 1 ③ $2x-5$

④ $2x+1$ ⑤ $2x+5$

06 a^3-a를 인수분해하면?

① $a(a^2+1)$ ② $a(a-1)^2$

③ $-a(a+1)^2$ ④ $a(a+1)(a-1)$

⑤ $-a(a+1)(a-1)$

3 인수분해 공식 ③, ④

07 $x^2-4x-12$가 x의 계수가 1인 두 일차식의 곱으로 인수분해될 때, 두 일차식의 합을 구하시오.

필수 ✓

08 다음 중 인수분해를 바르게 한 것은?

① $a^2-2ab-24b^2=(a-4b)(a-6b)$
② $2x^2+7xy-4y^2=(x-4y)(2x+y)$
③ $4x^2-11x+6=(x-2)(4x-3)$
④ $x^2+3xy-10y^2=(x-2y)(x-5y)$
⑤ $3a^2-ab-14b^2=(a-2b)(3a+7b)$

09 다음 두 다항식의 공통인수는?

$$2x^2+7x+3, \qquad 6x^2-5x-4$$

① $x-3$ ② $x+3$ ③ $x+4$
④ $2x-1$ ⑤ $2x+1$

10 $2x^2+ax-6$이 $x+6$을 인수로 가질 때, 상수 a의 값을 구하시오.

서술형 ✏️

11 어떤 이차식을 인수분해하는데 민준이는 상수항을 잘못 보아 $(3x-2)(5x+3)$으로 인수분해하였고, 다희는 x의 계수를 잘못 보아 $(15x-2)(x+1)$로 인수분해하였다. 처음 이차식을 바르게 인수분해하시오.

12 다음 그림과 같은 정사각형 7개, 직사각형 5개를 모두 사용하여 하나의 직사각형을 만들었다. 새로 만든 직사각형의 가로, 세로의 길이는 각각 a의 계수가 1인 일차식일 때, 이 직사각형의 둘레의 길이를 구하시오.

4 복잡한 식의 인수분해

필수 ✓

13 다음 중 $3a^3b+18a^2b+15ab$의 인수가 <u>아닌</u> 것은?

① $3ab$　　② a^2b　　③ $a+1$
④ $a(a+1)$　⑤ $(a+1)(a+5)$

서술형 ✎

14 $(x+5)^2+7(x+5)-8$은 x의 계수가 1인 두 일차식의 곱으로 인수분해될 때, 두 일차식의 합을 구하시오.

15 $(a+3b+4)(a+3b+2)-24$를 인수분해하면?
① $(a+3b-4)^2$
② $(a+3b+2)(a+3b-2)$
③ $(a+3b-4)(a+3b+6)$
④ $(a+3b-2)(a+3b-8)$
⑤ $(a+3b-2)(a+3b+8)$

16 $(2x+1)^2-(x-3)^2=(ax+b)(x+4)$일 때, $a-b$의 값을 구하시오. (단, a, b는 상수)

17 $(x-1)(x-3)(x+2)(x+4)+25$를 인수분해하시오.

18 다음 두 다항식의 공통인수는?

$$ab^2-b^2-4a+4, \qquad ab-a-b+1$$

① $a-1$　　　　　② $b-2$
③ $b+2$　　　　　④ $(a-1)(b-1)$
⑤ b^2-4

필수 ✓

19 다음 중 $a^2-4ab+4b^2-16c^2$의 인수인 것을 모두 고르면? (정답 2개)

① $a-2b$ ② $a-4c$

③ $a-2b-4c$ ④ $a-2b+4c$

⑤ $a+2b+4c$

20 $3x^2-xy+8x-2y+4$를 인수분해하면?

① $(x+1)(3x-2y+2)$

② $(x-2)(3x-y+2)$

③ $(x+2)(3x-y+2)$

④ $(x+2)(3x+y+2)$

⑤ $2(x+1)(3x-y+2)$

21 $x^2+4y^2-2x-4y+4xy+1$을 인수분해하시오.

5 인수분해 공식을 이용한 수의 계산

필수 ✓

22 인수분해 공식을 이용하여 $0.2\times77.7^2-0.2\times22.3^2$을 계산하려고 할 때, 다음 보기 중 이용되는 인수분해 공식을 모두 고른 것은?

보기

㉠ $ma+mb=m(a+b)$

㉡ $a^2+2ab+b^2=(a+b)^2$

㉢ $a^2-b^2=(a+b)(a-b)$

㉣ $x^2+(a+b)x+ab=(x+a)(x+b)$

① ㉠, ㉡   ② ㉠, ㉢   ③ ㉡, ㉢

④ ㉡, ㉣   ⑤ ㉢, ㉣

23 $\dfrac{1000\times1001-1001}{1000^2-1}$ 을 계산하면?

① 0 ② 1 ③ 999

④ 1000 ⑤ 1001

서술형 ✐

24 다음 두 수 A, B의 값의 합을 구하시오.

$A=86^2+28\times86+14^2$

$B=\sqrt{34^2-16^2}$

6 인수분해 공식을 이용한 식의 값

25 $a=1+\sqrt{2}$, $b=1-\sqrt{2}$일 때, a^2-b^2의 값은?

① $-4\sqrt{2}$ ② -4 ③ 0

④ 4 ⑤ $4\sqrt{2}$

필수✔

26 $x=\dfrac{2}{\sqrt{3}-1}$, $y=\dfrac{2}{\sqrt{3}+1}$일 때, $x^2+2xy+y^2$의 값은?

① $2\sqrt{3}$ ② $4\sqrt{3}$ ③ 12

④ $16+8\sqrt{3}$ ⑤ $24+8\sqrt{3}$

27 $x=3\sqrt{2}+1$일 때, $(x-3)^2+4(x-3)+4$의 값은?

① $3\sqrt{2}-2$ ② $3\sqrt{2}$ ③ 18

④ $19-6\sqrt{2}$ ⑤ $19+6\sqrt{2}$

7 인수분해 공식의 도형에의 활용

28 오른쪽 그림과 같이 지름의 길이가 $13r$인 원에서 폭이 $3r$가 되도록 중심이 같은 작은 원을 그렸다. 이때 색칠한 부분의 넓이는?

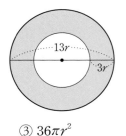

① $15\pi r^2$ ② $30\pi r^2$ ③ $36\pi r^2$

④ $56\pi r^2$ ⑤ $60\pi r^2$

29 다음 그림의 두 도형 (가), (나)의 넓이가 같을 때, 도형 (나)의 세로의 길이는?

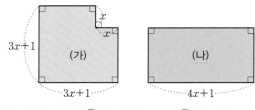

① $4x+1$ ② $3x+1$ ③ $2x+1$

④ $2x-1$ ⑤ $4x-1$

서술형✏

30 예슬이는 오른쪽 그림과 같이 중심각의 크기가 $150°$인 부채를 만들었다. 큰 부채꼴의 반지름의 길이는 $21\,\text{cm}$, 작은 부채꼴의 반지름의 길이는 $9\,\text{cm}$일 때, 그림이 그려진 부분의 넓이를 구하시오.

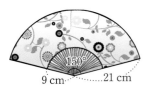

최고 수준 완성하기

01 $x+2$가 두 다항식 $2x^2+ax-10$, $3x^2+14x+b$의 공통인수일 때, $a+b$의 값을 구하시오. (단, a, b는 상수)

02 $kx^2+20x+12$가 $(ax+2)(bx+6)$으로 인수분해될 때, 상수 k의 최댓값을 구하시오. (단, a, b는 자연수)

서술형 ✎

03 $a-b>0$, $ab<0$일 때, 다음 식을 간단히 하시오.

$$\sqrt{9b^2-6ab+a^2}-\sqrt{4(a^2+b^2)-8ab}$$

창의력 ⚡

04 $[a, b, c]=(a-b)(a-c)$라고 약속할 때, $[x, y, z]+5[z, x, y]$를 인수분해 하시오.

— 해결 Plus⁺

근호 안의 식을 인수분해하여 완전 제곱식의 꼴로 만든다.

약속에 따라 식을 세운다.

05 $(x-5)(x-3)(x+3)(x+1)+k$가 완전제곱식이 되기 위한 상수 k의 값을 구하시오.

■ 해결 Plus⁺

06 $y-(xy+1)x+x^3$이 x의 계수가 1인 세 일차식의 곱으로 인수분해될 때, 세 일차식의 합을 구하시오.

07 $a^3-a^2b+ab^2+ac^2-b^3-bc^2$을 인수분해하시오.

차수가 가장 낮은 한 문자에 대하여 내림차순으로 정리한다.

08 $2500 \times 2504 + 4$는 자연수 a의 제곱일 때, a의 값을 구하시오.

$2504=2500+4$로 수의 모양을 바꾸어 전개해 본다.

09 $10^2 + 11^2 + 12^2 - 20^2 - 21^2 - 22^2$의 값을 구하시오.

10 $2^{80} - 1$은 30과 40 사이의 두 자연수로 나누어떨어진다. 이 두 자연수의 합을 구하시오.

융합형 ✐

11 자연수 n에 대하여 $3n^2 - 16n - 12$가 소수일 때, 이 소수를 구하시오.

서술형 ✐

12 $\sqrt{10}$의 소수 부분을 a, $2\sqrt{2}$의 정수 부분을 b라고 할 때, $\dfrac{a^2 + 4ab + 3b^2}{a+b}$의 값을 구하시오.

13 $k=\dfrac{1}{1+\sqrt{2}}+\dfrac{1}{\sqrt{2}+\sqrt{3}}+\cdots+\dfrac{1}{\sqrt{89}+\sqrt{90}}$ 일 때, $(k-2)^2+6(k-2)+9$의 값을 구하시오.

해결 Plus⁺

분모의 유리화를 이용하여 k의 값을 간단히 한다.

14 $a+b=5$, $ab=2$일 때, $a^2(a-b)+b^2(b-a)$의 값을 구하시오.

창의력 ⚡

15 오른쪽 그림과 같이 한 변의 길이가 a인 정사각형 모양의 화단에 폭이 b로 일정한 길을 내고, 가운데에 꽃밭을 만들었다. 길의 둘레의 길이는 $40\sqrt{3}$이고 넓이는 60일 때, a, b의 값을 각각 구하시오.

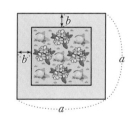

꽃밭은 한 변의 길이가 $a-2b$인 정사각형 모양이다.

16 오른쪽 그림과 같이 $\overline{AD}$, $\overline{BD}$, $\overline{CD}$를 각각 지름으로 하는 세 원이 있다. $\overline{AB}=\overline{BC}=a$이고 $\overline{BD}$를 지름으로 하는 원의 둘레의 길이가 16π일 때, 색칠한 부분의 넓이를 a에 대한 식으로 나타내려고 한다. 다음 물음에 답하시오.

(1) $\overline{BD}$의 길이를 구하시오.

(2) 색칠한 부분의 넓이를 a에 대한 식으로 나타내시오.

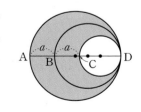

(색칠한 부분의 넓이)
=($\overline{AD}$를 지름으로 하는 원의 넓이)
  −($\overline{CD}$를 지름으로 하는 원의 넓이)

최고 수준 뛰어넘기

01 $a(b^2+c^2)+b(c^2+a^2)+c(a^2+b^2)+2abc$를 인수분해하시오.

02 융합형 ✎
인수분해 공식을 이용하여 $\sqrt{\dfrac{8^8 \times 2^3 - 16^6}{4^{13} - 8^6 \times 2^2}}$ 을 계산하시오.

03 $\sqrt{\left(287+\dfrac{1}{289}\right)\left(291+\dfrac{1}{289}\right)}$의 정수 부분을 구하시오.

04

STEP UP ✐

$\sqrt{20 \times 21 \times 22 \times 23 + 1}$의 값을 구하시오.

05

창의·융합 ❁

밑면의 가로와 세로의 길이, 높이가 차례로 a, b, c인 직육면체에서 자연수 a, b, c가 다음 식을 만족할 때, 이 직육면체의 부피를 구하시오. (단, $a < b < c$)

$$abc + ab + bc + ca + a + b + c + 1 = 165$$

06

창의력 ⚡

달팽이가 집에서 출발하여 첫째 날은 동쪽으로 1 cm만큼, 둘째 날은 북쪽으로 4 cm만큼, 셋째 날은 서쪽으로 9 cm만큼, 넷째 날은 남쪽으로 16 cm만큼, 다섯째 날은 다시 동쪽으로 25 cm만큼 이동한다. 이와 같은 방법으로 n째 날은 n^2 cm만큼 이동한다고 할 때, 달팽이가 출발한 지 20째 날의 위치는 집을 기준으로 어느 방향으로 몇 cm 떨어져 있는지 구하시오.

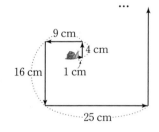

01 가로의 길이가 $3x+2$, 세로의 길이가 $x-5$, 높이가 5인 직육면체 모양의 쌓기 나무를 24개 쌓아 입체도형을 만들었다. 이 입체도형 부피를 x에 대한 식으로 나타내었을 때, x^2의 계수를 구하시오.

생각 Plus⁺

(직육면체의 부피)
＝(밑넓이)×(높이)
＝(가로의 길이)×(세로의 길이)×(높이)
임을 이용한다.

풀이▶

답▶

02 다음을 만족하는 한 자리 자연수 A, B에 대하여 $A+B$의 값을 구하시오.

$$19999^2+39999=A\times 10^B$$

$20000=x$로 놓고 곱셈 공식을 이용한다.

풀이▶

답▶

03 오른쪽 그림과 같이 A 주머니에는 1, 2, 4, 6, 8, 10이 각각 적혀 있는 6개의 공이 들어 있고, B 주머니에는 1, 4, 5, 7, 9, 16이 각각 적혀 있는 6개의 공이 들어 있다. 각 주머니에서 공을 한 개씩 꺼낼

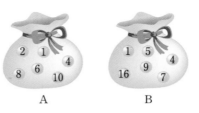

때, A 주머니에서 꺼낸 공에 적힌 수를 a, B 주머니에서 꺼낸 공에 적힌 수를 b 라고 하자. 다항식 x^2-ax+b가 완전제곱식이 될 확률을 구하시오.

생각 Plus⁺

다항식 x^2-ax+b가 완전제곱식이 될 조건을 생각해 본다.

풀이▶

답▶

04 다음 그림과 같이 정사각형 2개, 직사각형 2개를 사용하여 큰 정사각형을 만들면 $a^2+2ab+b^2=(a+b)^2$임을 확인할 수 있다.

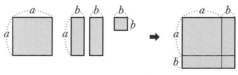

이와 같이 다음 네 종류의 직육면체를 여러 개 사용하여 한 모서리의 길이가 $a+b$인 정육면체를 만들고, 이 정육면체의 부피를 일차식의 곱으로 나타내시오.

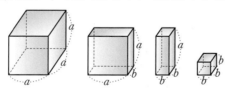

한 모서리의 길이가 $a+b$인 정육면체를 그려 보고, 네 종류의 직육면체는 각각 몇 개씩 필요한지 알아본다.

풀이▶

답▶

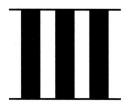

III

이차방정식

1 이차방정식의 풀이

1 이차방정식의 풀이

(1) **x에 대한 이차방정식** 우변에 있는 모든 항을 좌변으로 이항하여 정리한 식이

$$(x에 대한 이차식)=0$$

의 꼴로 나타나는 방정식

➡ $ax^2+bx+c=0$ (단, a, b, c는 상수, $a\neq0$)

> 참고 방정식 $ax^2+bx+c=0$이 x에 대한 이차방정식이 되는 조건(단, a, b, c는 상수) ➡ $a\neq0$

(2) **이차방정식의 해 (근)** 이차방정식 $ax^2+bx+c=0$을 참이 되게 하는 x의 값

> 참고 x에 대한 이차방정식에서 미지수 x에 대한 특별한 조건이 없을 때에는 x의 값의 범위를 실수 전체로 생각한다.

(3) **이차방정식을 푼다** 이차방정식의 해를 모두 구하는 것

미지수의 값에 따라 참이 되기도 하고 거짓이 되기도 하는 등식을 방정식이라고 해.

- $x=k$가 이차방정식 $ax^2+bx+c=0$의 해이다.
  ➡ $x=k$를 이차방정식 $ax^2+bx+c=0$에 대입하면 등식이 성립한다.
  ➡ $ak^2+bk+c=0$

2 인수분해를 이용한 이차방정식의 풀이

(1) **$AB=0$의 성질** 두 수 또는 두 식 A, B에 대하여 다음이 성립한다.

$$AB=0이면 A=0 또는 B=0$$

(2) **인수분해를 이용한 이차방정식의 풀이**

❶ 주어진 이차방정식을 $ax^2+bx+c=0$의 꼴로 나타낸다.

❷ 좌변을 인수분해한다.

❸ $AB=0$의 성질을 이용하여 해를 구한다.

- 두 수 또는 두 식 A, B에 대하여 $AB=0$이면 다음 세 가지 중 하나가 성립한다.
  ① $A=0$이고 $B\neq0$
  ② $A\neq0$이고 $B=0$
  ③ $A=0$이고 $B=0$

3 이차방정식의 중근

(1) **중근** 이차방정식의 두 해가 중복일 때, 이 해를 주어진 이차방정식의 중근이라고 한다.

(2) **중근을 가질 조건** 이차방정식이 (완전제곱식)$=0$의 꼴로 나타내어지면 이 이차방정식은 중근을 갖는다.
> └─▶ 어떤 다항식의 제곱으로 된 식 또는 이 식에 상수를 곱한 식

> 참고 이차방정식 $x^2+ax+b=0$이 중근을 가질 조건 ➡ $b=\left(\dfrac{a}{2}\right)^2$

4 제곱근을 이용한 이차방정식의 풀이

> ┌─▶ 어떤 수 x를 제곱하여 음이 아닌 수 a가 될 때, 즉 $x^2=a(a\geq0)$일 때, x를 a의 제곱근이라고 한다.

(1) **이차방정식 $x^2=k(k\geq0)$의 해** ➡ $x=\pm\sqrt{k}$ ─▶ $x=\sqrt{k}$ 또는 $x=-\sqrt{k}$

(2) **이차방정식 $(x-p)^2=q(q\geq0)$의 해** ➡ $x=p\pm\sqrt{q}$ ─▶ $x=p+\sqrt{q}$ 또는 $x=p-\sqrt{q}$

> 참고 이차방정식 $(x-p)^2=q$에서
> ① $q>0$이면 $x=p\pm\sqrt{q}$
> ② $q=0$이면 $x=p$
> ③ $q<0$이면 해는 없다.

- 제곱근을 이용한 이차방정식의 해
  (1) $ax^2=k(a\neq0, ak\geq0)$의 해
    ➡ $x=\pm\sqrt{\dfrac{k}{a}}$
  (2) $a(x-p)^2=q(a\neq0, aq\geq0)$
    의 해 ➡ $x=p\pm\sqrt{\dfrac{q}{a}}$

5 완전제곱식을 이용한 이차방정식의 풀이

이차방정식 $ax^2+bx+c=0$(단, $a \neq 0$)의 좌변이 인수분해가 되지 않을 때에는 $(x-p)^2=q$의 꼴로 바꾸어 제곱근을 이용하여 해를 구한다.

❶ x^2의 계수 a로 양변을 나누어 x^2의 계수를 1로 만든다.

❷ 상수항을 우변으로 이항한다.

❸ 양변에 $\left(\dfrac{x의 계수}{2}\right)^2$을 더한다.

❹ 좌변을 완전제곱식으로 고친다.

❺ 제곱근을 이용하여 해를 구한다.

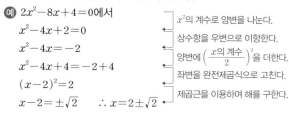

예 $2x^2-8x+4=0$에서
$x^2-4x+2=0$ ← x^2의 계수로 양변을 나눈다.
$x^2-4x=-2$ ← 상수항을 우변으로 이항한다.
$x^2-4x+4=-2+4$ ← 양변에 $\left(\dfrac{x의 계수}{2}\right)^2$을 더한다.
$(x-2)^2=2$ ← 좌변을 완전제곱식으로 고친다.
$x-2=\pm\sqrt{2}$ $\therefore x=2\pm\sqrt{2}$ ← 제곱근을 이용하여 해를 구한다.

• (완전제곱식)=(상수)의 꼴로 정리한다.

• 인수분해가 되는 이차방정식은 근의 공식보다 인수분해를 이용하는 것이 더 간단해.

6 이차방정식의 근의 공식

(1) 근의 공식 이차방정식 $ax^2+bx+c=0$의 해는

$$x=\dfrac{-b\pm\sqrt{b^2-4ac}}{2a} \ (단, b^2-4ac \geq 0)$$

예 이차방정식 $x^2+5x+3=0$에서 $a=1, b=5, c=3$이므로
$$x=\dfrac{-5\pm\sqrt{5^2-4\times1\times3}}{2\times1}=\dfrac{-5\pm\sqrt{13}}{2}$$

(2) x의 계수가 짝수일 때의 근의 공식 이차방정식 $ax^2+2b'x+c=0$의 해는

$$x=\dfrac{-b'\pm\sqrt{b'^2-ac}}{a} \ (단, b'^2-ac \geq 0)$$

예 이차방정식 $x^2+2x-5=0$에서 $a=1, b'=1, c=-5$이므로
$$x=\dfrac{-1\pm\sqrt{1^2-1\times(-5)}}{1}=-1\pm\sqrt{6}$$

• (1)에서 $b^2-4ac<0$인 경우, (2)에서 $b'^2-ac<0$인 경우는 해가 없다.

• 근의 공식을 유도하는 과정
$ax^2+bx+c=0$
⇒ $x^2+\dfrac{b}{a}x=-\dfrac{c}{a}$
⇒ $x^2+\dfrac{b}{a}x+\left(\dfrac{b}{2a}\right)^2$
$\qquad =-\dfrac{c}{a}+\left(\dfrac{b}{2a}\right)^2$
⇒ $\left(x+\dfrac{b}{2a}\right)^2=\dfrac{b^2-4ac}{4a^2}$
⇒ $x+\dfrac{b}{2a}=\pm\sqrt{\dfrac{b^2-4ac}{4a^2}}$
⇒ $x=\dfrac{-b\pm\sqrt{b^2-4ac}}{2a}$

7 복잡한 이차방정식의 풀이

(1) 계수가 소수 또는 분수인 경우 양변에 적당한 수를 곱하여 계수를 정수로 고친 후 푼다.

　① 계수가 소수인 경우 : 양변에 10, 100, 1000, …을 곱한다.

　② 계수가 분수인 경우 : 양변에 분모의 최소공배수를 곱한다.

(2) 괄호가 있는 경우 괄호를 풀어 전개하고, $ax^2+bx+c=0$의 꼴로 정리한 후 푼다.

(3) 공통부분이 있는 경우 공통부분을 한 문자로 치환한 후 푼다.

• 공통부분이 있는 이차방정식의 풀이 순서는 다음과 같다.
① 공통부분을 A로 치환한다.
② A에 대한 이차방정식을 인수분해 또는 근의 공식을 이용하여 푼다.
③ 치환한 식에 A의 값을 대입하여 x의 값을 구한다.

1 이차방정식의 뜻과 해

01 다음 중 이차방정식인 것을 모두 고르면? (정답 2개)

① $x^2=0$

② $3x^2-4x+1$

③ $x^2-3=x^2-3x+1$

④ $(x-2)(2x+1)=-2$

⑤ $x^2(1-x)=x^3+x^2+x+1$

02 방정식 $2(x+1)^2-1=-ax^2+2x-5$가 x에 대한 이차방정식이 될 때, 다음 중 상수 a의 값으로 적당하지 <u>않은</u> 것은?

① -2 ② -1 ③ 0

④ 1 ⑤ 2

03 다음 이차방정식 중 $x=2$를 해로 갖는 것을 모두 고르면? (정답 2개)

① $x^2-x=0$ ② $x^2-5x+6=0$

③ $2x^2+x-3=0$ ④ $3x^2-5x-2=0$

⑤ $(x+1)(x-4)=0$

04 $x=-1$이 이차방정식 $2x^2+ax-5=0$의 해이면서 이차방정식 $x^2-(2-b)x+4b=0$의 해일 때, ab의 값을 구하시오. (단, a, b는 상수)

05 이차방정식 $x^2-2x-4=0$의 한 근을 $x=a$, 이차방정식 $x^2-3x-3=0$의 한 근을 $x=b$라고 할 때, $(a^2-2a-5)(2b^2-6b+1)$의 값을 구하시오.

06 이차방정식 $x^2+4x-1=0$의 한 근을 $x=a$라고 할 때, $a-\dfrac{1}{a}$의 값을 구하시오.

2 인수분해를 이용한 이차방정식의 풀이

07 다음 이차방정식 중 해가 $x=-\dfrac{1}{3}$ 또는 $x=5$인 것은?

① $\dfrac{1}{3}(x+1)(x-5)=0$

② $(x+5)(3x-1)=0$

③ $(x-5)(3x+1)=0$

④ $3(x-1)(x+5)=0$

⑤ $3(x+1)(x-5)=0$

08 이차방정식 $6x^2+x-2=0$의 해가 $x=a$ 또는 $x=b$일 때, $3a+2b$의 값을 구하시오. (단, $a<b$)

필수 ✔

09 이차방정식 $x^2+(2a+1)x-6a=0$의 한 근이 $x=2$일 때, 다른 한 근은? (단, a는 상수)

① $x=-9$ ② $x=-5$ ③ $x=-1$

④ $x=3$ ⑤ $x=7$

10 이차방정식 $x^2+3x-28=0$의 두 근 중 큰 근이 이차방정식 $2x^2-(a+1)x-16=0$의 한 근일 때, 상수 a의 값을 구하시오.

11 다음 이차방정식 중 중근을 갖는 것을 모두 고르면? (정답 2개)

① $x^2-2x=0$ ② $x^2+4x-5=0$

③ $x^2-5x=14$ ④ $x^2-3x+9=5x-7$

⑤ $(2x-1)^2+8x=0$

필수 ✔

12 이차방정식 $x(x-6)=3-k$가 중근 $x=m$을 가질 때, $k+m$의 값을 구하시오. (단, k는 상수)

13 다음 두 이차방정식의 공통인 해를 구하시오.

$$x^2-5x-24=0, 2x^2-15x-8=0$$

16 이차방정식 $\left(x+\dfrac{2}{5}\right)^2=\dfrac{k-2}{3}$ 가 해를 갖도록 하는 유리수 k의 값의 범위를 구하시오.

---

3 **제곱근을 이용한 이차방정식의 풀이**

서술형 ✎

14 이차방정식 $3(x-1)^2-12=0$ 을 다음과 같은 방법으로 각각 푸시오.

(1) 인수분해를 이용하여 푸시오.
(2) 제곱근을 이용하여 푸시오.

---

4 **완전제곱식을 이용한 이차방정식의 풀이**

필수 ✔

17 이차방정식 $2x^2-3x-6=0$ 을 $(x+p)^2=q$의 꼴로 나타낼 때, $p+q$의 값을 구하시오.

(단, p, q는 상수)

필수 ✔

15 이차방정식 $4(x+a)^2=b$의 해가 $x=-1\pm\dfrac{\sqrt{7}}{2}$ 일 때, $a+b$의 값을 구하시오. (단, a, b는 유리수)

18 다음은 완전제곱식을 이용하여 이차방정식 $x^2-8x+3=0$의 해를 구하는 과정이다. 이때 상수 A, B, C, D, E에 대하여 $A-B-C+D+E$ 의 값을 구하시오.

$$x^2-8x+3=0$$에서
$$x^2-8x+A=-3+A$$
$$(x+B)^2=C$$
$$\therefore x=D\pm\sqrt{E}$$

5 이차방정식의 근의 공식

19 이차방정식 $5x^2+3x-1=0$의 해가 $x=\dfrac{A\pm\sqrt{B}}{10}$ 일 때, $A+B$의 값을 구하시오.

(단, A, B는 유리수)

필수✔

20 이차방정식 $x^2+4x+A=0$의 해가 $x=B\pm2\sqrt{3}$ 일 때, $A-B$의 값을 구하시오.

(단, A, B는 유리수)

6 복잡한 이차방정식의 풀이

21 이차방정식 $0.1x^2-0.6=0.4x$의 두 근의 곱을 구하시오.

22 이차방정식 $\dfrac{(x-1)(x+3)}{4}=\dfrac{x(x-2)}{3}$를 푸시오.

필수✔

23 이차방정식 $\dfrac{2x^2+x}{5}+0.5x=\dfrac{1}{10}$의 해가 $x=\dfrac{A\pm\sqrt{B}}{8}$일 때, $B-A$의 값을 구하시오.

(단, A, B는 유리수)

서술형✏

24 이차방정식 $5(x-2)^2+6(x-2)+1=0$을 푸시오.

01 방정식 $(k^2+1)x^2-x=2k(x-1)^2$이 x에 대한 이차방정식이 되기 위한 상수 k의 조건을 구하시오.

해결 Plus⁺

x에 대한 이차방정식이 되려면 x^2의 계수가 0이 아니어야 한다.

02 이차방정식 $x^2-5x+1=0$의 한 근을 $x=a$라고 할 때, $a^2+a+\dfrac{1}{a}+\dfrac{1}{a^2}$의 값을 구하시오.

03 이차방정식 $(a-1)x^2-(a^2+1)x+2(a+1)=0$의 한 근이 $x=2$일 때, 다른 한 근을 구하려고 한다. 다음 물음에 답하시오. (단, a는 상수)

(1) 상수 a의 값을 구하시오.
(2) 다른 한 근을 구하시오.

미지수를 포함한 이차방정식의 한 근이 주어지면 주어진 근을 이차방정식에 대입하여 미지수의 값을 구한다.

융합형

04 한 개의 주사위를 두 번 던져 처음에 나온 눈의 수를 a, 나중에 나온 눈의 수를 b라고 할 때, 이차방정식 $x^2+ax+b=0$이 중근을 가질 확률을 구하시오.

이차방정식 $x^2+ax+b=0$이 중근을 가질 조건은 $b=\left(\dfrac{a}{2}\right)^2$임을 이용한다.

05 두 이차방정식 $2x^2+x-15=0$, $x^2-3x+k=0$이 공통인 근을 가질 때, 양수 k의 값을 구하시오.

해결 Plus⁺

창의력 ⚡

06 $\langle x \rangle$는 자연수 x의 약수의 개수를 나타낸다. 이때 $\langle x \rangle^2+\langle x \rangle-6=0$을 만족하는 자연수 x의 값 중 20보다 작은 수의 개수를 구하시오.

$\langle x \rangle^2+\langle x \rangle-6=0$을 인수분해를 이용하여 풀어서 알맞은 $\langle x \rangle$의 값을 구한다.

07 이차방정식 $5(x-3)^2=a$의 두 근의 차가 1이 되도록 하는 양수 a의 값을 구하시오.

서술형 ✏

08 이차방정식 $x^2+ax+b=0$을 완전제곱식을 이용하여 풀었더니 해가 $x=3\pm2\sqrt{5}$이었다. 이때 유리수 a, b의 값을 각각 구하시오.

상수항을 우변으로 이항한 후 양변에 $\left(\dfrac{x의 계수}{2}\right)^2$을 더하여 정리한다.

III

이차방정식

09 이차방정식 $2x^2-3x+a-4=0$의 해가 모두 유리수가 되도록 하는 자연수 a의 값의 합을 구하시오.

해결 Plus⁺

근의 공식을 이용하여 주어진 이차방정식의 해를 구한 후 해가 모두 유리수가 될 조건을 생각해 본다.

서술형 ✎

10 $(x-y)^2-3(x-y)-10=0$이고 $xy=4$일 때, x^2+y^2의 값을 구하시오.

(단, $x<y$)

공통부분을 하나의 문자로 치환한다.

11 두 양수 x,y에 대하여 $(x+2y-1)(x+2y+3)-12=0$이고 $2x-y=1$일 때, x,y의 값을 각각 구하시오.

12 방정식 $(x+1)(x+3)(x-2)(x-4)+21=0$의 해를 구하시오.

주어진 방정식의 좌변을 전개하였을 때 공통부분이 나오도록 한다.

01 이차방정식 $4x^2-(3k+2)x-4=0$의 한 근을 $x=a$라고 할 때, $a-\dfrac{1}{a}=k$이다. 이때 상수 k의 값을 구하시오.

02 융합형 ✏️

일차함수 $y=ax+4$의 그래프가 점 $(7-a, a^2)$을 지나고 제4사분면은 지나지 않을 때, 상수 a의 값을 구하시오.

03 서술형 ✏️

두 실수 a, b에 대하여 $a \bigstar b = a-b+ab$라고 약속할 때, 방정식 $(x+1) \bigstar (x-3) = 4$의 두 근 α, β에 대하여 다음 식의 값을 구하시오. (단, $\alpha < \beta$)

$$4\alpha+\beta+(4\alpha+\beta)^2+(4\alpha+\beta)^3+\cdots+(4\alpha+\beta)^{2020}$$

04 $\dfrac{7}{3+\sqrt{2}}$ 의 정수 부분을 a, 소수 부분을 b라고 할 때, 이차방정식 $x^2+(2a+b+\sqrt{2})x-(2+\sqrt{2})b=0$ 의 해를 구하시오.

05 진아는 이차방정식 $ax^2+bx+c=0$의 근의 공식을 $x=\dfrac{b\pm\sqrt{b^2-4ac}}{a}$로 잘못 알고 이를 이용하여 근을 구했더니 두 근으로 $-2, 7$을 얻었다. 이 이차방정식의 바르게 구한 두 근의 합을 구하시오.

STEP UP

06 방정식 $x^4-4x^3-10x^2-4x+1=0$의 한 근을 $x=a$라고 할 때, $a+\dfrac{1}{a}$의 값을 모두 구하시오.

2 이차방정식의 활용

1 이차방정식의 근의 개수

이차방정식 $ax^2+bx+c=0$(단, $a\neq0$)의 근의 개수는 b^2-4ac의 값의 부호에 따라 결정된다.

(1) $b^2-4ac>0$ ➡ 서로 다른 두 근을 가진다.
$$\left(x=\frac{-b+\sqrt{b^2-4ac}}{2a} \text{ 또는 } x=\frac{-b-\sqrt{b^2-4ac}}{2a}\right)$$

(2) $b^2-4ac=0$ ➡ 중근을 가진다. $\left(x=-\dfrac{b}{2a}\right)$

(3) $b^2-4ac<0$ ➡ 근이 없다. → 근호 안에는 음수가 올 수 없다.
> **예** 이차방정식 $2x^2+x-5=0$에서 $a=2, b=1, c=-5$이므로
> $b^2-4ac=1^2-4\times2\times(-5)=41$
> 즉 $b^2-4ac>0$이므로 서로 다른 두 근을 가진다.

> **참고** 이차방정식 $ax^2+bx+c=0$의 근의 개수를 구할 때, b^2-4ac의 값의 부호에 따라 근의 개수가 결정된다.
> ① 서로 다른 두 근을 가질 조건 ➡ $b^2-4ac>0$
> ② 중근을 가질 조건 ➡ $b^2-4ac=0$
> ③ 근이 없을 조건 ➡ $b^2-4ac<0$

* x의 계수가 짝수일 때, 즉 이차방정식 $ax^2+2b'x+c=0$의 근의 개수를 판단할 때에는 b'^2-ac의 값의 부호를 이용하면 편리하다.

> 이차방정식 $ax^2+bx+c=0$이 근을 가질 조건은 $b^2-4ac\geq0$이야.

2 이차방정식의 근과 계수의 관계

이차방정식 $ax^2+bx+c=0$의 두 근을 α, β라고 할 때

(1) **두 근의 합** $\alpha+\beta=-\dfrac{b}{a}$

(2) **두 근의 곱** $\alpha\beta=\dfrac{c}{a}$

> **예** 이차방정식 $2x^2+3x+4=0$에서 $a=2, b=3, c=4$이므로
> (두 근의 합)$=-\dfrac{3}{2}$, (두 근의 곱)$=\dfrac{4}{2}=2$

* 이차방정식의 근과 계수의 관계에서 자주 이용되는 곱셈 공식의 변형
① $\alpha^2+\beta^2=(\alpha+\beta)^2-2\alpha\beta$
  $\qquad\quad=(\alpha-\beta)^2+2\alpha\beta$
② $(\alpha+\beta)^2=(\alpha-\beta)^2+4\alpha\beta$
③ $(\alpha-\beta)^2=(\alpha+\beta)^2-4\alpha\beta$

* 이차방정식의 두 근에 대한 조건이 주어진 문제에서는 두 근을 다음과 같이 나타낸다.
① 두 근의 차가 k일 때
  ➡ $\alpha, \alpha+k$
② 한 근이 다른 한 근의 k배일 때
  ➡ $\alpha, k\alpha$
③ 두 근의 비가 $m:n$일 때
  ➡ $m\alpha, n\alpha$

3 이차방정식 구하기

(1) 두 근이 α, β이고 x^2의 계수가 a인 이차방정식은
$a(x-\alpha)(x-\beta)=0$ ➡ $a\{x^2-(\alpha+\beta)x+\alpha\beta\}=0$

(2) 중근이 α이고 x^2의 계수가 a인 이차방정식은
$a(x-\alpha)^2=0$

(3) 두 근의 합이 m, 곱이 n이고 x^2의 계수가 a인 이차방정식은
$a(x^2-mx+n)=0$
→ 계수가 유리수라는 조건이 있을 때에만 성립한다.

(4) 계수가 유리수인 이차방정식에서 한 근이 $p+q\sqrt{m}$이면 다른 한 근은 $p-q\sqrt{m}$이다.
(단, p, q는 유리수, $\sqrt{m}$은 무리수)

* x에 대한 이차방정식에서
① 두 근이 α, β이다.
  ➡ $x-\alpha$, $x-\beta$를 인수로 갖는다.
② 중근이 α이다.
  ➡ $(x-\alpha)^2$을 인수로 갖는다.

4 이차방정식의 활용 문제 풀이 순서

(1) **미지수 정하기** 문제의 뜻을 파악하고 구하고자 하는 것을 미지수 x로 놓는다.

(2) **방정식 세우기** 문제의 뜻에 맞게 x에 대한 이차방정식을 세운다.

(3) **방정식 풀기** 이차방정식을 풀어 해를 구한다.

(4) **답 구하기** 구한 해 중에서 문제의 뜻에 맞는 것을 답으로 택한다.

• 사람의 수, 개수, 나이 등은 자연수가 되어야 하고 시간, 속력, 거리, 넓이, 부피 등은 양수이어야 한다.

이차방정식의 해가 모두 답이 되는 것은 아니므로 방정식의 해를 구한 후에는 그것이 문제의 뜻에 맞는지 반드시 확인해야 해.

5 여러 가지 이차방정식의 활용 문제

(1) **수에 대한 활용 문제**

① 연속하는 두 자연수 ➡ $x-1$, x 또는 x, $x+1$

② 연속하는 세 자연수 ➡ $x-1$, x, $x+1$ 또는 x, $x+1$, $x+2$

③ 연속하는 두 짝수 ➡ x, $x+2$ (x는 짝수) 또는 $2x$, $2x+2$ (x는 자연수)

④ 연속하는 두 홀수 ➡ x, $x+2$ (x는 홀수) 또는 $2x-1$, $2x+1$ (x는 자연수)

(2) **식이 주어진 문제**

① 자연수 1부터 n까지의 합 ➡ $\dfrac{n(n+1)}{2}$

② n각형의 대각선의 개수 ➡ $\dfrac{n(n-3)}{2}$

(3) **도형에 대한 활용 문제**

① (삼각형의 넓이) $= \dfrac{1}{2} \times$ (밑변의 길이) $\times$ (높이)

② (직사각형의 넓이) $=$ (가로의 길이) $\times$ (세로의 길이)

③ (사다리꼴의 넓이) $= \dfrac{1}{2} \times \{($윗변의 길이$) + ($아랫변의 길이$)\} \times ($높이$)$

④ (직육면체의 부피) $=$ (밑면의 가로의 길이) $\times$ (밑면의 세로의 길이) $\times$ (높이)

⑤ (반지름의 길이가 r인 원의 넓이) $= \pi r^2$

• 한 변의 길이가 x cm인 정사각형의 가로의 길이를 a cm 늘이고, 세로의 길이를 b cm 줄인 직사각형의 넓이
➡ $(x+a)(x-b)$ cm²

개념 Plus⁺

쏘아 올린 물체에 대한 활용 문제

(1) 쏘아 올린 물체의 t초 후의 높이가 $(at^2 + bt + c)$ m로 주어졌을 때, 높이가 p m일 때의 시간을 구하려면 t에 대한 이차방정식 $at^2 + bt + c = p\,(t \geq 0)$의 해를 구한다.

(2) 쏘아 올린 물체의 높이가 h m인 경우는 물체가 올라갈 때와 내려올 때로 두 번 생긴다. (단, 최고 높이는 한 번만 생긴다.)

(3) 물체가 지면에 떨어질 때의 높이는 0 m이다.

입문하기

1 **이차방정식의 근의 개수**

01 다음 이차방정식 중 근의 개수가 나머지 넷과 다른
하나는?

① $x^2 - 2x - 4 = 0$　　② $2x^2 - 5x + 3 = 0$

③ $2x^2 + x + 6 = 0$　　④ $3x^2 - 4x - 1 = 0$

⑤ $3x^2 + 10x - 5 = 0$

02 이차방정식 $4x^2 + (m-1)x + m + 4 = 0$이 중근을
갖도록 하는 상수 m의 값을 구하시오. (단, $m > 0$)

서술형 ✎

03 이차방정식 $kx^2 - 2x + 2 = 0$이 중근을 가질 때, 이
차방정식 $kx^2 + (k-3)x - 2 = 0$의 해를 구하시오.
(단, k는 상수)

04 이차방정식 $x^2 + 2x - k + 2 = 0$이 근을 갖도록 하
는 상수 k의 값의 범위는?

① $k < -1$　　② $k < 1$　　③ $k \leq 1$

④ $k > -1$　　⑤ $k \geq 1$

필수 ✔

05 이차방정식 $(k+2)x^2 + 6x + 3 = 0$이 서로 다른 두
근을 갖도록 하는 상수 k의 값의 범위는?

① $k < 1$　　　　　② $k > 1$

③ $-2 < k \leq 1$　　　　④ $-2 \leq k \leq 1$

⑤ $k < -2$ 또는 $-2 < k < 1$

2 **이차방정식의 근과 계수의 관계**

06 이차방정식 $\frac{1}{2}x^2 - \frac{2}{3}x - \frac{1}{6} = 0$의 두 근의 합을 A,
두 근의 곱을 B라고 할 때, $A - B$의 값을 구하시오.

07 이차방정식 $x^2-4x+2=0$의 두 근을 α, β라고 할 때, 다음 보기 중 구한 식의 값이 옳지 <u>않은</u> 것을 고르시오.

> ┌ 보기 ┐
> ㉠ $\alpha^2+\beta^2=12$ ㉡ $(\alpha-\beta)^2=8$
> ㉢ $\dfrac{1}{\alpha}+\dfrac{1}{\beta}=2$ ㉣ $\dfrac{\beta}{\alpha}+\dfrac{\alpha}{\beta}=10$

필수 ✓

08 이차방정식 $x^2-2x-6=0$의 두 근의 합과 곱이 이차방정식 $x^2+ax+b=0$의 두 근일 때, $a+b$의 값을 구하시오. (단, a, b는 상수)

09 이차방정식 $x^2+ax+b=0$의 두 근이 -1, 2일 때, 이차방정식 $bx^2-ax+2=0$의 해를 구하시오.
(단, a, b는 상수)

필수 ✓

10 이차방정식 $2x^2+8x+3k=0$의 두 근의 차가 2일 때, 상수 k의 값을 구하시오.

11 이차방정식 $x^2-(2k+1)x+4k=0$의 두 근의 비가 $3:4$일 때, 정수 k의 값을 구하시오.

필수 ✓

12 이차방정식 $x^2-(m+2)x+23=0$의 한 근이 $5+\sqrt{2}$일 때, 유리수 m의 값을 구하시오.

3 이차방정식 구하기

13 이차방정식 $3x^2+ax-3b=0$이 중근 -1을 가질 때, $a+b$의 값을 구하시오. (단, a, b는 상수)

필수 ✔

14 이차방정식 $x^2-6x+2k-1=0$이 중근을 가질 때, k, $k+2$를 두 근으로 하고 x^2의 계수가 2인 이차방정식을 구하시오. (단, k는 상수)

15 한 근이 $1+\sqrt{5}$이고 x^2의 계수가 1인 이차방정식을 구하시오. (단, x의 계수와 상수항은 모두 유리수이다.)

4 이차방정식의 활용 – 수, 식

16 n각형의 대각선의 개수가 $\dfrac{n(n-3)}{2}$일 때, 대각선의 개수가 77인 다각형은?

① 십각형　　② 십일각형　　③ 십이각형
④ 십삼각형　　⑤ 십사각형

17 n명의 사람들이 한 사람도 빠짐없이 서로 한 번씩 악수를 하는 총 횟수는 $\dfrac{n(n-1)}{2}$이다. 어느 동호회 회원들이 한 사람도 빠짐없이 서로 한 번씩 악수를 한 총 횟수가 210일 때, 이 동호회의 회원 수를 구하시오.

서술형 ✎

18 연속하는 두 짝수의 제곱의 합이 724일 때, 이 두 수의 곱을 구하시오.

III

이차방정식

19 다음 두 조건을 모두 만족하는 두 자리 자연수를 구하시오.

> ─ 조건 ─
> ㈎ 십의 자리의 숫자와 일의 자리의 숫자의 합은 6이다.
> ㈏ 각 자리의 숫자의 곱은 처음 자연수보다 16만큼 작다.

---

5 이차방정식의 활용 – 실생활

서술형 ✎

20 x^2의 계수가 1인 이차방정식을 푸는데 수민이는 x의 계수를 잘못 보고 풀어서 $x=-5$ 또는 $x=-1$의 해를 얻었고, 동완이는 상수항을 잘못 보고 풀어서 $x=2$ 또는 $x=4$의 해를 얻었다. 처음 이차방정식의 해를 구하시오.

21 형과 동생의 나이 차는 3세이고, 형의 나이를 제곱한 값은 동생의 나이를 제곱한 값의 3배보다 11이 작을 때, 동생의 나이를 구하시오.

필수 ✔

22 사탕 252개를 학생들에게 하나도 남김없이 똑같이 나누어주려고 한다. 한 학생에게 나누어주는 사탕의 수는 전체 학생 수보다 4개가 많다고 할 때, 전체 학생 수를 구하시오.

---

6 이차방정식의 활용 – 던져 올린 물체

필수 ✔

23 지면에서 초속 25 m로 똑바로 위로 던져 올린 물체의 t초 후의 높이가 $(25t-5t^2)$ m일 때, 다음 물음에 답하시오.

(1) 이 물체의 높이가 처음으로 30 m가 되는 것은 던져 올린 지 몇 초 후인지 구하시오.

(2) 이 물체가 바닥에 떨어지는 것은 던져 올린 지 몇 초 후인지 구하시오.

24 지면에서 초속 40 m로 똑바로 위로 던져 올린 물체의 t초 후의 높이가 $(40t-5t^2)$ m이다. 이 물체가 35 m 이상의 높이에 머무르는 것은 몇 초 동안인지 구하시오.

7 이차방정식의 활용 – 도형

25 오른쪽 그림과 같이 길이가 10 cm인 선분을 두 부분으로 나누어 각각의 길이를 한 변으로 하는 정사각형을 만들었더니 두 정사각형의 넓이의 합이 58 cm²이었다. 이때 큰 정사각형의 한 변의 길이를 구하시오.

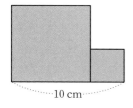

필수 ✔

26 오른쪽 그림과 같이 세 개의 반원으로 이루어진 도형이 있다. 가장 큰 반원의 지름의 길이가 20 cm이고, 색칠한 부분의 넓이가 24π cm²일 때, 가장 작은 반원의 반지름의 길이를 구하시오.

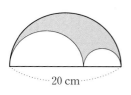

27 밑변의 길이와 높이가 같은 삼각형이 있다. 이 삼각형의 밑변의 길이를 3 cm, 높이를 6 cm씩 각각 늘였더니 그 넓이가 처음 삼각형의 넓이의 3배가 되었다. 처음 삼각형의 넓이를 구하시오.

필수 ✔

28 오른쪽 그림과 같이 가로의 길이가 28 m, 세로의 길이가 20 m인 직사각형 모양의 텃밭에 폭이 x m로 일정한 길을 만들려고 한다. 길을 제외한 텃밭의 넓이가 425 m²일 때, x의 값을 구하시오.

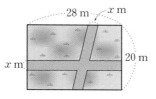

29 오른쪽 그림과 같이 정사각형 모양의 종이의 네 귀퉁이에서 한 변의 길이가 4 cm인 정사각형을 잘라 내고 남은 종이로 뚜껑이 없는 직육면체 모양의 상자를 만들었더니 부피가 324 cm³이었다. 처음 정사각형 모양의 종이의 한 변의 길이를 구하시오.

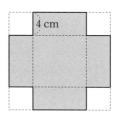

30 가로와 세로의 길이가 각각 20 cm, 16 cm인 직사각형에서 가로의 길이는 매초 1 cm씩 줄어들고, 세로의 길이는 매초 2 cm씩 늘어난다고 한다. 이때 넓이가 처음 직사각형과 같아지는 것은 몇 초 후인지 구하시오.

01 다음 보기 중 이차방정식 $3x^2+2x+a=0$에 대한 설명으로 옳은 것을 모두 고르시오. (단, a는 상수)

> 보기 ⌐
>
> ㉠ $a=-5$이면 두 근은 모두 양수이다.
> ㉡ $a=-2$이면 서로 다른 두 근을 갖는다.
> ㉢ $a=\dfrac{1}{3}$이면 음수인 중근을 갖는다.
> ㉣ $a<\dfrac{1}{2}$이면 근을 갖지 않는다.

02 이차방정식 $(k+1)x^2+3x-1=0$이 근을 갖도록 하는 음의 정수 k의 개수를 구하시오.

— 해결 Plus⁺

이차방정식 $ax^2+bx+c=0$이 근을 가질 조건은 $b^2-4ac \geq 0$이다.

03 이차방정식 $x^2+px+q=0$의 두 근이 연속하는 양의 정수이고 두 근의 제곱의 차가 13일 때, 두 상수 p, q의 값을 각각 구하시오.

서술형 ✎

04 이차방정식 $x^2-(k^2+3k-18)x+(k-1)=0$의 두 근은 절댓값이 같고, 부호는 서로 반대이다. 이때 두 근을 구하시오. (단, k는 상수)

두 근의 절댓값이 같고, 부호가 서로 반대이므로 두 근의 합은 0이다.

05 이차방정식 $x^2+ax-15=0$의 두 근이 모두 정수일 때, 상수 a의 값의 개수를 구하시오.

해결 Plus⁺

창의력 ⚡

06 두 실수 a, b에 대하여 $a*b=ab+2b-3$이라고 약속하자. x에 대한 이차방정식 $(x+3)*(x-2)=-11$의 두 근을 α, β라고 할 때, $\alpha^2-\beta^2$의 값을 구하시오. (단, $\alpha>\beta$)

07 $6-\sqrt{10}$의 정수 부분을 a, 소수 부분을 b라고 하자. b가 이차방정식 $ax^2+px+q=0$의 한 근일 때, $p+q$의 값을 구하시오. (단, p, q는 유리수)

$\sqrt{m}$이 무리수이고 n이 정수일 때, $n\leq\sqrt{m}<n+1$이면 $\sqrt{m}$의 정수 부분은 n, 소수 부분은 $\sqrt{m}-n$이다.

08 이차방정식 $x^2-7x+3=0$의 두 근을 α, β라고 할 때, 다음 중 $\dfrac{1}{\alpha}$, $\dfrac{1}{\beta}$을 두 근으로 하는 이차방정식은?

① $3x^2-7x+1=0$ ② $3x^2+7x-1=0$

③ $7x^2-3x+1=0$ ④ $7x^2+3x-1=0$

⑤ $21x^2-3x+7=0$

두 근의 합이 m, 곱이 n이고 x^2의 계수가 a인 이차방정식은 $a(x^2-mx+n)=0$이다.

융합형

09 지은이네 학교는 6월에 2박 3일 동안 수련회를 가기로 하였다. 수련회에 가는 날짜 3일을 각각 제곱해서 더하면 365일 때, 수련회의 출발 날짜는?

① 6월 9일   ② 6월 10일   ③ 6월 11일

④ 6월 12일   ⑤ 6월 13일

— 해결 Plus+

10 민주와 희경이는 x^2의 계수가 1인 이차방정식을 푸는데 민주는 상수항을 잘못 보고 풀어서 $x=-2$ 또는 $x=3$을 해로 얻었고, 희경이는 x의 계수를 잘못 보고 풀어서 $x=-1\pm\sqrt{3}$을 해로 얻었다. 이때 처음 이차방정식의 해를 구하시오.

민주는 x의 계수를 바르게 보았고, 희경이는 상수항을 바르게 보았다.

11 정빈이가 원형의 호수 둘레를 돌기 시작하여 t분 동안 움직인 거리는 $(t^2+t)\pi$ m라고 한다. 정빈이가 호수 둘레를 총 두 바퀴 돌았고, 처음 한 바퀴 도는 데 14분이 걸렸다면 두 번째로 한 바퀴 도는 데 걸린 시간을 구하시오.

호수 둘레의 길이를 먼저 구한다.

12 오른쪽 그림과 같은 △ABC에서 ∠ADE=∠ACB 이고 $\overline{AE}=6$, $\overline{EC}=6$, $\overline{DB}=1$일 때, $\overline{AD}$의 길이를 구하시오.

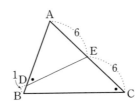

13 직사각형에서 짧은 변의 길이를 한 변으로 하는 정사각형을 잘라내고 남은 직사각형이 처음의 직사각형과 서로 닮은 도형일 때, 이 직사각형을 황금사각형이라고 한다. 오른쪽 그림에서 □ABCD가 황금사각형이고, □ABEF가 $\overline{AB}=10$ cm인 정사각형일 때, $\overline{AD}$의 길이를 구하시오.

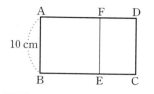

━ **해결 Plus⁺**

□ABCD∽□DFEC이다.

14 오른쪽 그림과 같이 ∠C=90°인 직각이등변삼각형 ABC에서 $\overline{EC}=\overline{GC}$, $\overline{AC}/\!/\overline{FG}$, $\overline{BC}/\!/\overline{DE}$이고 점 P는 $\overline{DE}$와 $\overline{FG}$의 교점이다. □PGCE와 △FDP의 넓이의 합이 44일 때, $\overline{GC}$의 길이를 구하시오.
(단, $\overline{GC}>\overline{DP}$)

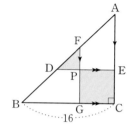

$\overline{AC}/\!/\overline{FG}$, $\overline{BC}/\!/\overline{DE}$임을 이용하여 □PGCE와 △FDP의 특징을 파악한다.

15 오른쪽 그림과 같이 일차함수 $y=-\dfrac{1}{2}x+4$의 그래프가 y축과 만나는 점을 A라 하고, 그래프 위의 한 점 B에서 x축에 내린 수선의 발을 C라고 하자. □AOCB의 넓이가 12일 때, 점 B의 좌표를 구하시오. (단, 점 O는 원점이고, 점 B는 제 1 사분면 위의 점이다.)

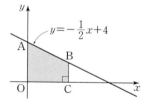

일차함수 $y=ax+b$의 그래프의 y절편은 b이다.

창의력 ⚡

16 다음 그림과 같이 바둑돌을 사용하여 직사각형 모양으로 나열하였을 때, 바둑돌이 624개가 되는 것은 몇 단계인지 구하시오.

〈1단계〉 〈2단계〉 〈3단계〉 〈4단계〉 ⋯

각 단계마다 놓인 바둑돌의 수를 파악하여 n단계에 놓이는 바둑돌의 수를 n을 사용하여 나타낸다.

Ⅲ

이차방정식

01 이차방정식 $x^2+px+q=0$이 근을 가질 때, 이차방정식 $x^2+2px-q^2+6q-6=0$의 근의 개수를 구하시오. (단, p, q는 상수)

STEP UP

02 두 자연수 a, b에 대하여 이차방정식 $ax^2-bx+255=0$의 두 근이 모두 소수가 되도록 하는 모든 b의 값의 합을 구하려고 한다. 다음 물음에 답하시오.

(1) 이차방정식 $ax^2-bx+255=0$의 두 근을 α, β라고 할 때, $\alpha+\beta$, $\alpha\beta$의 값을 각각 계수를 이용하여 나타내시오.

(2) a의 값을 모두 구하시오.

(3) (2)에서 구한 a의 값을 이용하여 b의 값을 모두 구하시오.

(4) 모든 b의 값의 합을 구하시오.

03 이차방정식 $x^2+ax+b=0$의 두 근을 α, β라고 할 때, α^2, β^2을 두 근으로 하는 이차방정식은 $x^2-14x+1=0$이다. 이때 두 정수 a, b의 값을 각각 구하시오. (단, $a>b$)

04 두 수 a, b에 대하여 $\sqrt{(a+b)^2-8(a+b)+16}+\sqrt{a^2b^2-2ab+1}=0$일 때, x^2의 계수가 1이고 a, b를 두 근으로 하는 이차방정식을 구하시오.

융합형 ✎

05 어떤 제품 한 개의 가격을 x % 인상하면 판매량은 $\dfrac{x}{2}$ %만큼 줄어든다고 한다. 매출을 8 % 증가하게 하려면 가격을 몇 % 인상해야 하는지 구하시오. (단, $0 < x < 50$)

06 오른쪽 그림과 같이 모양과 크기가 같은 직사각형 모양의 타일 6개를 넓이가 960 cm²인 직사각형 모양의 벽에 빈틈없이 붙였더니 가로의 길이가 12 cm인 직사각형 모양의 남는 부분이 생겼다. 이때 타일 한 개의 넓이를 구하시오.

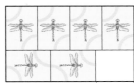

12 cm

07 오른쪽 그림과 같이 서로 다른 점들을 모두 선으로 연결한 그래프를 완전 그래프라고 한다. 선의 개수가 78인 완전 그래프의 점의 개수를 구하시오.

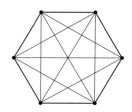

08 길이가 18 cm인 끈을 두 도막으로 잘라서 두 개의 정삼각형을 만들려고 한다. 두 정삼각형의 넓이의 비가 1 : 2가 되도록 할 때, 작은 정삼각형의 한 변의 길이를 구하시오.

STEP UP✐

09 오른쪽 그림과 같이 한 변의 길이가 5인 정오각형 ABCDE에서 한 대각선의 길이를 구하시오.

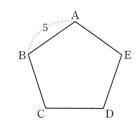

교과서 속 창의 사고력

01 페르시아의 대표적인 수학자 알콰리즈미(Al − Khwarizmi ; ? 780〜? 850) 는 정사각형의 넓이를 이용하여 이차방정식을 푸는 방법을 찾았는데 도형을 이용하여 이차방정식을 풀었기 때문에 양수인 해만을 구했다.

그는 이차방정식 $x^2 + 10x = 39$를 다음과 같이 풀었다.

생각 Plus⁺

문제에 주어진 방법대로 도형을 이용하여 차근히 문제를 해결한다.

① [그림 1]과 같이 $x^2 + 10x = 39$의 좌변 $x^2 + 10x$를 정사각형과 직사각형의 넓이를 이용하여 나타낸다.

② [그림 1]에서 넓이가 $10x$인 직사각형을 합동인 두 개의 직사각형으로 나누어 [그림 2]와 같이 옮겨 붙인다.

③ [그림 3]과 같이 정사각형이 만들어지도록 넓이가 25인 정사각형을 추가한다.

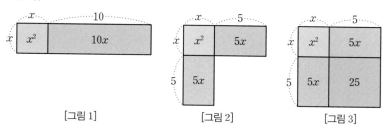

[그림 1]　　　　[그림 2]　　　　[그림 3]

이때 새로 만든 정사각형의 넓이는 $39 + 25 = 64$이고 $64 = 8^2$이므로 정사각형의 한 변의 길이는 8이다.

따라서 $x + 5 = 8$이므로 $x = 3$이다.

위와 같은 방법으로 $x^2 + 6x = 16$의 양수인 해를 구하시오.

풀이▶

답▶

02 황금비는 선분을 둘로 나누었을 때, 짧은 부분과 긴 부분의 길이의 비가 긴 부분과 전체의 길이의 비와 같은 경우를 말한다. 황금비는 고대로부터 가장 아름다운 비율로 여겨져서 건축이나 미술 등에 많이 사용되었다. 예를 들어 파르테논 신전, 밀로의 비너스, 모나리자의 얼굴 등에서 찾아볼 수 있으며, 현재에는 명함, 휴대전화, 신용카드와 같이 세로와 가로의 길이의 비가 황금비를 이루는 모양이 많이 사용된다. 이 중 밀로의 비너스는 배꼽을 중심으로 상반신과 하반신에서 황금비가 완벽하게 나타나 안정감을 준다고 한다. 밀로의 비너스의 상반신의 길이를 1이라고 할 때, 하반신의 길이를 구하시오.

(단, 상반신의 길이보다 하반신의 길이가 길다.)

생각 Plus⁺

황금비의 뜻을 정확히 이해한 후 비례식을 세운다.

풀이▶

답▶

03 중국 고대 수학책인 "구장산술"에는 다음과 같은 문제가 실려 있다.

> 정사각형의 성벽으로 둘러싸인 마을이 있는데 그 크기는 알지 못한다. 각 벽의 중앙에 문이 있고 북문에는 북쪽 방향으로 20보 되는 곳에 나무가 있다. 남문에서 남쪽 방향으로 14보 나와서 방향을 바꿔 서쪽으로 1775보 갔을 때, 처음으로 그 나무가 보인다. 성벽의 한쪽 벽의 길이는 얼마인가?

보폭의 크기가 일정하다고 할 때, 성벽의 한쪽 벽의 길이는 몇 보인지 구하시오.
(단, 성벽의 두께와 문의 너비는 생각하지 않는다.)

문제의 내용을 그림으로 나타낸 후 구하고자 하는 것을 x로 놓고 x에 대한 이차방정식을 세운다.

풀이▶

답▶

IV

이차함수

1 이차함수와 그래프

1 이차함수의 뜻

함수 $y=f(x)$에서 y가 x에 대한 이차식
$$y=ax^2+bx+c \ (단, \ a, \ b, \ c는 \ 상수, \ a\neq0)$$
로 나타내어질 때, 이 함수를 x에 대한 이차함수라고 한다.

예 함수 $y=x^2+1$, $y=-x^2+x+1$은 y가 x에 대한 이차식이므로 이차함수이다.

참고 $y=ax^2+bx+c$가 x에 대한 이차함수가 되려면 $a\neq0$이어야 한다.

2 이차함수 $y=ax^2$의 그래프

(1) 원점을 꼭짓점으로 하고, y축($x=0$)을 축으로 하는 포물선이다.
(2) $a>0$일 때 아래로 볼록하고, $a<0$일 때 위로 볼록하다.
(3) a의 절댓값이 클수록 그래프의 폭이 좁아진다.
     └ 그래프가 y축에 가까워진다.
(4) 이차함수 $y=-ax^2$의 그래프와 x축에 대칭이다.

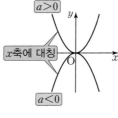

참고 이차함수 $y=ax^2$의 그래프와 같은 모양의 곡선을 포물선이라고 한다.
  (1) 포물선의 축 : 포물선이 대칭이 되는 직선
  (2) 포물선의 꼭짓점 : 포물선과 축의 교점

3 이차함수 $y=ax^2+q$의 그래프

    ┌ 한 도형을 일정한 방향으로 일정한 거리만큼 이동하는 것

(1) 이차함수 $y=ax^2$의 그래프를 y축의 방향으로 q만큼 평행이동한 것이다.
(2) **꼭짓점의 좌표** : $(0, q)$
(3) **축의 방정식** : $x=0(y$축$)$

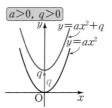

4 이차함수 $y=a(x-p)^2$의 그래프

(1) 이차함수 $y=ax^2$의 그래프를 x축의 방향으로 p만큼 평행이동한 것이다.
(2) **꼭짓점의 좌표** : $(p, 0)$
(3) **축의 방정식** : $x=p$

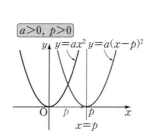

5 이차함수 $y=a(x-p)^2+q$의 그래프   이차함수의 표준형

(1) 이차함수 $y=ax^2$의 그래프를 x축의 방향으로 p만큼, y축의 방향으로 q만큼 평행이동한 것이다.
(2) **꼭짓점의 좌표** : (p, q)
(3) **축의 방정식** : $x=p$

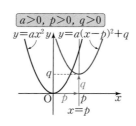

- a, b, c는 상수이고 $a\neq0$일 때
  ① ax^2+bx+c
    ➡ x에 대한 이차식
  ② $ax^2+bx+c=0$
    ➡ x에 대한 이차방정식
  ③ $y=ax^2+bx+c$
    ➡ x에 대한 이차함수

그래프를 평행이동시켜도 그래프의 모양과 폭은 변하지 않아!

- 이차함수 $y=a(x-p)^2+q$의 그래프에서 a, p, q의 부호
(1) a의 부호 : 그래프의 모양에 따라 결정
  ① 아래로 볼록 ➡ $a>0$
  ② 위로 볼록 ➡ $a<0$
(2) p, q의 부호 : 꼭짓점이 위치하는 사분면에 따라 결정
  ① 제 1 사분면 ➡ $p>0, q>0$
  ② 제 2 사분면 ➡ $p<0, q>0$
  ③ 제 3 사분면 ➡ $p<0, q<0$
  ④ 제 4 사분면 ➡ $p>0, q<0$

최고수준 입문하기

1 이차함수의 뜻과 함숫값

01 다음 중 이차함수인 것을 모두 고르면? (정답 2개)

① $y=x^2(x-1)$ ② $y=x(2-x)$

③ $y=(x+3)(x+5)$ ④ $y=(x-1)^2-x^2$

⑤ $y=\dfrac{1}{x^2}+x+2$

필수 ✓

02 다음 보기 중 y가 x에 대한 이차함수인 것을 모두 고르시오.

┌ 보기 ┐
ㄱ. x각형의 내각의 크기의 합 $y°$

ㄴ. 한 변의 길이가 x cm인 정삼각형의 둘레의 길이 y cm

ㄷ. 반지름의 길이가 x cm인 원의 넓이 y cm²

ㄹ. 자동차가 시속 x km로 6시간 동안 달린 거리 y km

ㅁ. 한 변의 길이가 각각 x cm, $(x+2)$ cm인 두 정사각형의 넓이의 합 y cm²
└────────┘

필수 ✓

03 이차함수 $f(x)=2x^2-4x+5$에서 $3f(2)-\dfrac{1}{3}f(4)$의 값을 구하시오.

04 $y=a(a+3)x^2-4x-10x^2+1$이 x에 대한 이차함수일 때, 다음 중 상수 a의 값이 될 수 없는 것을 모두 고르면? (정답 2개)

① -5 ② -2 ③ 1

④ 2 ⑤ 5

2 이차함수 $y=ax^2$의 그래프

05 다음 이차함수 중 그 그래프의 폭이 가장 좁은 것은?

① $y=-\dfrac{1}{2}x^2$ ② $y=\dfrac{1}{4}x^2$ ③ $y=x^2$

④ $y=-3x^2$ ⑤ $y=\dfrac{5}{2}x^2$

06 이차함수 $y=3x^2$의 그래프에 대한 다음 보기의 설명 중 옳지 않은 것을 모두 고르시오.

┌ 보기 ┐
ㄱ. 꼭짓점은 원점이다.

ㄴ. 축의 방정식은 $x=0$이다.

ㄷ. $y=2x^2$의 그래프보다 폭이 넓다.

ㄹ. $y=-3x^2$의 그래프와 x축에 대칭이다.

ㅁ. $x<0$일 때, x의 값이 증가하면 y의 값도 증가한다.
└────────┘

07 (필수 ✔) 원점을 꼭짓점으로 하는 포물선이 두 점 $(-2, 8)$, $(k, 18)$을 지날 때, 양수 k의 값을 구하시오.

10 (서술형 ✏) 이차함수 $y=ax^2+q$의 그래프가 두 점 $(-1, 1)$, $(2, 8)$을 지날 때, 꼭짓점의 좌표를 구하시오.
(단, a, q는 상수)

08 이차함수 $y=-\dfrac{1}{3}x^2$의 그래프와 x축에 대칭인 그래프가 점 $(a-1, a+5)$를 지날 때, 모든 a의 값의 합을 구하시오.

4 이차함수 $y=a(x-p)^2$의 그래프

11 (필수 ✔) 이차함수 $y=-4x^2$의 그래프를 x축의 방향으로 3만큼 평행이동하면 두 점 $(2, m)$, $(-1, n)$을 지난다. 이때 $m-n$의 값을 구하시오.

3 이차함수 $y=ax^2+q$의 그래프

09 이차함수 $y=-2x^2$의 그래프를 y축의 방향으로 q만큼 평행이동한 그래프가 오른쪽 그림과 같을 때, q의 값을 구하시오.

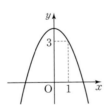

12 이차함수 $y=a(x-p)^2$의 그래프가 오른쪽 그림과 같을 때, $a+p$의 값을 구하시오.
(단, a, p는 상수)

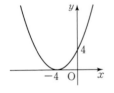

13 이차함수 $y=-5x^2$의 그래프를 x축의 방향으로 -2만큼 평행이동한 그래프에서 x의 값이 증가할 때, y의 값도 증가하는 x의 값의 범위는?

① $x>-5$ ② $x<-2$ ③ $x>-2$
④ $x<2$ ⑤ $x<5$

서술형 ✎

16 이차함수 $y=-3(x+1)^2+5$의 그래프를 x축의 방향으로 4만큼, y축의 방향으로 -3만큼 평행이동한 그래프의 꼭짓점의 좌표를 (a, b), 축의 방정식을 $x=c$라고 할 때, $a+b+c$의 값을 구하시오.

---

5 **이차함수 $y=a(x-p)^2+q$의 그래프**

14 이차함수 $y=\dfrac{1}{2}x^2$의 그래프를 x축의 방향으로 -1만큼, y축의 방향으로 q만큼 평행이동하면 점 $(-4, 3)$을 지난다. 이때 q의 값을 구하시오.

필수 ✓

17 다음 보기 중 이차함수 $y=-(x-2)^2+3$의 그래프에 대한 설명으로 옳지 <u>않은</u> 것을 모두 고르시오.

보기

㉠ 꼭짓점의 좌표는 $(2, 3)$이다.
㉡ $y=-x^2$의 그래프를 x축의 방향으로 -2만큼, y축의 방향으로 3만큼 평행이동한 것이다.
㉢ 제 2 사분면을 지나지 않는다.
㉣ $x<2$일 때, x의 값이 증가하면 y의 값은 감소한다.

15 이차함수 $y=\dfrac{1}{3}(x-3)^2+1$의 그래프가 지나지 않는 사분면을 모두 구하시오.

18 이차함수 $y=a(x+p)^2+q$의 그래프가 오른쪽 그림과 같을 때, 상수 a, p, q의 부호를 각각 구하시오.

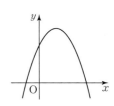

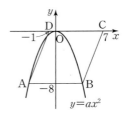

01 오른쪽 그림과 같이 이차함수 $y=ax^2$의 그래프 위의 두 점 A, B의 y좌표는 모두 -8이고 두 점 C, D의 좌표는 각각 $(7,\ 0)$, $(-1,\ 0)$이다. $\square$ABCD가 평행사변형일 때, 상수 a의 값을 구하시오.

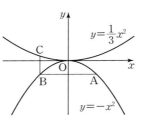

02 오른쪽 그림과 같이 두 점 A, B는 이차함수 $y=-x^2$ 의 그래프 위의 점이고 y축에 대칭이다. 점 B에서 y 축에 평행한 선을 그어 이차함수 $y=\dfrac{1}{3}x^2$의 그래프 와 만나는 점을 C라고 하자. $\overline{AB}:\overline{BC}=3:1$일 때, 점 A의 좌표를 구하시오.

(단, 점 B는 제 3 사분면 위의 점이다.)

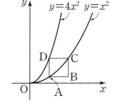

03 오른쪽 그림에서 $\square$ABCD는 정사각형이고 각 변은 x 축 또는 y축에 평행하다. 두 점 A, C는 이차함수 $y=x^2$ 의 그래프 위의 점이고 점 D는 이차함수 $y=4x^2$의 그래 프 위의 점일 때, 점 B의 좌표를 구하시오.

(단, 네 점 A, B, C, D는 모두 제 1 사분면 위의 점이다.)

창의·융합 ❀

04 오른쪽 그림에서 □ABCD는 직사각형이고 두 점 A, B는 x축 위의 점, 두 점 C, D는 이차함수 $y=\dfrac{1}{4}x^2$ 의 그래프 위의 점이다. 점 C의 y좌표가 9이고 이차 함수 $y=\dfrac{1}{4}x^2$의 그래프 위의 한 점 P에 대하여 △ACD : △PBC=3 : 2일 때, 점 P의 좌표를 구 하시오. (단, 점 C는 제 1 사분면, 점 P는 제 2 사분면 위의 점이다.)

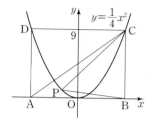

해결 Plus⁺

점 C의 y좌표가 9임을 이용하여 네 점 A, B, C, D의 좌표를 각각 구한다.

05 오른쪽 그림과 같이 일차함수 $y=-x+k$의 그래프의 x절편을 A, y절편을 B라 하고 이차함수 $y=x^2$의 그래 프와 제 1 사분면에서 만나는 점을 P라고 하자. $\overline{AP} : \overline{PB}=2 : 1$일 때, 상수 k의 값을 구하려고 한다. 다음 물음에 답하시오. (단, $k>0$)

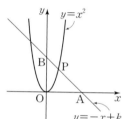

△APH와 △ABO에서 $\overline{AH} : \overline{HO}=\overline{AP} : \overline{PB}$임을 이용 한다.

(1) 점 P에서 x축에 내린 수선의 발을 H라고 할 때, $\overline{AH}$ 와 $\overline{HO}$의 길이의 비를 가장 간단한 자연수의 비로 나타내시오.

(2) 점 P가 이차함수 $y=x^2$의 그래프 위의 점임을 이용하여 점 P의 좌표를 k에 대한 식으로 나타내시오.

(3) 상수 k의 값을 구하시오.

서술형 ✎

06 이차함수 $y=ax^2+b$의 그래프가 오른쪽 그림과 같을 때, 일차함수 $y=ax+b$의 그래프가 지나지 않는 사분면을 구 하시오. (단, a, b는 상수)

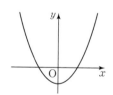

07 이차함수 $y=-\dfrac{1}{3}x^2+q$의 그래프가 오른쪽 그림과 같이 x축과 두 점 A, B에서 만날 때, $\overline{AB}$의 길이가 정수가 되도록 하는 자연수 q의 값을 모두 구하시오.

(단, $0<q<40$)

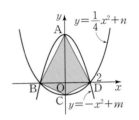

해결 Plus⁺

08 오른쪽 그림과 같이 두 이차함수 $y=-x^2+m$, $y=\dfrac{1}{4}x^2+n$의 그래프의 꼭짓점을 각각 A, C라고 하자. 이 두 이차함수의 그래프가 x축 위의 두 점 B, D에서 만나고 점 D의 좌표가 $(2,\,0)$일 때, □ABCD의 넓이를 구하시오.

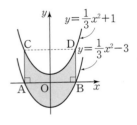

먼저 두 이차함수의 식에 점 D의 좌표를 대입하여 m, n의 값을 각각 구한다.

09 오른쪽 그림과 같이 이차함수 $y=\dfrac{1}{3}x^2-3$의 그래프가 x축과 만나는 점을 각각 A, B라 하고 두 점 A, B를 지나고 x축에 수직인 직선이 이차함수 $y=\dfrac{1}{3}x^2+1$의 그래프와 만나는 점을 각각 C, D라고 할 때, 색칠한 부분의 넓이를 구하려고 한다. 다음 물음에 답하시오.

(1) 네 점 A, B, C, D의 좌표를 각각 구하시오.

(2) $y=\dfrac{1}{3}x^2-3$의 그래프와 x축으로 둘러싸인 부분의 넓이와 넓이가 같은 부분을 찾고, 이를 이용하여 색칠한 부분의 넓이를 구하시오.

그래프를 평행이동시켜도 그래프의 모양과 폭은 변하지 않음을 이용한다.

10 오른쪽 그림과 같이 두 이차함수 $y=-\dfrac{1}{2}x^2+2$, $y=a(x-b)^2$의 그래프가 서로의 꼭짓점을 지날 때, ab의 값을 구하시오. (단, a, b는 상수, $b<0$)

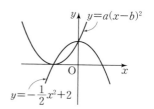

해결 Plus⁺

먼저 두 이차함수 $y=-\dfrac{1}{2}x^2+2$, $y=a(x-b)^2$의 그래프의 꼭짓점의 좌표를 각각 구한다.

11 오른쪽 그림과 같이 직선 $y=k$가 두 이차함수 $y=(x+1)^2$, $y=(x-4)^2$의 그래프와 만나는 점을 차례대로 A, B, C, D라고 할 때, $\overline{AB}+\overline{CD}$의 길이를 구하시오. $\left(단, k>\dfrac{25}{4}\right)$

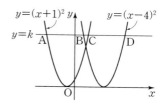

창의력 ⚡

12 오른쪽 그림과 같이 직선 $y=k$가 두 이차함수 $y=-(x-p)^2+7$, $y=-(x-1)^2+q$의 그래프와 세 점 A, B, C에서 만난다. 점 B는 y축 위의 점이고 $\overline{AB}=2\overline{BC}$일 때, $k+p+q$의 값을 구하시오. (단, p, q는 상수)

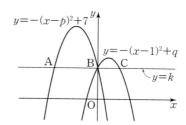

13 이차함수 $y=a(x-3)^2-7$의 그래프가 모든 사분면을 지나도록 하는 상수 a의 값의 범위를 구하시오.

이차함수 $y=a(x-3)^2-7$의 그래프가 모든 사분면을 지나려면 위로 볼록해야 하는지, 아래로 볼록해야 하는지 그 모양을 생각한다.

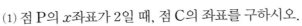

01

오른쪽 그림과 같이 직사각형 ABCD의 한 꼭짓점 C와 대각선 BD의 중점 P
는 이차함수 $y=\dfrac{1}{2}x^2\,(x \geq 0)$의 그래프 위의 점이고 두 점 A, B는 x축 위의
점일 때, 다음 물음에 답하시오.

(1) 점 P의 x좌표가 2일 때, 점 C의 좌표를 구하시오.

(2) 점 P의 x좌표를 a라고 할 때, 직사각형 ABCD가 정사각형이 되기 위
한 a의 값을 구하시오.

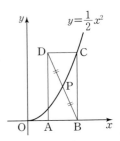

02

오른쪽 그림과 같이 이차함수 $y=\dfrac{1}{4}x^2$의 그래프의 일부인 곡선 OA를 원점
O를 중심으로 점 A가 x축 위의 점 A'에 오도록 시계 반대 방향으로 회전하
였다. 두 점 A, A'의 x좌표가 각각 4, $-4\sqrt{2}$일 때, 색칠한 부분의 넓이를 구
하려고 한다. 다음 물음에 답하시오.

(1) 점 A의 좌표를 구하시오.

(2) ∠A'OA의 크기를 구하시오.

(3) 색칠한 부분의 넓이를 구하시오.

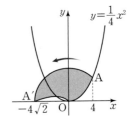

03

오른쪽 그림과 같이 이차함수 $y=2x^2+3$의 그래프 위에 두 점 A, B가 있다. 점
A의 x좌표가 a, 점 B의 x좌표가 $a+5$이고 직선 AB의 기울기가 -2일 때,
△ACB의 넓이를 구하시오.

(단, 점 C는 이차함수 $y=2x^2+3$의 그래프의 꼭짓점이다.)

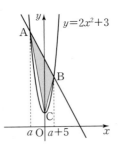

04 오른쪽 그림과 같이 이차함수 $y=(x-3)^2$의 그래프와 y축과의 교점을 A, 점 A를 지나면서 x축에 평행한 직선과의 교점을 B라고 하자. 이때 일차함수 $y=\dfrac{2}{3}x+k$ 의 그래프가 $\overline{\mathrm{AB}}$와 만나기 위한 실수 k의 값의 범위가 $m\le k\le n$일 때, $m+n$의 값을 구하시오.

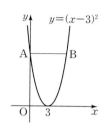

05 세 이차함수 $y=2(x+1)^2,\ y=2(x-1)^2,\ y=2x^2-2$의 그래프로 둘러싸인 도형의 넓이를 구하시오.

창의·융합 ✿

06 각 면이 나올 확률이 동일한 정육면체 모양의 주사위가 있다. 그 주사위의 각 면에 $-3,\ -2,\ -1,\ 1,\ 2,$ 3의 6개의 수가 적혀 있다. 주사위를 두 번 던져서 첫 번째 나온 수를 p, 두 번째 나온 수를 q라고 할 때, 이차함수 $y=-\dfrac{1}{3}x^2$의 그래프를 x축의 방향으로 p만큼, y축의 방향으로 q만큼 평행이동한 그래프가 모든 사분면을 지날 확률을 구하시오.

2 이차함수의 활용

1 이차함수 $y=ax^2+bx+c$의 그래프 <small>이차함수의 일반형</small>

(1) 이차함수 $y=ax^2+bx+c$의 그래프는 $y=a(x-p)^2+q$의 꼴로 고쳐서 그린다.

$$y=ax^2+bx+c \Rightarrow y=a\left(x+\frac{b}{2a}\right)^2-\frac{b^2-4ac}{4a}$$

(2) 꼭짓점의 좌표 : $\left(-\dfrac{b}{2a},\ -\dfrac{b^2-4ac}{4a}\right)$ (3) 축의 방정식 : $x=-\dfrac{b}{2a}$

(4) y축과의 교점의 좌표 : $(0,\ c)$

> **개념 Plus⁺**
>
> **이차함수 $y=ax^2+bx+c$의 그래프의 평행이동과 대칭이동**
>
> (1) 이차함수 $y=ax^2+bx+c$의 그래프를 x축의 방향으로 p만큼, y축의 방향으로 q만큼 평행이동 ➡ x 대신 $x-p$를 대입하고 y 대신 $y-q$를 대입한다.
>
> (2) 이차함수 $y=ax^2+bx+c$의 그래프를 x축에 대칭이동 ➡ y 대신 $-y$를 대입한다.
>
> (3) 이차함수 $y=ax^2+bx+c$의 그래프를 y축에 대칭이동 ➡ x 대신 $-x$를 대입한다.

2 이차함수 $y=ax^2+bx+c$의 그래프에서 a, b, c의 부호

(1) a의 부호 : 그래프의 모양 에 따라 결정

    ① 아래로 볼록 ➡ $a>0$ ② 위로 볼록 ➡ $a<0$

(2) b의 부호 : 축의 위치 에 따라 결정 → 축이 y축이면 $b=0$

    ① 축이 y축의 왼쪽 ➡ a, b는 같은 부호 $(ab>0)$

    ② 축이 y축의 오른쪽 ➡ a, b는 다른 부호 $(ab<0)$

(3) c의 부호 : y축과의 교점의 위치 에 따라 결정

    ① y축과의 교점이 x축의 위쪽 ➡ $c>0$ <small>→ y축과의 교점이 원점이면 $c=0$</small>

    ② y축과의 교점이 x축의 아래쪽 ➡ $c<0$

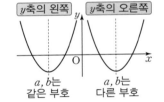

y축의 왼쪽 y축의 오른쪽

a, b는 같은 부호 a, b는 다른 부호

3 이차함수의 식 구하기

(1) 꼭짓점의 좌표 (p, q)와 그래프 위의 다른 한 점의 좌표를 알 때

    ❶ 이차함수의 식을 $y=a(x-p)^2+q$로 놓는다.

    ❷ ❶의 식에 주어진 한 점의 좌표를 대입하여 a의 값을 구한다.

(2) 축의 방정식 $x=p$와 그래프 위의 서로 다른 두 점의 좌표를 알 때

    ❶ 이차함수의 식을 $y=a(x-p)^2+q$로 놓는다.

    ❷ ❶의 식에 주어진 두 점의 좌표를 각각 대입하여 a, q의 값을 구한다.

(3) 그래프 위의 서로 다른 세 점의 좌표를 알 때   <small>→ $x=0$일 때의 y의 값</small>

    ❶ 이차함수의 식을 $y=ax^2+bx+c$로 놓는다.

    ❷ ❶의 식에 주어진 세 점의 좌표를 각각 대입하여 a, b, c의 값을 구한다.

(4) x축과 만나는 두 점 $(m, 0)$, $(n, 0)$과 다른 한 점의 좌표를 알 때

    ❶ 이차함수의 식을 $y=a(x-m)(x-n)$으로 놓는다.

    ❷ ❶의 식에 다른 한 점의 좌표를 대입하여 a의 값을 구한다.

(우측 여백)

- 이차함수 $y=ax^2+bx+c$를 $y=a(x-p)^2+q$의 꼴로 고쳐 보면
$$\begin{aligned} y&=ax^2+bx+c \\ &=a\left(x^2+\frac{b}{a}x\right)+c \\ &=a\left\{x^2+\frac{b}{a}x+\left(\frac{b}{2a}\right)^2 \right. \\ &\qquad\left.-\left(\frac{b}{2a}\right)^2\right\}+c \\ &=a\left(x+\frac{b}{2a}\right)^2-\frac{b^2-4ac}{4a} \end{aligned}$$

- 이차함수 $y=ax^2+bx+c$의 그래프에서 x축과의 교점의 x좌표는 $y=0$일 때의 x의 값이므로 이차방정식 $ax^2+bx+c=0$의 해와 같다.

- 이차함수 $y=ax^2+bx+c$의 그래프의 축의 방정식은 $x=-\dfrac{b}{2a}$이므로

  ① 축이 y축의 왼쪽에 있으면
$$-\frac{b}{2a}<0 \quad \therefore ab>0$$
  ➡ a, b는 같은 부호

  ② 축이 y축의 오른쪽에 있으면
$$-\frac{b}{2a}>0 \quad \therefore ab<0$$
  ➡ a, b는 다른 부호

> 축의 방정식이 $x=0$일 때에는 이차함수의 식을 $y=ax^2+q$로 놓으면 돼.

최고수준 입문하기

1 이차함수 $y = ax^2 + bx + c$의 그래프

01 이차함수 $y = -\dfrac{2}{3}x^2 - 4x + 1$을 $y = a(x-p)^2 + q$의 꼴로 나타낼 때, apq의 값은?
(단, a, p, q는 상수)

① -14 ② -10 ③ 10
④ 14 ⑤ 21

필수 ✓

02 이차함수 $y = 4x^2 - 12x + 3$의 그래프의 꼭짓점의 좌표와 축의 방정식을 각각 구하시오.

03 다음 중 이차함수 $y = 3x^2 + 12x + 8$의 그래프는?

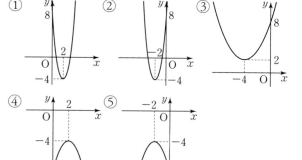

04 다음 이차함수 중 그 그래프가 x축과 만나지 <u>않는</u> 것은?

① $y = -2x^2 - x + 1$ ② $y = -x^2 + 8x - 8$
③ $y = \dfrac{1}{2}x^2 - 2x + 5$ ④ $y = 3x^2 - 18x$
⑤ $y = 9x^2 - 12x + 4$

필수 ✓

05 다음 중 이차함수 $y = 2x^2 - 8x - 1$의 그래프에 대한 설명으로 옳은 것은?

① 꼭짓점의 좌표는 $(-2, -9)$이다.
② 위로 볼록한 포물선이다.
③ 축의 방정식은 $x = 1$이다.
④ $x > 2$일 때, x의 값이 증가하면 y의 값은 감소한다.
⑤ x축과 두 점에서 만난다.

06 두 이차함수 $y = -3x^2 - 6x - 2$, $y = x^2 + 2mx + n$의 그래프의 꼭짓점이 일치할 때, $m + n$의 값을 구하시오. (단, m, n은 상수)

07 이차함수 $y=-2x^2+4x+k$의 그래프가 x축과 만나지 않을 때, 상수 k의 값의 범위는?

① $k<-2$ ② $k>-2$ ③ $k=-2$
④ $k<2$ ⑤ $k>2$

08 이차함수 $y=\dfrac{1}{4}x^2+px+2$의 그래프에서 $x<-2$이면 x의 값이 증가할 때 y의 값은 감소하고, $x>-2$이면 x의 값이 증가할 때 y의 값도 증가한다. 이때 이 이차함수의 그래프의 꼭짓점의 좌표를 구하시오. (단, p는 상수)

2 이차함수 $y=ax^2+bx+c$의 그래프에서 x축과의 교점의 좌표

09 이차함수 $y=-\dfrac{1}{2}x^2+2x+k$의 그래프가 x축과 두 점에서 만난다. 이 두 점 중 한 점의 좌표가 $(-4, 0)$일 때, 다른 한 점의 좌표를 구하시오.
(단, k는 상수)

10 오른쪽 그림과 같이 이차함수 $y=x^2-6x+k$의 그래프가 x축과 만나는 점을 각각 A, B라고 하자. $\overline{AB}=4$일 때, 상수 k의 값을 구하시오.

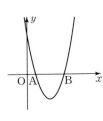

3 이차함수 $y=ax^2+bx+c$의 그래프의 평행이동

필수✓

11 이차함수 $y=x^2+2x+3$의 그래프를 x축의 방향으로 p만큼, y축의 방향으로 q만큼 평행이동하였더니 이차함수 $y=x^2-8x+7$의 그래프와 일치하였다. 이때 $p-q$의 값을 구하시오.

서술형🖉

12 이차함수 $y=x^2-4x$의 그래프를 x축에 대칭이동한 후 x축의 방향으로 -4만큼, y축의 방향으로 3만큼 평행이동한 그래프를 나타내는 이차함수의 식을 $y=ax^2+bx+c$라고 할 때, $a+b+c$의 값을 구하시오. (단, a, b, c는 상수)

4 이차함수 $y=ax^2+bx+c$의 그래프에서 a, b, c의 부호

필수 ✓

13 이차함수 $y=ax^2-bx-c$의 그래프가 오른쪽 그림과 같을 때, 상수 a, b, c의 부호를 각각 구하시오.

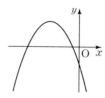

14 이차함수 $y=ax^2+bx+c$의 그래프가 오른쪽 그림과 같을 때, 다음 중 이차함수 $y=cx^2-bx+a$의 그래프의 개형으로 알맞은 것은? (단, a, b, c는 상수)

① ② ③

④ ⑤

15 다음은 오른쪽 그림과 같은 이차함수 $y=ax^2+bx+c$의 그래프에 대한 설명이다. 옳은 것을 모두 고르시오.
(단, a, b, c는 상수)

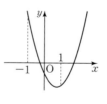

보기

㉠ $abc<0$ ㉡ $a+b+c<0$

㉢ $a-b+c>0$ ㉣ $\dfrac{1}{4}a+\dfrac{1}{2}b+c>0$

5 이차함수의 그래프와 넓이

서술형 ✏️

16 오른쪽 그림과 같이 이차함수 $y=-x^2+2x+8$의 그래프와 x축과의 교점을 각각 A, B라 하고 y축과의 교점을 C라고 할 때, △ABC의 넓이를 구하시오.

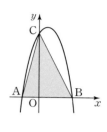

17 오른쪽 그림과 같이 이차함수 $y=-\dfrac{4}{3}x^2+4x+4$의 그래프의 꼭짓점을 A, y축과의 교점을 B라고 할 때, △ABO의 넓이를 구하시오.

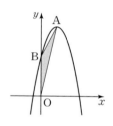

18 오른쪽 그림과 같이 이차함수 $y=-\dfrac{1}{2}x^2-x+\dfrac{3}{2}$의 그래프의 꼭짓점을 A, 그래프와 x축의 음의 부분과의 교점을 B, y축과의 교점을 C라고 할 때, □ABOC의 넓이를 구하시오.

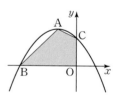

6 이차함수의 식 구하기

19 이차함수 $y=ax^2+bx+c$의 그래프가 오른쪽 그림과 같을 때, abc의 값을 구하시오.

(단, a, b, c는 상수)

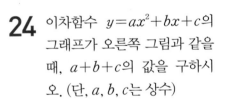

20 다음 조건을 모두 만족하는 포물선을 그래프로 하는 이차함수의 식을 $y=ax^2+bx+c$라고 할 때, $a+b-c$의 값을 구하시오. (단, a, b, c는 상수)

조건

㈎ 이차함수 $y=-\dfrac{1}{4}x^2$의 그래프를 평행이동한 것이다.

㈏ 축의 방정식은 $x=3$이다.

㈐ 점 $(-1, 5)$를 지난다.

서술형

21 축의 방정식이 $x=-1$이고 두 점 $(-2, 2)$, $(1, 5)$를 지나는 이차함수의 그래프가 y축과 만나는 점의 좌표를 구하시오.

필수 ✔

22 세 점 $(0, 4)$, $(-4, 0)$, $(2, 5)$를 지나는 이차함수의 그래프의 꼭짓점의 좌표를 구하시오.

23 세 점 $(0, 3)$, $(1, 4)$, $(3, 18)$을 지나는 포물선을 그래프로 하는 이차함수가 있다. 이 이차함수의 그래프가 점 $(-2, k)$를 지날 때, k의 값을 구하시오.

24 이차함수 $y=ax^2+bx+c$의 그래프가 오른쪽 그림과 같을 때, $a+b+c$의 값을 구하시오. (단, a, b, c는 상수)

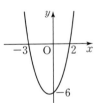

최고 수준 완성하기

01 이차함수 $y=4x^2-4ax+a+6$의 그래프의 꼭짓점이 x축 위에 있기 위한 a의 값을 모두 구하고 그때의 꼭짓점의 좌표를 각각 구하시오. (단, a는 상수)

해결 Plus⁺

이차함수의 그래프의 꼭짓점이 x축 위에 있으려면 꼭짓점의 y좌표가 0이어야 한다.

서술형

02 이차함수 $y=2x^2-4mx+n$의 그래프가 점 $(1, 11)$을 지나고 꼭짓점이 일차함수 $y=2x+5$의 그래프 위에 있을 때, 상수 m, n에 대하여 $m+n$의 값을 구하시오. (단, $m>0$)

먼저 주어진 이차함수의 식에 $x=1$, $y=11$을 대입하여 n을 m의 식으로 나타낸다.

창의력

03 오른쪽 그림과 같은 이차함수 $y=3x^2+ax+b$의 그래프에서 꼭짓점 A는 x축의 양의 부분 위의 점이고 점 B는 y축과의 교점이다. $\overline{OA} : \overline{OB}=1 : 3$일 때, 상수 a, b의 값을 각각 구하시오.

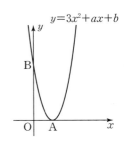

서술형 ✎

04 이차함수 $y=x^2-4x+3$의 그래프를 y축의 방향으로 k만큼 평행이동하면 x축과 만나는 두 점 사이의 거리가 처음의 2배가 될 때, k의 값을 구하시오.

해결 Plus⁺

이차함수 $y=a(x-p)^2+q$의 그래프를 y축의 방향으로 k만큼 평행이동한 그래프를 나타내는 이차함수의 식은
$y=a(x-p)^2+q+k$이다.

05 이차함수 $y=x^2+ax+b$의 그래프는 점 $(-1, 4)$를 지나고, 이차함수 $y=x^2+cx+d$의 그래프는 점 $(2, 3)$을 지난다. 이 두 이차함수의 그래프가 y축에 대칭일 때, $a+b+c+d$의 값을 구하시오. (단, a, b, c, d는 상수)

이차함수의 그래프를 y축에 대칭이동한 그래프를 나타내는 이차함수의 식은 x 대신 $-x$를 대입하여 구한다.

06 두 이차함수 $f(x)=x^2-2x+2$, $g(x)=x^2+2x+2$에 대하여
$\dfrac{g(0)g(1)g(2)\cdots g(98)}{f(1)f(2)f(3)\cdots f(99)}$의 값을 구하려고 한다. 다음 물음에 답하시오.
(1) 두 이차함수 $f(x)=x^2-2x+2$, $g(x)=x^2+2x+2$를 각각
　$y=a(x-p)^2+q$의 꼴로 나타내시오.
(2) $g(x)=f(x+k)$의 꼴로 나타내시오. (단, k는 상수)
(3) $\dfrac{g(0)g(1)g(2)\cdots g(98)}{f(1)f(2)f(3)\cdots f(99)}$의 값을 구하시오.

07 이차함수 $y=ax^2+bx+c$의 그래프가 오른쪽 그림과 같을 때, 다음 보기 중 옳지 <u>않은</u> 것을 모두 고르시오.

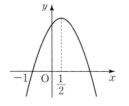

보기
ㄱ. $abc<0$ ㄴ. $a-b+c=0$
ㄷ. $4a+2b+c>0$ ㄹ. $9a+3b+c>0$
ㅁ. $\frac{1}{4}(a+2b+4c)>0$

━━ 해결 Plus⁺

08 오른쪽 그림과 같이 두 이차함수 $y=x^2-2x-2$, $y=x^2-6x+6$의 그래프의 꼭짓점을 각각 P, Q라고 할 때, 색칠한 부분의 넓이를 구하시오.

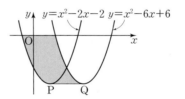

이차함수 $y=x^2-6x+6$의 그래프는 이차함수 $y=x^2-2x-2$의 그래프를 평행이동한 것이다.

IV

이차함수

융합형 ✎

09 오른쪽 그림과 같이 이차함수 $y=-x^2+4x+5$의 그래프의 꼭짓점을 A, 그래프와 x축과의 교점을 각각 B, C라고 할 때, 점 B를 지나고 △ABC의 넓이를 이등분하는 직선 l의 방정식을 구하려고 한다. 다음 물음에 답하시오. (단, 점 B의 x좌표가 점 C의 x좌표보다 작다.)

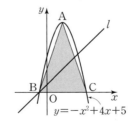

주어진 이차함수의 그래프와 x축에서 만나는 두 점 B, C의 x좌표는 $-x^2+4x+5=0$의 해이다.

(1) △ABC의 넓이를 구하시오.
(2) $\overline{AC}$와 직선 l의 교점을 D라고 할 때, 점 D의 좌표를 구하시오.
(3) 직선 l의 방정식을 구하시오.

10 오른쪽 그림과 같은 이차함수의 그래프의 꼭짓점을 A, 그 래프가 x축과 만나는 두 점을 각각 B, C라고 할 때, $\triangle$ABC 의 넓이를 구하시오.

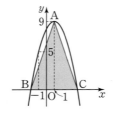

해결 Plus⁺

먼저 그래프의 꼭짓점 A의 좌표와 그래프 위의 다른 한 점의 좌표를 이용하여 이차함수의 식을 구한다.

11 이차함수 $y=f(x)$에서 $f(x)=ax^2+bx+c$일 때, $f(-1)=1$, $f(0)=3$, $f(1)=9$이다. 이 이차함수의 그래프를 x축의 방향으로 p만큼, y축의 방향으로 q만큼 평행이동하였더니 이차함수 $y=2x^2-4x-3$의 그래프와 일치하였다. 이때 pq의 값을 구하시오. (단, a, b, c는 상수)

서술형 ✎

12 세 점 $(1, 6)$, $(-1, 2)$, $(0, 5)$를 지나는 이차함수의 그래프가 x축과 만나는 두 점을 각각 A, B라고 할 때, $\overline{AB}$의 길이를 구하시오.

13 축의 방정식이 $x=-2$이고 점 $(-4, -10)$을 지나는 포물선이 x축과 두 점에서 만난다고 한다. 이 두 점 사이의 거리가 6일 때, 이 포물선을 그래프로 하는 이차함수의 식을 $y=ax^2+bx+c$의 꼴로 나타내시오.

포물선의 축에서 포물선이 x축과 만나는 점까지의 거리는 각각 같다.

01 주사위를 두 번 던져서 첫 번째 나온 눈의 수를 a, 두 번째 나온 눈의 수를 b라고 할 때, 이차함수 $y=2x^2-2ax+3b$의 그래프가 x축과 서로 다른 두 점에서 만날 확률을 구하시오.

02 이차함수 $f(x)=ax^2+bx+c$에 대하여 $y=f(x)$의 그래프가 다음 조건을 만족할 때, 아래 보기에서 옳은 것을 모두 고르시오. (단, a, b, c는 상수)

┌ 조건 ┐
(개) 직선 $x=-1$에 대칭이다.
(내) 이차함수 $g(x)=2x^2-5x+18$의 그래프를 평행이동한 것이다.

┌ 보기 ┐
㉠ $f(-2)<f(2)$
㉡ $y=f(x)$의 그래프의 꼭짓점의 x좌표는 -1이다.
㉢ $c>0$일 때, $y=f(x)$의 그래프는 제2사분면을 지나지 않는다.

03 이차함수 $y=x^2+x-3$의 그래프를 꼭짓점을 중심으로 $180°$ 회전시킨 후 y축의 방향으로 k만큼 평행이동한 그래프가 x축과 만나는 두 점의 좌표가 $\left(-\dfrac{3}{2}, 0\right)$, $(m, 0)$일 때, $k+m$의 값을 구하시오.

04

창의·융합 ✽

오른쪽 그림과 같이 이차함수 $y=-x^2-2x+3$의 그래프와 y축과의 교점을
A라 하고 x축과의 교점을 각각 B, C라고 하자. 선분 OA를 이등분하는 점을
D라고 하고 선분 OB 위에 한 점 E를 잡았더니 $\triangle DEO : \square ABED = 1 : 3$
이 되었다. 이때 점 E의 x좌표를 구하시오.

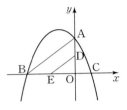

05

STEP UP ✎

오른쪽 그림과 같이 각 변이 x축 또는 y축과 평행한 직사각형 ABCD가 x축
에 대칭인 두 이차함수 $y=x^2-6x-3$, $y=-x^2+6x+3$의 그래프로 둘러
싸인 부분에 내접하고 있다. $\square ABCD$의 둘레의 길이가 40일 때, $\square ABCD$
의 넓이를 구하시오. (단, 두 점 A, D는 제 1 사분면 위의 점이다.)

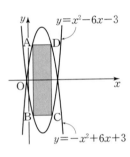

06

이차함수 $y=ax^2+bx+ab+8$은 $2<x<6$일 때 $y<0$이고, $x\leq 2$ 또는 $x\geq 6$일 때 $y\geq 0$이다. 이때
$a-b$의 값을 구하시오 (단, a, b는 상수)

교과서 속 창의 사고력

01 오른쪽 그림과 같이 두 이차함수 $y=\dfrac{1}{2}x^2+2$, $y=\dfrac{1}{2}x^2-3$의 그래프와 두 직선 $x=-3$, $x=1$로 둘러싸인 부분의 넓이를 구하시오.

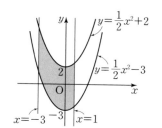

생각 Plus⁺

이차함수 $y=\dfrac{1}{2}x^2+2$의 그래프는 이차함수 $y=\dfrac{1}{2}x^2-3$의 그래프를 평행이동한 것임을 이용하여 넓이가 같은 부분을 찾아본다.

풀이▶

답▶

02 오른쪽 그림과 같이 이차함수 $y=a(x-1)^2-1$의 그래프가 직사각형 ABCD의 둘레 위의 서로 다른 두 점에서 만나기 위한 상수 a의 값의 범위를 구하시오.

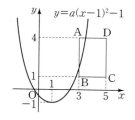

이차함수 $y=a(x-1)^2-1$의 그래프가 직사각형 ABCD의 둘레 위의 서로 다른 두 점에서 만나려면 $y=a(x-1)^2-1$의 그래프가 점 A와 점 C 사이를 지나야 한다.

풀이▶

답▶

교과서 속 창의 사고력

03 어떤 물 로켓을 지면으로부터 45 m의 높이에서 초속 40 m로 똑바로 위로 쏘아 올렸을 때, 물 로켓의 x초 후의 지면으로부터의 높이를 y m라고 하면 $y = -5x^2 + 40x + 45$인 관계가 성립한다. 이 물 로켓이 지면에 떨어지는 것은 쏘아 올린 지 몇 초 후인지 구하시오.

생각 Plus⁺

물 로켓이 지면에 떨어질 때의 지면으로부터의 높이는 0 m이다.

풀이▶

답▶

04 오른쪽 그림과 같이 단면이 포물선 모양인 호수가 있다. 호수의 중앙인 M 지점의 수심은 25 m이고, 두 지점 A, B 사이의 거리는 80 m이다. M 지점에서 B 지점의 방향으로 24 m 떨어진 곳의 수심은 몇 m인지 구하시오.

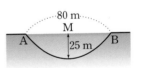

호수의 중앙인 M 지점을 원점으로 하여 좌표평면 위에 호수의 모양을 나타낸 후 호수의 모양을 그래프로 하는 이차함수의 식을 구한다.

풀이▶

답▶

뻐근한 손목을 가볍게!
손목 스트레칭

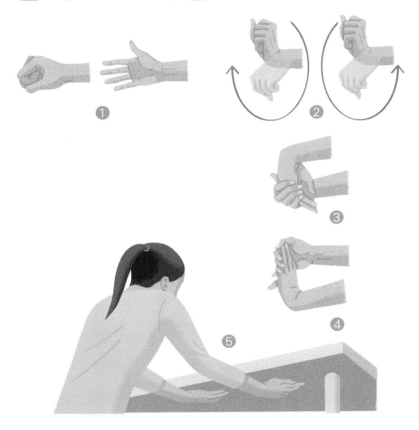

컴퓨터나 스마트폰, 반복적 움직임 등으로 인해 손목에 부담이 가면 때때로 손목이 아파지곤 합니다. 처음에는 잠시 저렸다가 나아지곤 하지만, 심해지면 손가락도 쉽게 움직일 수 없을 만큼의 통증으로 일상생활이 불편할 정도라고 해요. 오늘 하루 고생한 손목을 스트레칭으로 충분히 풀어주세요.

❶ 엄지손가락이 바깥으로 나오게 주먹을 쥔 다음, 주먹을 폈다 쥐기를 5~10회 반복하세요.

❷ 손목을 시계 방향, 반시계 방향으로 천천히 돌려주세요. 양손 각 10회씩 반복합니다.

❸ 팔을 쭉 뻗어 손바닥을 몸쪽으로 꺾어주세요.
   한 번에 10초씩 유지해 주시고, 5회 반복해 주세요.

❹ ❸번과 반대로, 손등을 몸쪽으로 당겨주세요.
   이 동작도 한 번에 10초씩 유지해 주시고, 5회 반복해 주세요.

❺ 앉은 자세에서 손바닥과 손목으로 책상을 들어 올리듯 힘을 주어 5초간 유지해 주세요.

최고
수준 수학

최고
수준 수학

정답과
풀이

중학
수학 **3·1**

천재교육

정답 시스템 활용법

강점 01
Action

문제 해결을 위한 실마리를 정확하게 짚어준다.

강점 02
명쾌한 풀이

실력파 학생을 위해 군더더기 없고 명쾌한 풀이
방법을 제시한다.

강점 03
다른 풀이

다른 풀이 방법을 제시하여 다각적인 수학적 해
결력을 강화시킨다.

강점 04
Lecture

풀이 방법과 관련된 핵심 내용과 헷갈리기 쉬운
부분을 강의하는 것처럼 짚어준다.

정답과 풀이

중학 수학 3·1

I. 제곱근과 실수

1. 제곱근과 실수

01 ④	02 ②, ③	03 ③	04 8
05 ④	06 $\sqrt{33}$ cm	07 ㉡, ㉢, ㉣	08 ③
09 ④	10 ⑤	11 ⑤	12 7
13 14	14 6	15 ③	16 60
17 $\sqrt{3}$	18 ①, ⑤	19 1	20 3
21 4	22 ②, ④	23 ①, ④	24 ④
25 ③			

26 $P(-3-\sqrt{5}), Q(2-\sqrt{10}), R(-3+\sqrt{5}), S(2+\sqrt{10})$

27 점 $P : 1-\sqrt{13}$, 점 $Q : 1+\sqrt{13}$ 28 ②, ③

29 $A<C<B$

30 $\sqrt{5}-3 :$ 점 B, $\sqrt{2}+2 :$ 점 D, $3-\sqrt{2} :$ 점 C,
    $1-\sqrt{5} :$ 점 A

01 **Action** 양수 a의 제곱근은 $\pm\sqrt{a}$임을 이용한다.
x가 양수 a의 제곱근이므로 $x^2=a$ 또는 $x=\pm\sqrt{a}$

02 **Action** 양수 a의 제곱근은 $\pm\sqrt{a}$, 0의 제곱근은 0, 음수의 제곱근은 없음을 이용한다.
① 제곱근 3은 $\sqrt{3}$이다.
④ -64의 제곱근은 없다.
⑤ 5의 제곱근은 $\pm\sqrt{5}$이고, 제곱근 5는 $\sqrt{5}$이므로 5의 제곱근과 제곱근 5는 같지 않다.

03 **Action** 양수 a에 대하여 (a의 제곱근)$=\pm\sqrt{a}$이고,
(제곱근 a)$=\sqrt{a}$임을 이용한다.
①, ②, ④, ⑤ ±3 ③ 3

04 **Action** 먼저 주어진 수를 간단히 한 후 제곱근을 구한다.
$\sqrt{16}=4$의 양의 제곱근은 2이므로 $a=2$
$(-6)^2=36$의 음의 제곱근은 -6이므로 $b=-6$
$\therefore a-b=2-(-6)=8$

05 **Action** 넓이가 a인 정사각형의 한 변의 길이는 $\sqrt{a}$임을 이용한다.
주어진 직사각형의 넓이는 $13\times10=130$
이 직사각형과 넓이가 같은 정사각형의 한 변의 길이를 x라고 하면
$x^2=130$ $\therefore x=\sqrt{130}$

06 **Action** 피타고라스 정리를 이용한다.
피타고라스 정리에 의해
$\overline{BC}=\sqrt{7^2-4^2}=\sqrt{33}$ (cm)

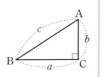

> ▶ **Lecture**
> 피타고라스 정리
> $\angle C=90°$인 직각삼각형 ABC에서 직각을 낀 두 변의 길이를 각각 a, b라 하고, 나머지 한 변의 길이를 c라고 하면
> $a^2+b^2=c^2$이 성립한다.

07 **Action** 먼저 주어진 수를 간단히 한 후 제곱근을 구하여 근호를 사용하지 않고 나타낼 수 있는지 확인한다.
㉠ $\sqrt{0.01}=0.1$의 제곱근은 $\pm\sqrt{0.1}$이다.
㉡ 169의 제곱근은 ±13이다.
㉢ $\sqrt{\dfrac{1}{81}}=\dfrac{1}{9}$의 제곱근은 $\pm\dfrac{1}{3}$이다.
㉣ $0.\dot{4}=\dfrac{4}{9}$의 제곱근은 $\pm\dfrac{2}{3}$이다.
따라서 제곱근을 근호를 사용하지 않고 나타낼 수 있는 것은 ㉡, ㉢, ㉣이다.

08 **Action** $a>0$일 때, $(\sqrt{a})^2=a$, $(-\sqrt{a})^2=a$, $\sqrt{a^2}=a$, $\sqrt{(-a)^2}=a$임을 이용한다.
①, ②, ④, ⑤ 2 ③ -2

09 **Action** 제곱근의 성질을 이용하여 근호를 푼다.
① $(-\sqrt{5})^2+(\sqrt{3})^2=5+3=8$
② $\sqrt{169}-(-\sqrt{10})^2=13-10=3$
③ $\left(\sqrt{\dfrac{4}{5}}\right)^2\div\sqrt{\left(-\dfrac{8}{15}\right)^2}\times\sqrt{16}$
    $=\dfrac{4}{5}\div\dfrac{8}{15}\times4$
    $=\dfrac{4}{5}\times\dfrac{15}{8}\times4=6$
④ $\sqrt{36}\div(-\sqrt{2})^2+\sqrt{\dfrac{25}{9}}\times\sqrt{(-3)^2}$
    $=6\div2+\dfrac{5}{3}\times3$
    $=3+5=8$
⑤ $\sqrt{121}-\sqrt{(-5)^2}\div\sqrt{\dfrac{25}{36}}+(-\sqrt{7})^2$
    $=11-5\div\dfrac{5}{6}+7$
    $=11-5\times\dfrac{6}{5}+7=12$
따라서 옳지 않은 것은 ④이다.

10 **Action** $a>0$일 때, $(-\sqrt{a})^2=a$, $\sqrt{(-a)^2}=a$이고,
$a<0$일 때, $\sqrt{a^2}=-a$임을 이용한다.

① $a>0$이므로 $(-\sqrt{a})^2=a$

② $-a<0$이므로 $-\sqrt{(-a)^2}=-\{-(-a)\}=-a$

③ $2a>0$이므로 $-\sqrt{4a^2}=-\sqrt{(2a)^2}=-2a$

④ $-9a<0$이므로 $\sqrt{(-9a)^2}=-(-9a)=9a$

⑤ $-6a<0$이므로 $-\sqrt{(-6a)^2}=-\{-(-6a)\}=-6a$

따라서 옳은 것은 ⑤이다.

◀》Lecture

제곱근의 성질

단순히 $\sqrt{(-a)^2}=-a$로 생각하지 않도록 주의한다. a의 부호에
따라 $\sqrt{(-a)^2}$의 결과는 달라진다.

➡ $\sqrt{(-a)^2}=\sqrt{a^2}=|a|=\begin{cases} a\,(a\geq0$일 때$) \\ -a\,(a<0$일 때$) \end{cases}$

11 **Action** $a>0$, $b<0$이므로 $-a<0$, $3b<0$, $-5b>0$임을 이용하여
근호를 없애고 간단히 한다.

$a>0$, $b<0$이므로 $-a<0$, $3b<0$, $-5b>0$

$\therefore \sqrt{(-a)^2}+\sqrt{9b^2}-\sqrt{(-5b)^2}$
$=\sqrt{(-a)^2}+\sqrt{(3b)^2}-\sqrt{(-5b)^2}$
$=-(-a)+(-3b)-(-5b)$
$=a+2b$

12 **Action** $-3<x<4$임을 이용하여 $x+3$, $x-4$의 부호를 각각 알아
본다.

$-3<x<4$이므로 $x+3>0$, $x-4<0$ 40%

$\therefore \sqrt{(x+3)^2}+\sqrt{(x-4)^2}=(x+3)+\{-(x-4)\}$
$=x+3-x+4$
$=7$ 60%

13 **Action** 자연수 x에 대하여 $\sqrt{Ax}$가 자연수가 되려면 Ax가 제곱수이
어야 한다.

$\sqrt{126x}=\sqrt{2\times3^2\times7\times x}$가 자연수가 되려면
$x=2\times7\times$(자연수)^{2}의 꼴이어야 한다.

따라서 가장 작은 자연수 x의 값은

$2\times7=14$

◀》Lecture

$\sqrt{Ax},\ \sqrt{\dfrac{A}{x}}$ **가 자연수가 될 조건**

자연수 A, x에 대하여 $\sqrt{Ax}$, $\sqrt{\dfrac{A}{x}}$가 각각 자연수가 되려면 Ax,

$\dfrac{A}{x}$가 각각 제곱수이어야 한다. 즉 A를 소인수분해하였을 때, 소인

수의 지수가 모두 짝수가 되도록 하는 x의 값을 구한다.

14 **Action** 자연수 x에 대하여 $\sqrt{\dfrac{A}{x}}$가 자연수가 되려면 $\dfrac{A}{x}$가 제곱수이

어야 한다.

$\sqrt{\dfrac{720}{x}}=\sqrt{\dfrac{2^4\times3^2\times5}{x}}$가 자연수가 되게 하는 자연수 x의

값은 5, $2^2\times5$, $3^2\times5$, $2^4\times5$, $2^2\times3^2\times5$, $2^4\times3^2\times5$의 6개이

다.

15 **Action** 자연수 x에 대하여 $\sqrt{A+x}$가 자연수가 되려면 $A+x$는 A
보다 큰 제곱수이어야 한다.

$\sqrt{69+x}$가 자연수가 되려면 $69+x$는 69보다 큰 제곱수이어

야 하므로

$69+x=81$, 100, 121, $\cdots$

$\therefore x=12$, 31, 52, $\cdots$

따라서 구하는 가장 작은 수는 12이다.

◀》Lecture

$\sqrt{A+x},\ \sqrt{A-x}$ **가 자연수가 될 조건**

자연수 A, x에 대하여

(1) $\sqrt{A+x}$가 자연수가 되려면 $A+x$는 A보다 큰 제곱수이어야

한다.

(2) $\sqrt{A-x}$가 자연수가 되려면 $A-x$는 A보다 작은 제곱수이어

야 한다. 이때 $\sqrt{A-x}$가 정수가 되려면 $A-x$는 0이 될 수도 있

음에 주의한다.

16 **Action** 자연수 x에 대하여 $\sqrt{A-x}$가 정수가 되려면 $A-x$는 0 또

는 A보다 작은 제곱수이어야 한다.

$\sqrt{18-x}$가 정수가 되려면 $18-x$가 0 또는 18보다 작은 제곱

수이어야 하므로

$18-x=0$, 1, 4, 9, 16

$\therefore x=2$, 9, 14, 17, 18

따라서 구하는 합은 $2+9+14+17+18=60$

17 **Action** a와 $\sqrt{b}$의 대소를 비교할 때에는 a를 $\sqrt{a^2}$으로 바꾸어 $\sqrt{a^2}$과

$\sqrt{b}$의 대소를 비교한다.

양수 $\sqrt{5}$, $\sqrt{3}$, 2에서

$2=\sqrt{4}$이므로 $\sqrt{3}<2<\sqrt{5}$ 40%

음수 $-\sqrt{8}$, -3에서

$-3=-\sqrt{9}$이고 $\sqrt{8}<\sqrt{9}$이므로

$-\sqrt{8}>-3$ 40%

따라서 큰 수부터 차례로 나열하면 $\sqrt{5}$, 2, $\sqrt{3}$, $-\sqrt{8}$, -3이

므로 세 번째에 있는 수는 $\sqrt{3}$이다. 20%

18 **Action** $a>0$, $b>0$일 때, $a>b$이면 $\sqrt{a}>\sqrt{b}$임을 이용한다.

$2=\sqrt{4}$, $3=\sqrt{9}$, $4=\sqrt{16}$이므로 $\sqrt{5}$와 $\sqrt{13}$ 사이에 있는 수가

아닌 것은 ①, ⑤이다.

19 **Action** 먼저 $4-\sqrt{15}$, $3-\sqrt{15}$의 부호를 각각 파악한 후 근호를 푼다.

$3=\sqrt{9}$, $4=\sqrt{16}$이고 $3<\sqrt{15}<4$이므로

$4-\sqrt{15}>0$, $3-\sqrt{15}<0$

$\therefore \sqrt{(4-\sqrt{15})^2}+\sqrt{(3-\sqrt{15})^2}$

$=(4-\sqrt{15})+\{-(3-\sqrt{15})\}$

$=4-\sqrt{15}-3+\sqrt{15}$

$=1$

20 **Action** 주어진 부등식의 각 변을 제곱하여 부등식을 푼다.

$4<\sqrt{3x}<5$의 각 변을 제곱하면 $16<3x<25$

$\therefore \dfrac{16}{3}<x<\dfrac{25}{3}$

따라서 자연수 x는 6, 7, 8의 3개이다.

21 **Action** 주어진 부등식의 각 변에 -1을 곱한 후 각 변을 제곱하여 부등식을 푼다.

$-6<-\sqrt{5x+2}<-3$의 각 변에 -1을 곱하면

$3<\sqrt{5x+2}<6$

각 변을 제곱하면 $9<5x+2<36$, $7<5x<34$

$\therefore \dfrac{7}{5}<x<\dfrac{34}{5}$

따라서 자연수 x는 2, 3, 4, 5, 6이므로

$M=6$, $m=2$

$\therefore M-m=6-2=4$

22 **Action** 근호를 사용하여 나타낸 수 중에서 근호 안의 수가 (유리수)^{2}의 꼴이면 유리수이고 근호 안의 수가 (유리수)^{2}의 꼴이 아니면 무리수임을 이용한다.

① $-\sqrt{0.\dot{1}}=-\sqrt{\dfrac{1}{9}}=-\dfrac{1}{3}$이므로 유리수이다.

③ $\sqrt{(-5)^2}=5$이므로 유리수이다.

⑤ $\sqrt{\dfrac{9}{100}}=\dfrac{3}{10}$이므로 유리수이다.

따라서 무리수인 것은 ②, ④이다.

23 **Action** 각각의 경우의 참, 거짓을 판단해 본다.

② 무한소수 중 순환소수는 유리수이다.

③ 순환소수는 무한소수이다.

⑤ $\sqrt{2}$와 $-\sqrt{2}$는 모두 무리수이지만 그 합은 0이므로 유리수이다.

24 **Action** 먼저 □ 안에 알맞은 것이 무엇인지 생각해 본다.

□ 안에 알맞은 것은 무리수이므로 제곱근이 무리수인 것을 찾는다.

① 0의 제곱근은 0이므로 유리수이다.

② 16의 제곱근은 ±4이므로 유리수이다.

③ 49의 제곱근은 ±7이므로 유리수이다.

④ 0.9의 제곱근은 $\pm\sqrt{0.9}$이므로 무리수이다.

⑤ $\dfrac{9}{16}$의 제곱근은 $\pm\dfrac{3}{4}$이므로 유리수이다.

따라서 제곱근이 무리수인 것은 ④이다.

25 **Action** 실수와 수직선 사이의 관계를 이해한다.

③ 서로 다른 두 정수 0과 1 사이에는 정수가 없다.

26 **Action** 수직선 위의 기준점 a에서 오른쪽으로 $\sqrt{b}$만큼 떨어져 있는 점의 좌표는 $a+\sqrt{b}$, 왼쪽으로 $\sqrt{b}$만큼 떨어져 있는 점의 좌표는 $a-\sqrt{b}$이다.

$\triangle$ABC에서 피타고라스 정리에 의해 $\overline{AC}=\sqrt{2^2+1^2}=\sqrt{5}$

$\therefore$ P$(-3-\sqrt{5})$, R$(-3+\sqrt{5})$

$\triangle$DEF에서 피타고라스 정리에 의해 $\overline{DE}=\sqrt{1^2+3^2}=\sqrt{10}$

$\therefore$ Q$(2-\sqrt{10})$, S$(2+\sqrt{10})$

27 **Action** 피타고라스 정리를 이용하여 $\overline{AD}$, $\overline{AB}$의 길이를 구한 후 두 점 P, Q에 대응하는 수를 각각 구한다.

피타고라스 정리에 의해

$\overline{AD}=\overline{AB}=\sqrt{2^2+3^2}=\sqrt{13}$ 40%

$\overline{AD}=\overline{AP}=\sqrt{13}$이므로 점 P에 대응하는 수는 $1-\sqrt{13}$이다. 30%

또 $\overline{AB}=\overline{AQ}=\sqrt{13}$이므로 점 Q에 대응하는 수는 $1+\sqrt{13}$이다. 30%

28 **Action** 두 실수 a, b의 대소 관계를 비교할 때에는 $a-b$의 부호를 이용한다.

① $(\sqrt{2}-1)-(\sqrt{3}-1)=\sqrt{2}-\sqrt{3}<0$

$\therefore \sqrt{2}-1<\sqrt{3}-1$

② $3-(\sqrt{3}+1)=2-\sqrt{3}=\sqrt{4}-\sqrt{3}>0$

$\therefore 3>\sqrt{3}+1$

③ $(\sqrt{10}-4)-1=\sqrt{10}-5=\sqrt{10}-\sqrt{25}<0$

$\therefore \sqrt{10}-4<1$

④ $(2-\sqrt{0.5})-(2-\sqrt{0.6})=\sqrt{0.6}-\sqrt{0.5}>0$

$\therefore 2-\sqrt{0.5}>2-\sqrt{0.6}$

⑤ $(\sqrt{20}+\sqrt{8})-(3+\sqrt{20})=\sqrt{8}-3=\sqrt{8}-\sqrt{9}<0$

$\therefore \sqrt{20}+\sqrt{8}<3+\sqrt{20}$

따라서 두 실수의 대소 관계가 옳은 것은 ②, ③이다.

29 **Action** 세 실수 a, b, c에 대하여 $a<b$이고 $b<c$이면 $a<b<c$임을 이용한다.

$A-C=(\sqrt{11}-3)-2=\sqrt{11}-5=\sqrt{11}-\sqrt{25}<0$

$\therefore A<C$ 40%

$B-C=(1+\sqrt{2})-2=\sqrt{2}-1=\sqrt{2}-\sqrt{1}>0$

$\therefore B>C$ 40%

따라서 $A<C$이고 $B>C$이므로 $A<C<B$ 20%

30 Action $2=\sqrt{4}, 3=\sqrt{9}$이므로 $1<\sqrt{2}<2, 2<\sqrt{5}<3$임을 이용하여 각 수에 대응하는 점의 위치를 추측해 본다.

$2<\sqrt{5}<3$이므로 $-1<\sqrt{5}-3<0$

따라서 $\sqrt{5}-3$에 대응하는 점은 점 B이다.

$1<\sqrt{2}<2$이므로 $3<\sqrt{2}+2<4$

따라서 $\sqrt{2}+2$에 대응하는 점은 점 D이다.

$-2<-\sqrt{2}<-1$이므로 $1<3-\sqrt{2}<2$

따라서 $3-\sqrt{2}$에 대응하는 점은 점 C이다.

$-3<-\sqrt{5}<-2$이므로 $-2<1-\sqrt{5}<-1$

따라서 $1-\sqrt{5}$에 대응하는 점은 점 A이다.

최고수준 완성하기

P 13 – **P** 16

01 $\dfrac{7}{2}$	**02** $\sqrt{5}$ cm	**03** $\sqrt{97}$	**04** $2x$
05 0	**06** $2a-\dfrac{2}{a}$	**07** 42	**08** 40
09 $\dfrac{1}{6}$	**10** (1) 19 (2) 27	**11** ④	
12 ㉢, ㉣	**13** (1) 72 (2) 60		
14 $Q(2+\sqrt{2})$, $R(3+\sqrt{2})$	**15** 4	**16** 5	

---

01 Action 양수 a에 대하여 제곱근 a는 $\sqrt{a}$이고, a의 제곱근은 $\pm\sqrt{a}$임을 이용한다.

제곱근 $\dfrac{81}{16}$은 $\sqrt{\dfrac{81}{16}}=\dfrac{9}{4}$이므로 $a=\dfrac{9}{4}$

$\left(-\dfrac{5}{4}\right)^2=\dfrac{25}{16}$의 제곱근은 $\pm\dfrac{5}{4}$이므로 $b=\pm\dfrac{5}{4}$

(ⅰ) $a=\dfrac{9}{4}$, $b=\dfrac{5}{4}$일 때, $a-b=\dfrac{9}{4}-\dfrac{5}{4}=\dfrac{4}{4}=1$

(ⅱ) $a=\dfrac{9}{4}$, $b=-\dfrac{5}{4}$일 때, $a-b=\dfrac{9}{4}-\left(-\dfrac{5}{4}\right)=\dfrac{14}{4}=\dfrac{7}{2}$

(ⅰ), (ⅱ)에 의하여 $a-b$의 최댓값은 $\dfrac{7}{2}$이다.

---

02 Action 각 단계의 정사각형의 넓이는 이전 단계의 정사각형의 넓이의 $\dfrac{1}{2}$임을 이용한다.

처음 정사각형의 넓이는 $(\sqrt{80})^2=80$ (cm²) …… 10%

[1단계]의 정사각형의 넓이는 $80\times\dfrac{1}{2}=40$ (cm²)

[2단계]의 정사각형의 넓이는 $40\times\dfrac{1}{2}=20$ (cm²)

[3단계]의 정사각형의 넓이는 $20\times\dfrac{1}{2}=10$ (cm²)

[4단계]의 정사각형의 넓이는 $10\times\dfrac{1}{2}=5$ (cm²) …… 80%

따라서 [4단계]에서 만들어지는 정사각형의 한 변의 길이는 $\sqrt{5}$ cm이다. …… 10%

---

03 Action 두 점 A, D의 좌표를 이용하여 정사각형 OAHI와 BCDE의 한 변의 길이를 각각 구한다.

□OAHI와 □BCDE는 한 변의 길이가 각각 4, 8인 정사각형이므로 B(9, 0), E(9, 8), I(0, 4)이다.

이때 오른쪽 그림과 같이 $\overline{\text{EI}}$를 빗변으로 하는 직각삼각형 EIJ를 그리면

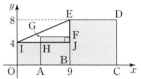

$\overline{\text{IJ}}=9-0=9$

$\overline{\text{EJ}}=8-4=4$

따라서 피타고라스 정리에 의해

$\overline{\text{EI}}=\sqrt{9^2+4^2}=\sqrt{97}$

---

04 Action 먼저 주어진 부등식을 풀어 x의 값의 범위를 구한다.

$4<3x-2<7$에서 $6<3x<9$ $\therefore 2<x<3$

따라서 $\sqrt{3}+x>0, \sqrt{3}-x<0$이므로

$\sqrt{(\sqrt{3}+x)^2}+\sqrt{(\sqrt{3}-x)^2}=\sqrt{3}+x+\{-(\sqrt{3}-x)\}$

$=\sqrt{3}+x-\sqrt{3}+x$

$=2x$

---

05 Action $a-b>0, ab<0$임을 이용하여 a, b의 부호를 각각 구한다.

$a-b>0$이므로 $a>b$ …… ㉠

$ab<0$이므로 $a>0, b<0$ 또는 $a<0, b>0$ …… ㉡

㉠, ㉡에서 $a>0, b<0$

이때 $b-a<0$이므로

$\sqrt{a^2}+\sqrt{b^2}-\sqrt{(b-a)^2}=a+(-b)-\{-(b-a)\}$

$=a-b+b-a=0$

---

06 Action $-1<a<0$일 때, $\dfrac{1}{a}<-1$임을 이용한다.

$-1<a<0$이면 $\dfrac{1}{a}<-1$이므로

$a>\dfrac{1}{a}$, 즉 $a-\dfrac{1}{a}>0$, $\dfrac{1}{a}-a<0$이다.

$\therefore \sqrt{\left(a-\dfrac{1}{a}\right)^2}+\sqrt{\left(\dfrac{1}{a}-a\right)^2}=\left(a-\dfrac{1}{a}\right)+\left\{-\left(\dfrac{1}{a}-a\right)\right\}$

$=a-\dfrac{1}{a}-\dfrac{1}{a}+a$

$=2a-\dfrac{2}{a}$

---

07 Action $\sqrt{102+x}$와 $\sqrt{168x}$가 자연수가 되게 하는 자연수 x의 값을 각각 구하여 공통인 수 중에서 가장 작은 수를 찾는다.

(ⅰ) $\sqrt{102+x}$가 자연수가 되려면 $102+x$는 102보다 큰 제곱수이어야 하므로

$102+x=121, 144, 169, \cdots$

$\therefore x=19, 42, 67, \cdots$ ⋯⋯ **40%**

(ii) $\sqrt{168x}=\sqrt{2^3 \times 3 \times 7 \times x}$가 자연수가 되려면

$x=2 \times 3 \times 7 \times$(자연수)^{2}의 꼴이어야 하므로

$x=(2 \times 3 \times 7) \times 1^2, (2 \times 3 \times 7) \times 2^2, (2 \times 3 \times 7) \times 3^2, \cdots$

$\therefore x=42, 168, 378, \cdots$ ⋯⋯ **40%**

(i), (ii)에 의하여 $\sqrt{102+x}$와 $\sqrt{168x}$가 모두 자연수가 되게 하는 가장 작은 자연수 x의 값은 42이다. ⋯⋯ **20%**

08 `Action` $A-B$의 값이 최대가 되려면 A는 최대, B는 최소가 되어야 한다.

$\sqrt{100-a}-\sqrt{100+b}$가 가장 큰 정수가 되려면 $\sqrt{100-a}$는 가장 큰 정수, $\sqrt{100+b}$는 가장 작은 정수이어야 한다.

$\sqrt{100-a}$가 가장 큰 정수이려면 $100-a$가 0 또는 100보다 작은 제곱수 중에서 가장 큰 수이어야 하므로

$100-a=81$ $\therefore a=19$

$\sqrt{100+b}$가 가장 작은 정수이려면 $100+b$가 100보다 큰 제곱수 중에서 가장 작은 수이어야 하므로

$100+b=121$ $\therefore b=21$

따라서 $a=19$, $b=21$일 때, 주어진 식의 값이 가장 큰 정수가 되므로

$a+b=19+21=40$

09 `Action` 12를 소인수분해하여 $\sqrt{12ab}$가 자연수가 되기 위한 ab의 조건을 구한다.

$12=2^2 \times 3$이므로 $ab=3 \times$(자연수)^{2}의 꼴이어야 한다.

이때 a, b는 주사위의 눈의 수이므로 $ab=3 \times 1^2$ 또는 $ab=3 \times 2^2$, 즉 $ab=3$ 또는 $ab=12$

(i) $ab=3$일 때, a, b의 순서쌍 (a, b)는 $(1, 3)$, $(3, 1)$의 2가지

(ii) $ab=12$일 때, a, b의 순서쌍 (a, b)는 $(2, 6)$, $(3, 4)$, $(4, 3)$, $(6, 2)$의 4가지

(i), (ii)에 의하여 만족하는 순서쌍 (a, b)는 6가지이므로

구하는 확률은 $\dfrac{6}{36}=\dfrac{1}{6}$

♪ Lecture

$1 \le ab \le 36$이므로 $ab=3 \times 3^2=27$까지 ab의 값으로 생각하기 쉽지만 a, b는 6 이하의 자연수이므로 $ab=27$을 만족하는 두 수 a, b는 없다.

10 `Action` $\sqrt{1}=1, \sqrt{4}=2, \sqrt{9}=3, \sqrt{16}=4, \sqrt{25}=5, \cdots$임을 이용한다.

$\sqrt{1}=1, \sqrt{4}=2, \sqrt{9}=3, \sqrt{16}=4, \sqrt{25}=5, \sqrt{36}=6, \cdots$이므로

(1) $f(1)=f(2)=f(3)=1$

$f(4)=f(5)=f(6)=f(7)=f(8)=2$

$f(9)=f(10)=3$

$\therefore f(1)+f(2)+f(3)+\cdots+f(10)$

$=1 \times 3+2 \times 5+3 \times 2=19$

(2) $f(15)=3$

$f(16)=f(17)=f(18)=\cdots=f(24)=4$

$f(25)=f(26)=f(27)=\cdots=f(35)=5$

이때 $3 \times 1+4 \times 9+5 \times 3=54$이므로 주어진 식을 만족하는 n의 값은 $f(x)=5$를 만족하는 세 번째 자연수인 27이다.

11 `Action` $0<a<1$을 만족하는 a의 값을 정한 후 각각의 식의 값을 계산하여 대소를 비교한다.

$0<a<1$이므로 $a=\dfrac{1}{2}$이라고 하면

① $\sqrt{a}=\sqrt{\dfrac{1}{2}}$

② $a=\dfrac{1}{2}=\sqrt{\dfrac{1}{4}}$

③ $a^2=\left(\dfrac{1}{2}\right)^2=\dfrac{1}{4}=\sqrt{\dfrac{1}{16}}$

④ $\dfrac{1}{a}=1 \div a=1 \div \dfrac{1}{2}=1 \times 2=2=\sqrt{4}$

⑤ $\sqrt{\dfrac{1}{a}}=\sqrt{1 \div a}=\sqrt{1 \div \dfrac{1}{2}}=\sqrt{1 \times 2}=\sqrt{2}$

따라서 그 값이 가장 큰 것은 ④이다.

12 `Action` a, b에 구체적인 수를 대입하여 유리수인 경우가 생기는지 확인한다.

㉠, ㉤ $a=\sqrt{2}$, $b=-\sqrt{2}$일 때, $a+b=0$, $\dfrac{a+b}{2}=0$이므로 유리수인 경우가 생긴다.

㉡, ◎ $a=b=\sqrt{2}$일 때, $a-b=0$, $ab=2$이므로 유리수인 경우가 생긴다.

㉧ $a=\sqrt{2}$일 때, $a^2=2$이므로 유리수인 경우가 생긴다.

㉯ $b=-\sqrt{2}$일 때, $b+\sqrt{2}=0$이므로 유리수인 경우가 생긴다.

따라서 항상 무리수인 것은 ㉢, ㉣이다.

13 `Action` $\sqrt{(제곱수)}$는 자연수임을 이용한다.

(1) $\sqrt{x}$가 무리수가 되려면 근호 안의 수 x가 제곱수가 아니어야 한다.

이때 81 이하의 제곱수는 $1, 4, 9, 16, \cdots, 81$의 9개이므로 무리수에 대응하는 점의 개수는 $81-9=72$

(2) $31^2-30^2-1=961-900-1=60$

14 `Action` 기준점 a에서 오른쪽으로 $\sqrt{b}$만큼 떨어져 있는 점의 좌표는 $a+\sqrt{b}$, 왼쪽으로 $\sqrt{b}$만큼 떨어져 있는 점의 좌표는 $a-\sqrt{b}$이다.

피타고라스 정리에 의해 한 변의 길이가 1인 정사각형의 대각선의 길이는 $\sqrt{1^2+1^2}=\sqrt{2}$이므로

$\overline{AC}=\overline{BD}=\overline{CF}=\sqrt{2}$

이때 $\overline{AC}=\overline{PC}=\sqrt{2}$이고 점 P에 대응하는 수가 $3-\sqrt{2}$이므로 점 C에 대응하는 수는 3이다.

따라서 점 B에 대응하는 수는 2이고 $\overline{BD}=\overline{BQ}=\sqrt{2}$,
$\overline{CF}=\overline{CR}=\sqrt{2}$이므로
$Q(2+\sqrt{2})$, $R(3+\sqrt{2})$

15 Action 주어진 두 수 a, b를 이용하여 $a+b$와 $b-a$의 부호를 각각 판단한다.

$a+b=\sqrt{29}-3+2=\sqrt{29}-1>0$
$b-a=2-(\sqrt{29}-3)=5-\sqrt{29}=\sqrt{25}-\sqrt{29}<0$
$\therefore \sqrt{(a+b)^2}-\sqrt{(b-a)^2}=(a+b)-\{-(b-a)\}$
$\qquad\qquad\qquad\qquad\qquad =a+b+b-a=2b$
$\qquad\qquad\qquad\qquad\qquad =2\times 2=4$

16 Action $3-\sqrt{5}$와 $4+\sqrt{2}$가 각각 어떤 두 정수 사이에 있는지 확인한다.

$-3<-\sqrt{5}<-2$이므로 $0<3-\sqrt{5}<1$
$1<\sqrt{2}<2$이므로 $5<4+\sqrt{2}<6$
따라서 $3-\sqrt{5}$와 $4+\sqrt{2}$ 사이에 있는 정수는 1, 2, 3, 4, 5의 5개이다.

> 📢 *Lecture*
>
> **무리수 $\sqrt{2}$, $\sqrt{5}$의 범위**
> $\sqrt{1}=1$, $\sqrt{4}=2$, $\sqrt{9}=3$이고 $1<2<4$, $4<5<9$이므로
> $1<\sqrt{2}<2$, $2<\sqrt{5}<3$

최고 수준 **뛰어넘기**　　　　　　　　　　🅟 17~ 🅟 18

| **01** $-2a+5b$ | **02** 750 | **03** 44 | **04** 172 |
| **05** 9 | **06** $C<A<B$ | | |

01 Action $a<0<b$이고 $|a|>|b|$임을 이용하여 a, $3b$, $a+b$, $2a-b$의 부호를 각각 판단한다.

$a<0<b$이고 $|a|>|b|$이므로
$a<0$, $3b>0$, $a+b<0$, $2a-b<0$
$\therefore \sqrt{a^2}+|3b|-\sqrt{(a+b)^2}+\sqrt{(2a-b)^2}$
$\quad =-a+3b-\{-(a+b)\}+\{-(2a-b)\}$
$\quad =-a+3b+a+b-2a+b$
$\quad =-2a+5b$

02 Action 자연수 x에 대하여 $\sqrt{Ax}$가 자연수가 되려면 Ax가 제곱수이어야 한다.

$3<\sqrt{n}<3.5$의 각 변을 제곱하면 $9<n<12.25$
$\therefore x=12$, $y=10$
이때 $\sqrt{\dfrac{xz}{y}}=\sqrt{\dfrac{12z}{10}}=\sqrt{\dfrac{6z}{5}}=\sqrt{\dfrac{2\times 3\times z}{5}}$가 자연수가 되려면 $z=5\times 2\times 3\times(자연수)^2$의 꼴이어야 한다.
따라서 자연수 z의 값 중에서 가장 큰 세 자리 수는
$5\times 2\times 3\times 5^2=750$

03 Action 주어진 조건 중 조건 (나)와 (다)를 만족하는 두 자연수 a_1, a_4를 먼저 구한다.

조건 (나)에서 a_1, a_2, a_3, a_4는 모두 1보다 큰 제곱수이다.
이때 조건 (다)에서 $a_1+a_4=65$이고, 조건 (가)에서 $a_1<a_4$이므로
$a_1=16$, $a_4=49$이다.
또, 조건 (가)에서 $a_1<a_2<a_3<a_4$이므로
$a_1=16$, $a_2=25$, $a_3=36$, $a_4=49$
$\therefore a_4-a_1+a_3-a_2=49-16+36-25=44$

04 Action 먼저 $\sqrt{n}$, $\sqrt{3n}$, $\sqrt{5n}$이 모두 유리수가 되도록 하는 n의 값을 각각 구한다.

200 이하의 자연수 n에 대하여
(i) $\sqrt{n}$이 유리수가 되려면 $n=(자연수)^2$의 꼴이어야 하므로
$n=1^2, 2^2, 3^2, 4^2, \cdots, 14^2$
(ii) $\sqrt{3n}$이 유리수가 되려면 $n=3\times(자연수)^2$의 꼴이어야 하므로
$n=3\times 1^2, 3\times 2^2, 3\times 3^2, \cdots, 3\times 8^2$
(iii) $\sqrt{5n}$이 유리수가 되려면 $n=5\times(자연수)^2$의 꼴이어야 하므로
$n=5\times 1^2, 5\times 2^2, 5\times 3^2, \cdots, 5\times 6^2$
(i)~(iii)에서 중복되는 수가 없으므로 $\sqrt{n}$, $\sqrt{3n}$, $\sqrt{5n}$이 모두 무리수가 되게 하는 n의 값의 개수는
$200-(14+8+6)=172$

05 Action $1<\sqrt{2}<2$임을 이용하여 $a+\sqrt{2}$와 $b-\sqrt{2}$가 각각 어떤 두 정수 사이에 있는지 확인한다.

$1<\sqrt{2}<2$이므로 $a+1<a+\sqrt{2}<a+2$
$-2<-\sqrt{2}<-1$이므로 $b-2<b-\sqrt{2}<b-1$
이때 a, b는 정수이고 $a+\sqrt{2}$와 $b-\sqrt{2}$ 사이에 정수 n이 6개 있으므로
$b-2-(a+2)+1=6$　　$\therefore b-a=9$

06 Action $a>0$, $b>0$일 때, $a^2<b^2$이면 $a<b$임을 이용한다.

(i) $A=1-a$, $B=\sqrt{1-a}$의 대소 비교
$0<a<1$에서 $-1<-a<0$이므로
$0<1-a<1$
이때 각 변에 $1-a$를 곱하면
$0<(1-a)^2<1-a$
즉 $A^2<B^2$이므로 $A<B$
(ii) $A=1-a$, $C=1-\sqrt{a}$의 대소 비교
$0<a<1$에서 각 변에 a를 곱하면
$0<a^2<a$이므로 $0<a<\sqrt{a}$
즉 $-\sqrt{a}<-a$이므로 $1-\sqrt{a}<1-a$
$\therefore C<A$
(i), (ii)에 의하여 $A<B$이고 $C<A$이므로
$C<A<B$

2. 근호를 포함한 식의 계산

01 ⑤	**02** ④	**03** ②	**04** ②, ⑤
05 ㉠, ㉡, ㉢, ㉤		**06** $-\dfrac{\sqrt{7}}{18}$	**07** ①
08 3	**09** $\dfrac{2\sqrt{15}}{5}$	**10** 2074	**11** ④
12 4	**13** $4\sqrt{2}$	**14** $\dfrac{5\sqrt{2}}{8}$	**15** ③
16 $18\sqrt{3}$ m	**17** $1+2\sqrt{2}$	**18** $6\sqrt{2}-2\sqrt{3}$	**19** -4
20 $-\sqrt{6}-3\sqrt{5}$		**21** $\dfrac{1}{2}$	
22 $(3\sqrt{10}+10)$ cm²		**23** $\dfrac{3\sqrt{10}}{10}$	**24** 14

01 [Action] 제곱근의 곱셈은 근호 안의 수끼리 곱하고, 근호 밖의 수끼리 곱한다.

① $\sqrt{2}\times\sqrt{5}=\sqrt{2\times5}=\sqrt{10}$

② $\sqrt{\dfrac{15}{4}}\times\sqrt{\dfrac{20}{3}}=\sqrt{\dfrac{15}{4}\times\dfrac{20}{3}}=\sqrt{25}=5$

③ $-\sqrt{18}\times\sqrt{0.6}\times\sqrt{30}=-\sqrt{18\times0.6\times30}$
$\qquad\qquad\qquad\qquad\qquad =-\sqrt{324}=-18$

④ $2\sqrt{3}\times3\sqrt{11}=(2\times3)\sqrt{3\times11}=6\sqrt{33}$

⑤ $\sqrt{\dfrac{5}{7}}\times\sqrt{\dfrac{14}{5}}=\sqrt{\dfrac{5}{7}\times\dfrac{14}{5}}=\sqrt{2}$

따라서 옳지 않은 것은 ⑤이다.

02 [Action] 제곱근의 나눗셈은 역수의 곱셈으로 바꾸어 계산한다.

① $\dfrac{\sqrt{26}}{\sqrt{2}}=\sqrt{13}$

② $\sqrt{27}\div(-\sqrt{3})=-\sqrt{9}=-3$

③ $\dfrac{\sqrt{12}}{\sqrt{7}}\div\dfrac{\sqrt{3}}{\sqrt{7}}=\dfrac{\sqrt{12}}{\sqrt{7}}\times\dfrac{\sqrt{7}}{\sqrt{3}}=\sqrt{\dfrac{12}{7}\times\dfrac{7}{3}}=\sqrt{4}=2$

④ $\sqrt{\dfrac{35}{6}}\div\sqrt{\dfrac{7}{30}}=\dfrac{\sqrt{35}}{\sqrt{6}}\div\dfrac{\sqrt{7}}{\sqrt{30}}=\dfrac{\sqrt{35}}{\sqrt{6}}\times\dfrac{\sqrt{30}}{\sqrt{7}}$
$\qquad\qquad\qquad =\sqrt{\dfrac{35}{6}\times\dfrac{30}{7}}=\sqrt{25}=5$

⑤ $\sqrt{70}\div\sqrt{2}\div\sqrt{7}=\sqrt{70}\times\dfrac{1}{\sqrt{2}}\times\dfrac{1}{\sqrt{7}}=\sqrt{\dfrac{70}{2\times7}}=\sqrt{5}$

따라서 계산 결과가 가장 큰 것은 ④이다.

03 [Action] $\sqrt{a^2b}=a\sqrt{b}$임을 이용하여 근호 안의 제곱인 인수를 근호 밖으로 꺼낸다.

$\sqrt{20}=\sqrt{2^2\times5}=2\sqrt{5}$ $\therefore a=2$

$\sqrt{75}=\sqrt{3\times5^2}=5\sqrt{3}$ $\therefore b=5$

$\therefore \sqrt{a}\sqrt{b}=\sqrt{2}\sqrt{5}=\sqrt{10}$

04 [Action] $a\sqrt{b}=\sqrt{a^2b}$임을 이용하여 근호 밖의 양수를 근호 안으로 넣는다. 이때 근호 밖의 음수는 근호 안으로 넣을 수 없다.

① $2\sqrt{7}=\sqrt{2^2\times7}=\sqrt{28}$

② $3\sqrt{6}=\sqrt{3^2\times6}=\sqrt{54}$

③ $5\sqrt{2}=\sqrt{5^2\times2}=\sqrt{50}$

④ $-4\sqrt{2}=-\sqrt{4^2\times2}=-\sqrt{32}$

⑤ $-3\sqrt{3}=-\sqrt{3^2\times3}=-\sqrt{27}$

따라서 옳지 않은 것은 ②, ⑤이다.

05 [Action] 소수는 분수로 바꾸고 $\sqrt{a^2b}=a\sqrt{b}$, $\sqrt{\dfrac{a}{b^2}}=\dfrac{\sqrt{a}}{b}$임을 이용한다.

㉠ $\sqrt{\dfrac{7}{100}}=\sqrt{\dfrac{7}{10^2}}=\dfrac{\sqrt{7}}{10}$

㉡ $-\sqrt{\dfrac{11}{81}}=-\sqrt{\dfrac{11}{9^2}}=-\dfrac{\sqrt{11}}{9}$

㉢ $-\sqrt{0.41}=-\sqrt{\dfrac{41}{100}}=-\sqrt{\dfrac{41}{10^2}}=-\dfrac{\sqrt{41}}{10}$

㉣ $\dfrac{\sqrt{5}}{6}=\sqrt{\dfrac{5}{6^2}}=\sqrt{\dfrac{5}{36}}$

㉤ $\dfrac{3\sqrt{3}}{2}=\dfrac{\sqrt{3^2\times3}}{\sqrt{2^2}}=\dfrac{\sqrt{27}}{\sqrt{4}}=\sqrt{\dfrac{27}{4}}$

㉥ $\sqrt{0.75}=\sqrt{\dfrac{75}{100}}=\sqrt{\dfrac{3}{4}}=\dfrac{\sqrt{3}}{2}$

따라서 옳은 것은 ㉠, ㉡, ㉢, ㉤이다.

06 [Action] 제곱근의 나눗셈은 역수의 곱셈으로 바꾸어 계산한다.

$\dfrac{\sqrt{42}}{2}\div3\sqrt{15}\times\left(-\dfrac{\sqrt{5}}{\sqrt{18}}\right)=\dfrac{\sqrt{42}}{2}\times\dfrac{1}{3\sqrt{15}}\times\left(-\dfrac{\sqrt{5}}{\sqrt{18}}\right)$
$\qquad\qquad\qquad =-\dfrac{1}{6}\sqrt{\dfrac{42\times5}{15\times18}}$
$\qquad\qquad\qquad =-\dfrac{1}{6}\sqrt{\dfrac{7}{9}}$
$\qquad\qquad\qquad =-\dfrac{\sqrt{7}}{18}$

07 [Action] 근호 안의 수를 소인수분해하여 주어진 문자로 나타낸다.

$\sqrt{189}=\sqrt{3^2\times3\times7}=3\sqrt{3}\sqrt{7}=3ab$

08 [Action] 분모에 근호가 있는 경우에는 $\dfrac{\sqrt{b}}{\sqrt{a}}=\dfrac{\sqrt{b}\times\sqrt{a}}{\sqrt{a}\times\sqrt{a}}=\dfrac{\sqrt{ab}}{a}$임을 이용한다.

$\dfrac{15}{\sqrt{6}}=\dfrac{15\times\sqrt{6}}{\sqrt{6}\times\sqrt{6}}=\dfrac{5\sqrt{6}}{2}=a\sqrt{6}$ $\therefore a=\dfrac{5}{2}$

$\dfrac{7}{\sqrt{28}}=\dfrac{7}{2\sqrt{7}}=\dfrac{7\times\sqrt{7}}{2\sqrt{7}\times\sqrt{7}}=\dfrac{\sqrt{7}}{2}=b\sqrt{7}$ $\therefore b=\dfrac{1}{2}$

$\therefore a+b=\dfrac{5}{2}+\dfrac{1}{2}=3$

09 Action $\triangle ABC = \frac{1}{2} \times \overline{BC} \times \overline{AC} = \frac{1}{2} \times \overline{AB} \times \overline{CD}$임을 이용한다.

$\triangle ABC = \frac{1}{2} \times \overline{BC} \times \overline{AC} = \frac{1}{2} \times \overline{AB} \times \overline{CD}$이므로

$\frac{1}{2} \times \sqrt{6} \times 2 = \frac{1}{2} \times \sqrt{10} \times \overline{CD}$, $\frac{\sqrt{10}}{2}\overline{CD} = \sqrt{6}$

$\therefore \overline{CD} = \sqrt{6} \times \frac{2}{\sqrt{10}} = \frac{2\sqrt{6}}{\sqrt{10}} = \frac{2\sqrt{6} \times \sqrt{10}}{\sqrt{10} \times \sqrt{10}} = \frac{2\sqrt{15}}{5}$

10 Action 주어진 제곱근표를 이용하여 제곱근의 값을 각각 구한다.

제곱근표에서 $\sqrt{8.32} = 2.884$, $\sqrt{8.10} = 2.846$이므로

$a = 2.884$, $b = 8.10$

$\therefore 1000a - 100b = 1000 \times 2.884 - 100 \times 8.10$
$= 2884 - 810 = 2074$

11 Action 근호 안의 수를 $10^2, 10^4, \cdots$ 또는 $\frac{1}{10^2}, \frac{1}{10^4}, \cdots$과의 곱으로

나타낸 후 $\sqrt{a^2 b} = a\sqrt{b}$, $\sqrt{\frac{a}{b^2}} = \frac{\sqrt{a}}{b}$임을 이용한다.

① $\sqrt{3.2} = 1.789$ ② $\sqrt{3.33} = 1.825$
③ 주어진 제곱근표에서 $\sqrt{31}$의 값은 알 수 없다.
④ $\sqrt{322} = \sqrt{100 \times 3.22} = 10\sqrt{3.22} = 10 \times 1.794 = 17.94$
⑤ $\sqrt{0.3331} = \sqrt{\frac{33.31}{100}} = \frac{\sqrt{33.31}}{10}$이고 주어진 제곱근표에서
$\sqrt{33.31}$의 값은 알 수 없으므로 $\sqrt{0.3331}$의 값은 구할 수 없다.
따라서 바르게 구한 것은 ④이다.

12 Action 근호 안에 제곱인 인수가 있으면 $\sqrt{a^2 b} = a\sqrt{b}$임을 이용하여 근호 안의 수를 가장 작은 자연수로 만든 후 제곱근의 덧셈과 뺄셈을 한다.

$\sqrt{24} + 7\sqrt{2} + 4\sqrt{6} - \sqrt{50} = 2\sqrt{6} + 7\sqrt{2} + 4\sqrt{6} - 5\sqrt{2}$
$= 2\sqrt{2} + 6\sqrt{6}$

따라서 $a = 2$, $b = 6$이므로

$b - a = 6 - 2 = 4$

13 Action x, y를 각각 간단히 한 후 $x + y$의 값을 구한다.

$x = \sqrt{2} + \frac{1}{\sqrt{2}} = \sqrt{2} + \frac{1 \times \sqrt{2}}{\sqrt{2} \times \sqrt{2}}$
$= \sqrt{2} + \frac{\sqrt{2}}{2} = \frac{3\sqrt{2}}{2}$

$y = 3\sqrt{2} - \frac{1}{\sqrt{2}} = 3\sqrt{2} - \frac{1 \times \sqrt{2}}{\sqrt{2} \times \sqrt{2}}$
$= 3\sqrt{2} - \frac{\sqrt{2}}{2} = \frac{5\sqrt{2}}{2}$

$\therefore x + y = \frac{3\sqrt{2}}{2} + \frac{5\sqrt{2}}{2} = 4\sqrt{2}$

14 Action 분모를 유리화한 후 근호 안의 수가 같은 것끼리 모아서 계산한다.

$\frac{1}{\sqrt{8}} + \frac{3}{\sqrt{18}} - \frac{1}{\sqrt{32}} = \frac{1}{2\sqrt{2}} + \frac{1}{\sqrt{2}} - \frac{1}{4\sqrt{2}}$
$= \frac{1 \times \sqrt{2}}{2\sqrt{2} \times \sqrt{2}} + \frac{1 \times \sqrt{2}}{\sqrt{2} \times \sqrt{2}} - \frac{1 \times \sqrt{2}}{4\sqrt{2} \times \sqrt{2}}$
$= \frac{\sqrt{2}}{4} + \frac{\sqrt{2}}{2} - \frac{\sqrt{2}}{8}$
$= \frac{2\sqrt{2}}{8} + \frac{4\sqrt{2}}{8} - \frac{\sqrt{2}}{8}$
$= \frac{5\sqrt{2}}{8}$

15 Action 두 수 a, b에 대하여 $a - b > 0$이면 $a > b$임을 이용한다.

$a - c = 2\sqrt{3} + 3 - (3\sqrt{3} - 1) = -\sqrt{3} + 4 > 0$

$\therefore a > c$

$b - c = 5 - 3\sqrt{5} - (3\sqrt{3} - 1) = 6 - 3\sqrt{5} - 3\sqrt{3} < 0$

$\therefore b < c$

따라서 $a > c$이고 $b < c$이므로 $b < c < a$

16 Action 넓이가 a인 정사각형의 한 변의 길이는 $\sqrt{a}$임을 이용한다.

넓이가 $3\,\text{m}^2$, $12\,\text{m}^2$, $27\,\text{m}^2$인 정사각형 모양의 세 밭의 한 변의 길이는 차례로 $\sqrt{3}\,\text{m}$, $2\sqrt{3}\,\text{m}$, $3\sqrt{3}\,\text{m}$이다. ······ 30%

$\therefore$ (밭 전체의 둘레의 길이)
$= (\sqrt{3} + 2\sqrt{3} + 3\sqrt{3}) \times 2 + 3\sqrt{3} \times 2$
$= 6\sqrt{3} \times 2 + 6\sqrt{3}$
$= 12\sqrt{3} + 6\sqrt{3}$
$= 18\sqrt{3}\,(\text{m})$ ······ 70%

Lecture

도형의 둘레의 길이

오른쪽 그림에서 정사각형 A, B, C의 한 변의 길이를 차례로 a, b, c라고 하면 전체의 도형에서
① 윗변의 길이의 합은 $a + b + c$
② 아랫변의 길이는 $a + b + c$
③ 왼쪽 변의 길이의 합은 $a + (b - a) + (c - b) = c$
④ 오른쪽 변의 길이는 c

17 Action 한 변의 길이가 1인 정사각형의 대각선의 길이는 $\sqrt{2}$임을 이용하여 두 점 P, Q의 좌표를 구한다.

피타고라스 정리에 의해

$\overline{AC} = \overline{BD} = \sqrt{1^2 + 1^2} = \sqrt{2}$

이때 $\overline{BD} = \overline{BP} = \sqrt{2}$, $\overline{CA} = \overline{CQ} = \sqrt{2}$이므로

$P(2 - \sqrt{2})$, $Q(3 + \sqrt{2})$

$\therefore \overline{PQ} = (3 + \sqrt{2}) - (2 - \sqrt{2})$
$= 3 + \sqrt{2} - 2 + \sqrt{2}$
$= 1 + 2\sqrt{2}$

18 **Action** $a>0, b>0, c>0$일 때, $\sqrt{a}(\sqrt{b}\pm\sqrt{c})=\sqrt{ab}\pm\sqrt{ac}$임을 이용한다.

$$\sqrt{3}A+\sqrt{2}B=\sqrt{3}(2\sqrt{6}-3\sqrt{2})+\sqrt{2}(3\sqrt{3}-\sqrt{6})$$
$$=6\sqrt{2}-3\sqrt{6}+3\sqrt{6}-2\sqrt{3}$$
$$=6\sqrt{2}-2\sqrt{3}$$

19 **Action** $\sqrt{a^2b}=a\sqrt{b}$임을 이용하여 근호 안의 제곱인 인수는 근호 밖으로 꺼낸 후 분모를 유리화한다.

$$\frac{4-\sqrt{27}}{\sqrt{8}}=\frac{(4-3\sqrt{3})\sqrt{2}}{2\sqrt{2}\times\sqrt{2}}=\frac{4\sqrt{2}-3\sqrt{6}}{4}=\sqrt{2}-\frac{3}{4}\sqrt{6}$$

따라서 $a=1, b=-\dfrac{3}{4}$이므로

$$4b-a=4\times\left(-\frac{3}{4}\right)-1=-3-1=-4$$

20 **Action** 괄호 풀기 ➡ 제곱인 인수 근호 밖으로 꺼내기 ➡ 분모의 유리화 ➡ 곱셈, 나눗셈 ➡ 덧셈, 뺄셈

$$\frac{3\sqrt{2}-\sqrt{15}}{\sqrt{3}}-\sqrt{2}(\sqrt{12}+\sqrt{10})$$
$$=\frac{(3\sqrt{2}-\sqrt{15})\sqrt{3}}{\sqrt{3}\times\sqrt{3}}-\sqrt{24}-\sqrt{20}$$
$$=\frac{3\sqrt{6}-3\sqrt{5}}{3}-2\sqrt{6}-2\sqrt{5}$$
$$=\sqrt{6}-\sqrt{5}-2\sqrt{6}-2\sqrt{5}$$
$$=-\sqrt{6}-3\sqrt{5}$$

21 **Action** a, b가 유리수, $\sqrt{m}$이 무리수일 때, $a+b\sqrt{m}$이 유리수가 되려면 $b=0$이어야 함을 이용한다.

$$\sqrt{2}(3\sqrt{2}-a\sqrt{6})+\frac{3}{\sqrt{3}}-4a=6-2a\sqrt{3}+\sqrt{3}-4a$$
$$=(6-4a)+(-2a+1)\sqrt{3}$$

위 식이 유리수가 되려면 $-2a+1=0$이어야 하므로

$$a=\frac{1}{2}$$

22 **Action** (사다리꼴의 넓이)

$$=\frac{1}{2}\times\{(\text{윗변의 길이})+(\text{아랫변의 길이})\}\times(\text{높이})$$

임을 이용한다.

(사다리꼴의 넓이)

$$=\frac{1}{2}\times\{(\sqrt{2}+\sqrt{5})+(2\sqrt{2}+\sqrt{5})\}\times\sqrt{20}$$
$$=\frac{1}{2}\times(3\sqrt{2}+2\sqrt{5})\times2\sqrt{5}$$
$$=3\sqrt{10}+10\ (\text{cm}^2)$$

23 **Action** $3=\sqrt{9}, 4=\sqrt{16}$이므로 $3<\sqrt{10}<4$임을 이용하여 $\sqrt{10}$의 정수 부분과 소수 부분을 구한다.

$3<\sqrt{10}<4$이므로 $\sqrt{10}$의 정수 부분은 3, 소수 부분은 $\sqrt{10}-3$이다.

따라서 $a=3, b=\sqrt{10}-3$이므로

$$\frac{a}{b+3}=\frac{3}{(\sqrt{10}-3)+3}=\frac{3}{\sqrt{10}}$$
$$=\frac{3\times\sqrt{10}}{\sqrt{10}\times\sqrt{10}}=\frac{3\sqrt{10}}{10}$$

24 **Action** 먼저 a의 값을 구한 후 그 값을 $9-\sqrt{a}$에 대입하여 b의 값을 구한다.

$3<\sqrt{13}<4$이므로 $8<5+\sqrt{13}<9$

따라서 $5+\sqrt{13}$의 정수 부분은 8이므로 $a=8$

$9-\sqrt{a}$, 즉 $9-\sqrt{8}$에서 $2<\sqrt{8}<3$이므로

$-3<-\sqrt{8}<-2$ $\therefore 6<9-\sqrt{8}<7$

따라서 $9-\sqrt{8}$의 정수 부분은 6이므로 $b=6$

$\therefore a+b=8+6=14$

◀》Lecture

부등식의 성질

① $a<b$이면 $a+c<b+c, a-c<b-c$

② $a<b, c>0$이면 $ac<bc, \dfrac{a}{c}<\dfrac{b}{c}$

③ $a<b, c<0$이면 $ac>bc, \dfrac{a}{c}>\dfrac{b}{c}$

최고수준 **완성하기** **ⓟ25- ⓟ28**

01 3	**02** ②	**03** 30	**04** 2
05 $25\sqrt{2}$	**06** 29.46	**07** 27	**08** ⓛ
09 $11-5\sqrt{5}$	**10** 2	**11** $\dfrac{\sqrt{2}}{2}$	**12** $7\sqrt{5}$
13 $(10\sqrt{5}+2\sqrt{10})$ cm		**14** 9	**15** $3-\sqrt{2}$
16 $2\sqrt{5}-4$			

01 **Action** 먼저 주어진 식의 좌변을 간단히 한다.

$\sqrt{2}\times\sqrt{3}\times\sqrt{a}\times\sqrt{8}\times\sqrt{3a}=36$에서

$\sqrt{2}\times\sqrt{3}\times\sqrt{a}\times2\sqrt{2}\times\sqrt{3}\times\sqrt{a}=36$

$12a=36$ $\therefore a=3$

02 **Action** $0.02=\dfrac{2}{100}=\dfrac{2}{10^2}, 50000=10000\times5=100^2\times5$임을 이용한다.

$$\sqrt{0.02}+\sqrt{50000}=\sqrt{\frac{2}{100}}+\sqrt{10000\times5}$$
$$=\frac{\sqrt{2}}{10}+100\sqrt{5}=\frac{a}{10}+100b$$

03 `Action` $a\sqrt{b}=\sqrt{a^2b}$임을 이용한다.

$$a\sqrt{\dfrac{8b}{a}}+b\sqrt{\dfrac{2a}{b}}=\sqrt{a^2\times\dfrac{8b}{a}}+\sqrt{b^2\times\dfrac{2a}{b}}$$
$$=\sqrt{8ab}+\sqrt{2ab}$$
$$=\sqrt{400}+\sqrt{100}$$
$$=20+10=30$$

04 `Action` 분모가 $\sqrt{a^2b}$의 꼴이면 $a\sqrt{b}$의 꼴로 바꾼 후 분모를 유리화한다.

$$\dfrac{10\sqrt{a}}{\sqrt{45}}=\dfrac{10\sqrt{a}}{3\sqrt{5}}=\dfrac{10\sqrt{5a}}{15}=\dfrac{2\sqrt{5a}}{3}=\dfrac{2\sqrt{10}}{3}$$

따라서 $\sqrt{5a}=\sqrt{10}$이므로 $a=2$

05 `Action` 직사각형의 가로와 세로의 길이를 각각 $2k$, $3k$(단, $k>0$)로 놓고 정사각형의 넓이가 50임을 이용하여 k의 값을 구한다.

직사각형의 가로와 세로의 길이를 각각 $2k$, $3k$(단, $k>0$)라고 하면 정사각형의 한 변의 길이는 $2k$이므로

$$(2k)^2=50,\ 4k^2=50,\ k^2=\dfrac{25}{2}$$
$$\therefore k=\sqrt{\dfrac{25}{2}}=\dfrac{5}{\sqrt{2}}=\dfrac{5\sqrt{2}}{2}$$

따라서 직사각형의 둘레의 길이는

$$2(2k+3k)=2\times5k=10k=10\times\dfrac{5\sqrt{2}}{2}=25\sqrt{2}$$

06 `Action` $\sqrt{a^2b}=a\sqrt{b}$임을 이용하여 근호 안의 수를 주어진 제곱근표에 있는 수로 변형한다.

$$\sqrt{868}=\sqrt{2^2\times217}=2\sqrt{217}=2\sqrt{100\times2.17}=20\sqrt{2.17}$$
$$=20\times1.473=29.46$$

07 `Action` 근호 안의 수를 10^2, 10^4, $\cdots$ 또는 $\dfrac{1}{10^2}$, $\dfrac{1}{10^4}$, $\cdots$과의 곱으로 나타낸다.

$$\sqrt{493}=\sqrt{100\times4.93}=10\sqrt{4.93}$$
$$=10\times2.220=22.20$$
$$\therefore a=22.20 \qquad\qquad \cdots\cdots 40\%$$

$\sqrt{4.80}=2.191$이므로 $\dfrac{\sqrt{4.80}}{10}=0.2191$

$\sqrt{\dfrac{4.80}{100}}=0.2191$이므로 $\sqrt{0.0480}=0.2191$

$$\therefore b=0.0480 \qquad\qquad \cdots\cdots 40\%$$
$$\therefore a+100b=22.20+100\times0.0480=27 \qquad \cdots\cdots 20\%$$

08 `Action` 주어진 수를 $a\sqrt{3}$(단, a는 유리수)의 꼴로 나타낼 수 있는지 확인한다.

㉠ $\sqrt{\dfrac{3}{16}}=\dfrac{\sqrt{3}}{4}$ 　　　　　 ㉡ $\sqrt{18}=3\sqrt{2}$

㉢ $\sqrt{0.03}=\sqrt{\dfrac{3}{100}}=\dfrac{\sqrt{3}}{10}$ 　　㉣ $\sqrt{75}=5\sqrt{3}$

따라서 $\sqrt{3}=1.732$임을 이용하여 그 값을 구할 수 없는 것은 ㉡이다.

09 `Action` $a\sqrt{b}=\sqrt{a^2b}$임을 이용하여 $2\sqrt{5}-5$와 $6-3\sqrt{5}$의 부호를 먼저 확인한다.

$2\sqrt{5}-5=\sqrt{20}-\sqrt{25}<0$이므로 $2\sqrt{5}-5<0$

$6-3\sqrt{5}=\sqrt{36}-\sqrt{45}<0$이므로 $6-3\sqrt{5}<0$

$$\therefore \sqrt{(2\sqrt{5}-5)^2}-\sqrt{(6-3\sqrt{5})^2}$$
$$=-(2\sqrt{5}-5)-\{-(6-3\sqrt{5})\}$$
$$=-2\sqrt{5}+5+6-3\sqrt{5}$$
$$=11-5\sqrt{5}$$

10 `Action` 좌변을 정리하여 $m+n\sqrt{2}$(단, m, n은 유리수)의 꼴로 나타낸다.

$$(1+2\sqrt{2})a-(-1+\sqrt{2})b=a+2a\sqrt{2}+b-b\sqrt{2}$$
$$=(a+b)+(2a-b)\sqrt{2}$$

즉 $(a+b)+(2a-b)\sqrt{2}=4+5\sqrt{2}$에서

$a+b=4$ 　　　$\cdots\cdots$ ㉠

$2a-b=5$ 　　$\cdots\cdots$ ㉡

㉠, ㉡을 연립하여 풀면 $a=3$, $b=1$

$$\therefore a-b=3-1=2$$

11 `Action` 주어진 약속에 따라 식을 세워 간단히 한다.

$$(\sqrt{2}-1)*\dfrac{1}{\sqrt{2}}=(\sqrt{2}-1)\times\dfrac{1}{\sqrt{2}}-\sqrt{2}(\sqrt{2}-1)+1$$
$$=1-\dfrac{1}{\sqrt{2}}-2+\sqrt{2}+1$$
$$=-\dfrac{1}{\sqrt{2}}+\sqrt{2}$$
$$=-\dfrac{\sqrt{2}}{2}+\sqrt{2}$$
$$=\dfrac{\sqrt{2}}{2}$$

12 `Action` (사각뿔의 부피)$=\dfrac{1}{3}\times$(밑넓이)$\times$(높이)임을 이용한다.

$$(\text{전체 사각뿔의 부피})=\dfrac{1}{3}\times(2\sqrt{3}\times2\sqrt{3})\times2\sqrt{5}$$
$$=8\sqrt{5}$$
$$(\text{작은 사각뿔의 부피})=\dfrac{1}{3}\times(\sqrt{3}\times\sqrt{3})\times\sqrt{5}$$
$$=\sqrt{5}$$

따라서 구하는 입체도형의 부피는 $8\sqrt{5}-\sqrt{5}=7\sqrt{5}$

13 `Action` 넓이가 a인 정사각형의 한 변의 길이는 $\sqrt{a}$임을 이용한다.

정사각형 A의 넓이가 $5\,\text{cm}^2$이므로

정사각형 B의 넓이는 $2\times5=10\,(\text{cm}^2)$

정사각형 C의 넓이는 $2\times10=20\,(\text{cm}^2)$

따라서 세 정사각형 A, B, C의 한 변의 길이는 차례로
$\sqrt{5}$ cm, $\sqrt{10}$ cm, $2\sqrt{5}$ cm이므로
(도형의 둘레의 길이)$=(\sqrt{5}+\sqrt{10}+2\sqrt{5})\times 2+2\sqrt{5}\times 2$
$=(3\sqrt{5}+\sqrt{10})\times 2+4\sqrt{5}$
$=6\sqrt{5}+2\sqrt{10}+4\sqrt{5}$
$=10\sqrt{5}+2\sqrt{10}$ (cm)

14 **Action** 조건에 알맞은 부등식을 세운다.
$\sqrt{x}$의 정수 부분이 4이므로 $4\le\sqrt{x}<5$
각 변을 제곱하면 $16\le x<25$
따라서 조건을 만족하는 자연수 x의 값은 16, 17, 18, $\cdots$, 24
의 9개이다.

15 **Action** 주어진 등식을 변형하여 b를 a에 대한 식으로 나타낸 후 근호 안의 식에 대입하여 근호 안을 간단히 한다.
$\dfrac{4b-5a}{3a-b}=3$에서 $4b-5a=9a-3b$
$7b=14a$ $\therefore b=2a$
$\sqrt{\dfrac{2a-11b}{b-6a}}$에 $b=2a$를 대입하면
$\sqrt{\dfrac{2a-11b}{b-6a}}=\sqrt{\dfrac{2a-22a}{2a-6a}}=\sqrt{\dfrac{-20a}{-4a}}=\sqrt{5}$
이때 $2<\sqrt{5}<3$이므로 $m=2$
$\sqrt{\dfrac{20a^2-b^2}{4a^2+b^2}}$에 $b=2a$를 대입하면
$\sqrt{\dfrac{20a^2-b^2}{4a^2+b^2}}=\sqrt{\dfrac{20a^2-4a^2}{4a^2+4a^2}}=\sqrt{\dfrac{16a^2}{8a^2}}=\sqrt{2}$
이때 $1<\sqrt{2}<2$이므로 $n=\sqrt{2}-1$
$\therefore m-n=2-(\sqrt{2}-1)=3-\sqrt{2}$

16 **Action** $\sqrt{a}$의 정수 부분이 n이면 $\sqrt{a}$의 소수 부분은 $\sqrt{a}-n$이다.
$6<\sqrt{40}<7$이므로 $f(40)=6$
$8<\sqrt{80}<9$이므로 $g(80)=\sqrt{80}-8=4\sqrt{5}-8$
$2<\sqrt{5}<3$이므로 $g(5)=\sqrt{5}-2$
$\therefore \dfrac{f(40)-g(80)-4}{g(5)+2}=\dfrac{6-(4\sqrt{5}-8)-4}{(\sqrt{5}-2)+2}=\dfrac{10-4\sqrt{5}}{\sqrt{5}}$
$=\dfrac{(10-4\sqrt{5})\sqrt{5}}{\sqrt{5}\times\sqrt{5}}=\dfrac{10\sqrt{5}-20}{5}$
$=2\sqrt{5}-4$

최고수준 **뛰어넘기** **ⓟ** 29- **ⓟ** 30

01 $a=\sqrt{2},b=\sqrt{6},c=3\sqrt{6}$ **02** 86.6 %   **03** $6\sqrt{2}+10\sqrt{3}$
04 $\dfrac{2\sqrt{3}+3}{9}$배   **05** $\sqrt{3}$ **06** 30

01 **Action** 발판의 길이가 늘어나는 비율을 k로 놓고 이웃한 두 발판의 길이 사이의 관계를 k를 사용한 식으로 나타내어 본다.
발판의 길이가 늘어나는 비율을 $k(k>0)$라고 하면
$b=ak$, $\sqrt{18}=bk$, $c=\sqrt{18}k$, $\sqrt{162}=ck$
$\sqrt{162}=ck$에 $c=\sqrt{18}k$를 대입하면
$\sqrt{162}=\sqrt{18}k\times k$, $k^2=3$
이때 $k>0$이므로 $k=\sqrt{3}$
$\therefore c=\sqrt{18}\times\sqrt{3}=3\sqrt{6}$
$\sqrt{18}=bk$에서 $b=\dfrac{\sqrt{18}}{k}=\dfrac{\sqrt{18}}{\sqrt{3}}=\sqrt{6}$
$b=ak$에서 $a=\dfrac{b}{k}=\dfrac{\sqrt{6}}{\sqrt{3}}=\sqrt{2}$
$\therefore a=\sqrt{2}, b=\sqrt{6}, c=3\sqrt{6}$

02 **Action** A4용지의 가로의 길이를 x로 놓고 B5용지의 가로의 길이를 x를 사용하여 나타낸다.
A4용지의 가로의 길이를 x라고 하자.
(B4용지의 가로) : (A4용지의 가로)$=\sqrt{1.5}$: 1이므로
(B4용지의 가로) : $x=\sqrt{1.5}$: 1
$\therefore$ (B4용지의 가로)$=\sqrt{1.5}x$
또, (B4용지의 가로) : (B5용지의 가로)$=\sqrt{2}$: 1이므로
$\sqrt{1.5}x$: (B5용지의 가로)$=\sqrt{2}$: 1
$\therefore$ (B5용지의 가로)$=\sqrt{1.5}x\div\sqrt{2}=\dfrac{\sqrt{3}}{\sqrt{2}}x\times\dfrac{1}{\sqrt{2}}=\dfrac{\sqrt{3}}{2}x$
$=\dfrac{1.732}{2}x=0.866x$
따라서 A4용지를 B5용지로 축소하려면 86.6 %로 축소 인쇄해야 한다.

03 **Action** 먼저 네 정사각형의 한 변의 길이를 각각 구한다.
네 정사각형의 한 변의 길이는 각각 $\sqrt{2}$, $\sqrt{3}$, $\sqrt{8}=2\sqrt{2}$,
$\sqrt{12}=2\sqrt{3}$이고 색칠된 세 정사각형의 한 변의 길이는 각각
$\dfrac{\sqrt{2}}{2}$, $\dfrac{\sqrt{3}}{2}$, $\sqrt{2}$이다.
따라서 새로 만든 도형의 둘레의 길이는
(처음 네 정사각형의 둘레의 길이의 합)
$\qquad$ -(색칠된 세 정사각형의 둘레의 길이의 합)
$=(4\times\sqrt{2}+4\times\sqrt{3}+4\times 2\sqrt{2}+4\times 2\sqrt{3})$
$\qquad -\left(4\times\dfrac{\sqrt{2}}{2}+4\times\dfrac{\sqrt{3}}{2}+4\times\sqrt{2}\right)$
$=12\sqrt{2}+12\sqrt{3}-(6\sqrt{2}+2\sqrt{3})$
$=6\sqrt{2}+10\sqrt{3}$

04 **Action** 직육면체 A의 밑면의 한 변의 길이를 a로 놓고, 직육면체 A의 높이와 정육면체 B의 한 모서리의 길이를 각각 a를 사용하여 나타낸다.
직육면체 A의 밑면의 한 변의 길이를 a라고 하면

직육면체 A와 정육면체 B의 밑면의 넓이는 각각 a^2, $3a^2$이다.

따라서 정육면체 B의 한 모서리의 길이는 $\sqrt{3a^2}=\sqrt{3}a$이므로

(정육면체 B의 부피)$=(\sqrt{3}a)^3=3\sqrt{3}a^3$

(직육면체 A의 부피)$=\dfrac{3\sqrt{3}a^3}{3}=\sqrt{3}a^3$

$\therefore$ (직육면체 A의 높이)$=\dfrac{\sqrt{3}a^3}{a^2}=\sqrt{3}a$

이때 직육면체 A의 모든 모서리의 길이의 합은

$8a+4\times\sqrt{3}a=(8+4\sqrt{3})a$

또, 정육면체 B의 모든 모서리의 길이의 합은 $12\sqrt{3}a$이다.

따라서 $\dfrac{(8+4\sqrt{3})a}{12\sqrt{3}a}=\dfrac{2+\sqrt{3}}{3\sqrt{3}}=\dfrac{(2+\sqrt{3})\sqrt{3}}{3\sqrt{3}\times\sqrt{3}}=\dfrac{2\sqrt{3}+3}{9}$

이므로 직육면체 A의 모든 모서리의 길이의 합은 정육면체 B의 모든 모서리의 길이의 합의 $\dfrac{2\sqrt{3}+3}{9}$배이다.

◀ᵖ Lecture

직육면체와 정육면체

① (직육면체의 부피)=(밑넓이)×(높이)

② 한 모서리의 길이가 a인 정육면체의 부피는 a^3이다.

③ (직육면체의 모서리의 길이의 합)
　　$=4\times\{$(가로의 길이)+(세로의 길이)+(높이)$\}$

④ (정육면체의 모서리의 길이의 합)$=12\times$(한 모서리의 길이)

05 **Action** 번분수의 계산 방법을 이용하여 주어진 식을 간단히 한다.

$\dfrac{1}{\sqrt{3}-\dfrac{1}{\sqrt{3}-\dfrac{1}{\sqrt{3}-\dfrac{1}{\sqrt{3}}}}}=\dfrac{1}{\sqrt{3}-\dfrac{1}{\sqrt{3}-\dfrac{1}{\sqrt{3}-\dfrac{\sqrt{3}}{3}}}}$

$=\dfrac{1}{\sqrt{3}-\dfrac{1}{\sqrt{3}-\dfrac{1}{\dfrac{2\sqrt{3}}{3}}}}$

$=\dfrac{1}{\sqrt{3}-\dfrac{1}{\sqrt{3}-\dfrac{3}{2\sqrt{3}}}}$

$=\dfrac{1}{\sqrt{3}-\dfrac{1}{\sqrt{3}-\dfrac{\sqrt{3}}{2}}}$

$=\dfrac{1}{\sqrt{3}-\dfrac{1}{\dfrac{\sqrt{3}}{2}}}=\dfrac{1}{\sqrt{3}-\dfrac{2}{\sqrt{3}}}$

$=\dfrac{1}{\sqrt{3}-\dfrac{2\sqrt{3}}{3}}=\dfrac{1}{\dfrac{\sqrt{3}}{3}}$

$=\dfrac{3}{\sqrt{3}}=\sqrt{3}$

06 **Action** 10은 두 자리 자연수, 10^2은 세 자리 자연수, 10^3은 네 자리 자연수, …임을 이용하여 아홉 자리 자연수 a는 $10^8\leq a<10^9$임을 파악한다.

아홉 자리 자연수 a는 $10^8\leq a<10^9$이므로

$10000\leq\sqrt{a}<10000\sqrt{10}$

따라서 $\sqrt{a}$의 정수 부분은 5자리 자연수이다.

$\therefore m=5$

$\sqrt{x^2+y^2}$의 정수 부분이 7이면 $7\leq\sqrt{x^2+y^2}<8$이므로

$49\leq x^2+y^2<64$ ……… ㉠

㉠을 만족하는 순서쌍 (x,y)는 $(7,1),(7,2),(7,3),$ $(6,4),(6,5),(5,5)$의 6개이므로 $n=6$

$\therefore mn=5\times6=30$

교과서 속 창의 사고력

ⓅP 31 - ⓅP 32

01 8	**02** 6
03 $(84+20\sqrt{2})$ cm	**04** $8+5\sqrt{2}$

01 **Action** 직선 $y=\sqrt{3}x$가 점 $(a,\sqrt{b})$를 지날 때, $y=\sqrt{3}x$에 $x=a$, $y=\sqrt{b}$를 대입하면 등식이 성립한다.

$y=\sqrt{3}x$에 $x=a$, $y=\sqrt{b}$를 대입하면

$\sqrt{b}=\sqrt{3}a$ $\therefore b=3a^2$

이때 $1\leq b\leq200$이므로

$1\leq3a^2\leq200$ $\therefore \dfrac{1}{3}\leq a^2\leq\dfrac{200}{3}$

또, a는 $1\leq a\leq200$인 자연수이므로 $a=1,2,3,\cdots,8$

따라서 직선 $y=\sqrt{3}x$는 8개의 점을 지난다.

02 **Action** 한 변의 길이가 다른 정사각형을 모두 그려 피타고라스 정리를 이용하여 정사각형의 한 변의 길이를 각각 구한다.

한 변의 길이가 다른 정사각형은 다음 그림과 같이 모두 8가지를 그릴 수 있다.

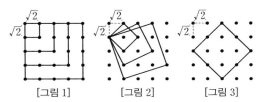

[그림 1]　　　　[그림 2]　　　　[그림 3]

[그림 1]에서 각 정사각형의 한 변의 길이는 차례로 $\sqrt{2}$, $2\sqrt{2}$, $3\sqrt{2}$, $4\sqrt{2}$이다.

[그림 2]에서 각 정사각형의 한 변의 길이는 차례로 2, $\sqrt{10}$, $2\sqrt{5}$이다.

[그림 3]에서 정사각형의 한 변의 길이는 4이다.

따라서 정사각형의 한 변의 길이가 무리수인 것은 $\sqrt{2}$, $2\sqrt{2}$, $3\sqrt{2}$, $4\sqrt{2}$, $\sqrt{10}$, $2\sqrt{5}$의 6개이다.

> **Lecture**
>
> **피타고라스 정리**
>
> 직각삼각형 ABC에서 직각을 낀 두 변의 길이를 각각 a, b라 하고, 나머지 한 변의 길이를 c라고 하면 $a^2+b^2=c^2$이 성립한다.
>
>

03 `Action` 상자를 정면으로 본 모양을 그림으로 그려 본다.

상자를 정면에서 본 모양을 그리면 오른쪽 그림과 같다. 또, 측면에서 보는 모양도 같고 매듭을 매는 데 필요한 끈의 길이가 12 cm이므로 필요한 끈의 전체 길이는

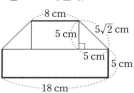

$2(8+5\sqrt{2}+5+18+5+5\sqrt{2})+12$
$=2(36+10\sqrt{2})+12$
$=84+20\sqrt{2}$ (cm)

04 `Action` 직각을 낀 두 변의 길이가 a인 직각이등변삼각형의 빗변의 길이는 $\sqrt{2}a$임을 이용한다.

①, ④ 직각을 낀 두 변의 길이가 1이므로 빗변의 길이는 $\sqrt{1^2+1^2}=\sqrt{2}$이다. 즉, 세 변의 길이는 1, 1, $\sqrt{2}$

② 직각을 낀 두 변의 길이가 2이므로 빗변의 길이는 $\sqrt{2^2+2^2}=\sqrt{8}=2\sqrt{2}$ 이다. 즉, 세 변의 길이는 2, 2, $2\sqrt{2}$

③ (③의 직각을 낀 한 변의 길이)
　　=(정사각형 모양의 판의 한 변의 길이)
　　　　　　　　　　　　　　 $-$(④의 빗변의 길이)
　　=(②의 빗변의 길이)$-$(④의 빗변의 길이)
　　=$2\sqrt{2}-\sqrt{2}=\sqrt{2}$
이므로 빗변의 길이는 $\sqrt{(\sqrt{2})^2+(\sqrt{2})^2}=\sqrt{4}=2$이다. 즉, 세 변의 길이는 $\sqrt{2}$, $\sqrt{2}$, 2

따라서 색칠한 세 삼각형의 둘레의 길이의 합은
(①의 둘레의 길이)+(②의 둘레의 길이)
　　　　　　　　　　　　　　+(③의 둘레의 길이)
$=(1+1+\sqrt{2})+(2+2+2\sqrt{2})+(\sqrt{2}+\sqrt{2}+2)$
$=8+5\sqrt{2}$

Ⅱ. 다항식의 곱셈과 인수분해

1. 다항식의 곱셈

최고수준 입문하기　　　　　　　　　　　 **P** 36– **P** 39

01 ③	**02** -46	**03** ③, ⑤	**04** ㉢, ㉤
05 ④	**06** ①	**07** ④	**08** ②
09 30	**10** ④	**11** $22x^2+74x+10$	
12 $48a^2-14a+1$		**13** 48	
14 $x^4+10x^3+25x^2-36$		**15** ③	**16** ③
17 4	**18** $19+6\sqrt{10}$	**19** 13	**20** -10
21 ④	**22** ③	**23** 74	**24** 12

01 `Action` 분배법칙을 이용하여 전개하고 전개식에 동류항이 있으면 동류항끼리 모아서 간단히 정리한다.

$(-x+4)(3x-y+2)$
$=-3x^2+xy-2x+12x-4y+8$
$=-3x^2+xy+10x-4y+8$

02 `Action` 분배법칙을 이용하여 전개하고 x의 계수, y의 계수를 각각 구한다.

$(4x-7)(6y-1)=24xy-4x-42y+7$
따라서 x의 계수는 -4, y의 계수는 -42이므로 그 합은
$-4+(-42)=-46$

03 `Action` 곱셈 공식 $(a+b)^2=a^2+2ab+b^2$, $(a-b)^2=a^2-2ab+b^2$ 을 이용한다.

① $(x-3)^2=x^2-6x+9$
② $(4x+1)^2=16x^2+8x+1$
④ $\left(a-\dfrac{1}{2}\right)^2=a^2-a+\dfrac{1}{4}$

04 `Action` 각 보기의 식을 전개하여 전개식이 같은 것을 찾는다.

$(a-b)^2=a^2-2ab+b^2$
㉠ $(a+b)^2=a^2+2ab+b^2$
㉡ $-(a+b)^2=-(a^2+2ab+b^2)$
　　　　　　　$=-a^2-2ab-b^2$
㉢ $(b-a)^2=a^2-2ab+b^2$
㉣ $-(a-b)^2=-(a^2-2ab+b^2)$
　　　　　　　$=-a^2+2ab-b^2$
㉤ $(-a+b)^2=a^2-2ab+b^2$
㉥ $(-a-b)^2=a^2+2ab+b^2$
따라서 $(a-b)^2$과 전개식이 같은 것은 ㉢, ㉤이다.

Lecture

전개식이 같은 다항식
(1) $(-a-b)^2=\{-(a+b)\}^2=(a+b)^2$
(2) $(-a+b)^2=\{-(a-b)\}^2=(a-b)^2$
(3) $(-a-b)(-a+b)=\{-(a+b)\}\{-(a-b)\}$
$\qquad\qquad\qquad\quad=(a+b)(a-b)$

05 **Action** 곱셈 공식 $(a+b)(a-b)=a^2-b^2$을 이용한다.
④ $(b-5a)(b+5a)=-25a^2+b^2$

06 **Action** 곱셈 공식 $(a+b)(a-b)=a^2-b^2$을 여러 번 이용한다.
$(1-a)(1+a)(1+a^2)(1+a^4)$
$=(1-a^2)(1+a^2)(1+a^4)$
$=(1-a^4)(1+a^4)$
$=1-a^8$
따라서 □ 안에 알맞은 자연수는 8이다.

07 **Action** 곱셈 공식 $(x+a)(x+b)=x^2+(a+b)x+ab$를 이용한다.
$\left(x+\dfrac{2}{3}y\right)\left(x-\dfrac{3}{4}y\right)=x^2-\dfrac{1}{12}xy-\dfrac{1}{2}y^2$이므로
$A=-\dfrac{1}{12},\ B=-\dfrac{1}{2}$
$\therefore AB=-\dfrac{1}{12}\times\left(-\dfrac{1}{2}\right)=\dfrac{1}{24}$

08 **Action** 곱셈 공식 $(ax+b)(cx+d)=acx^2+(ad+bc)x+bd$를 이용한다.
① $(a+4b)(2a-5b)=2a^2+\boxed{3}ab-20b^2$
② $(7a+2)(1-3a)=\boxed{-21}a^2+a+2$
③ $(6x-5)(4x-3)=24x^2-38x+\boxed{15}$
④ $(4x+y)(5y-3x)=\boxed{-12}x^2+17xy+5y^2$
⑤ $(2x+3y)(3x-y)=6x^2+\boxed{7}xy-3y^2$
따라서 □ 안에 들어갈 수가 가장 작은 것은 ②이다.

09 **Action** 곱셈 공식을 이용하여 전개한 후 동류항이 있으면 동류항끼리 모아서 간단히 정리한다.
$(3x-5)(x+4)-(x+2)(x-6)$
$=3x^2+7x-20-(x^2-4x-12)$
$=2x^2+11x-8$ ······ 50%
따라서 $a=11,\ b=-8$이므로
$2a-b=2\times11-(-8)=30$ ······ 50%

10 **Action** 직사각형의 넓이를 구하는 공식을 이용하여 식을 세운 후 곱셈 공식을 이용하여 전개한다.
색칠한 직사각형의 가로의 길이는 $7x-5$, 세로의 길이는 $3x+4$이므로

(색칠한 직사각형의 넓이)$=(7x-5)(3x+4)$
$\qquad\qquad\qquad\qquad\qquad=21x^2+13x-20$

11 **Action** 직육면체의 겉넓이를 구하는 공식과 곱셈 공식을 이용하여 식을 전개한 후 동류항끼리 모아서 간단히 정리한다.
(직육면체의 겉넓이)
$=2\{(x+7)(2x-1)+(2x-1)(3x+2)$
$\qquad\qquad\qquad\qquad\qquad+(x+7)(3x+2)\}$
$=2(2x^2+13x-7+6x^2+x-2+3x^2+23x+14)$
$=2(11x^2+37x+5)$
$=22x^2+74x+10$

12 **Action** 길을 제외한 땅의 넓이와 넓이가 같은 직사각형의 가로와 세로의 길이를 각각 구한다.
길을 제외한 땅의 넓이는 가로의 길이가 $8a-1$, 세로의 길이가 $6a-1$인 직사각형의 넓이와 같으므로
(길을 제외한 땅의 넓이)$=(8a-1)(6a-1)$
$\qquad\qquad\qquad\qquad\qquad\quad=48a^2-14a+1$

13 **Action** 두 개의 항을 하나의 문자로 치환하고 곱셈 공식을 이용하여 식을 전개한다.
$3x^2+2x=A$로 치환하면
$(3x^2+2x+1)^2=(A+1)^2$
$\qquad\qquad\qquad\qquad=A^2+2A+1$
$\qquad\qquad\qquad\qquad=(3x^2+2x)^2+2(3x^2+2x)+1$
$\qquad\qquad\qquad\qquad=9x^4+12x^3+4x^2+6x^2+4x+1$
$\qquad\qquad\qquad\qquad=9x^4+12x^3+10x^2+4x+1$
따라서 $a=12,\ b=4$이므로
$ab=12\times4=48$

14 **Action** 공통부분이 나오도록 두 개의 일차식끼리 묶어 전개한 후 공통부분을 하나의 문자로 치환한다.
$(x-1)(x+2)(x+3)(x+6)$
$=\{(x-1)(x+6)\}\{(x+2)(x+3)\}$
$=(x^2+5x-6)(x^2+5x+6)$
$x^2+5x=A$로 치환하면
(주어진 식)$=(A-6)(A+6)$
$\qquad\qquad\quad=A^2-36$
$\qquad\qquad\quad=(x^2+5x)^2-36$
$\qquad\qquad\quad=x^4+10x^3+25x^2-36$

15 **Action** $993=1000-7,\ 1007=1000+7$임을 이용한다.
$993\times1007=(1000-7)(1000+7)$
$\qquad\qquad\qquad=1000^2-7^2=999951$
따라서 가장 편리한 곱셈 공식은 ③이다.

16 Action 제곱근을 문자로 생각하여 곱셈 공식을 이용한다.

$(\sqrt{2}+3\sqrt{3})(5\sqrt{2}-\sqrt{3})=10+14\sqrt{6}-9=1+14\sqrt{6}$

따라서 $a=1$, $b=14$이므로

$b-a=14-1=13$

17 Action 주어진 식을 $a+b\sqrt{3}$(a, b는 유리수)의 꼴로 정리한 후 유리수가 되려면 $b=0$이어야 함을 이용한다.

$(2-\sqrt{3})(2\sqrt{3}+a)=4\sqrt{3}+2a-6-a\sqrt{3}$

$\qquad\qquad\qquad\qquad=(2a-6)+(4-a)\sqrt{3}$

이것이 유리수가 되려면 $4-a=0$이어야 하므로 $a=4$

18 Action 곱셈 공식 $(a+b)(a-b)=a^2-b^2$을 이용하여 분모를 유리화한다.

$\dfrac{2\sqrt{5}+3\sqrt{2}}{2\sqrt{5}-3\sqrt{2}}=\dfrac{(2\sqrt{5}+3\sqrt{2})^2}{(2\sqrt{5}-3\sqrt{2})(2\sqrt{5}+3\sqrt{2})}$ ······ **40%**

$\qquad\qquad=\dfrac{20+12\sqrt{10}+18}{20-18}$

$\qquad\qquad=\dfrac{38+12\sqrt{10}}{2}$

$\qquad\qquad=19+6\sqrt{10}$ ······ **60%**

19 Action 곱셈 공식 $(a+b)(a-b)=a^2-b^2$을 이용하여 각 분수의 분모를 유리화한 후 간단히 한다.

$\dfrac{3}{3+2\sqrt{2}}-\dfrac{2}{3-2\sqrt{2}}$

$=\dfrac{3(3-2\sqrt{2})}{(3+2\sqrt{2})(3-2\sqrt{2})}-\dfrac{2(3+2\sqrt{2})}{(3-2\sqrt{2})(3+2\sqrt{2})}$

$=\dfrac{9-6\sqrt{2}}{9-8}-\dfrac{6+4\sqrt{2}}{9-8}$

$=9-6\sqrt{2}-6-4\sqrt{2}$

$=3-10\sqrt{2}$

따라서 $a=3$, $b=-10$이므로

$a-b=3-(-10)=13$

20 Action 먼저 곱셈 공식을 이용하여 xy의 값을 구한다.

$(x+y)^2=x^2+2xy+y^2$에서 $4^2=20+2xy$

$2xy=-4$ $\quad\therefore xy=-2$

$\therefore \dfrac{y}{x}+\dfrac{x}{y}=\dfrac{x^2+y^2}{xy}=\dfrac{20}{-2}=-10$

21 Action 먼저 곱셈 공식을 이용하여 주어진 식을 전개하고 동류항끼리 모아서 간단히 한 후 x, y의 값을 각각 대입한다.

$(x-y)^2-(x+y)(x-y)$

$=x^2-2xy+y^2-(x^2-y^2)$

$=-2xy+2y^2$

$=-2\times 2\sqrt{6}\times 5\sqrt{3}+2\times(5\sqrt{3})^2$

$=-60\sqrt{2}+150$

22 Action 곱셈 공식의 변형을 이용하여 주어진 식의 값을 구한다.

$\left(x-\dfrac{1}{x}\right)^2=\left(x+\dfrac{1}{x}\right)^2-4$

$\qquad\qquad=(4\sqrt{5})^2-4$

$\qquad\qquad=80-4=76$

📢 Lecture

두 수의 곱이 1인 식의 변형

(1) $x^2+\dfrac{1}{x^2}=\left(x+\dfrac{1}{x}\right)^2-2=\left(x-\dfrac{1}{x}\right)^2+2$

(2) $\left(x+\dfrac{1}{x}\right)^2=\left(x-\dfrac{1}{x}\right)^2+4$,

$\left(x-\dfrac{1}{x}\right)^2=\left(x+\dfrac{1}{x}\right)^2-4$

23 Action 먼저 $x^2-5x+1=0$의 양변을 x로 나누어 $x+\dfrac{1}{x}$의 값을 구한다.

$x^2-5x+1=0$에서 $x\neq 0$이므로 양변을 x로 나누면

$x-5+\dfrac{1}{x}=0$ $\quad\therefore x+\dfrac{1}{x}=5$ ······ **40%**

$\therefore 3x^2+x+\dfrac{1}{x}+\dfrac{3}{x^2}=3\left(x^2+\dfrac{1}{x^2}\right)+\left(x+\dfrac{1}{x}\right)$

$\qquad\qquad=3\left\{\left(x+\dfrac{1}{x}\right)^2-2\right\}+\left(x+\dfrac{1}{x}\right)$

$\qquad\qquad=3\times(5^2-2)+5$

$\qquad\qquad=74$ ······ **60%**

24 Action 먼저 x의 분모를 유리화한 후 식을 변형하여 x^2-10x의 값을 구한다.

$x=\dfrac{\sqrt{5}}{\sqrt{5}+2}=\dfrac{\sqrt{5}(\sqrt{5}-2)}{(\sqrt{5}+2)(\sqrt{5}-2)}=5-2\sqrt{5}$

$\therefore x-5=-2\sqrt{5}$

위 식의 양변을 제곱하면

$(x-5)^2=(-2\sqrt{5})^2$

$x^2-10x+25=20$ $\quad\therefore x^2-10x=-5$

$\therefore x^2-10x+17=-5+17=12$

최고
수준 **완성하기** ⓟ40- ⓟ43

01 12	**02** -9	**03** 27	**04** 2
05 $a=\dfrac{1}{4}$, $b=8$		**06** $-2a^2+7ab-6b^2$	
07 $y^2+2xy-20x-25y+150$			
08 $a^6-a^4-a^2+1$		**09** 73	**10** ③
11 $-5+3\sqrt{3}$	**12** 18	**13** 81	**14** 47
15 5	**16** $10+4\sqrt{6}$		

01 `Action` 분배법칙을 이용하여 좌변을 전개하고 동류항끼리 모아서 간단히 한다.

$(x-ay-1)(x-2y+3)$
$=x^2-2xy+3x-axy+2ay^2-3ay-x+2y-3$
$=x^2+(-a-2)xy+2ay^2+2x+(-3a+2)y-3$
$=x^2+3xy-10y^2+2x+by-3$
즉 $-a-2=3$, $-3a+2=b$에서 $a=-5$, $b=17$
$\therefore a+b=-5+17=12$

02 `Action` 곱셈 공식 $(x+a)(x+b)=x^2+(a+b)x+ab$를 이용하여 주어진 식을 전개하고 $AB=8$을 만족하는 순서쌍 (A, B)를 구한다.

$(x-A)(x-B)=x^2-(A+B)x+AB$
$\qquad\qquad\quad =x^2-Cx+8$
이므로 $A+B=C$, $AB=8$
$AB=8$을 만족하는 두 정수 A, B의 순서쌍 (A, B)는
$(1, 8)$, $(2, 4)$, $(4, 2)$, $(8, 1)$, $(-1, -8)$, $(-2, -4)$,
$(-4, -2)$, $(-8, -1)$
이때 $C=A+B$이므로 C의 값이 될 수 있는 수는 $9, 6, -9,$
-6이고, 이중 가장 작은 수는 -9이다.

03 `Action` 전개하려는 식에 잘못 본 계수를 대입하여 식을 전개한 후 계수를 비교한다.

$(x+a)(x+5)=x^2+(a+5)x+5a=x^2+9x+b$
에서 $a+5=9$, $5a=b$ $\quad \therefore a=4$, $b=20$
$(2x-7)(cx+5)=2cx^2+(10-7c)x-35$
$\qquad\qquad\qquad\quad =dx^2+3x-35$
에서 $2c=d$, $10-7c=3$ $\quad \therefore c=1$, $d=2$
$\therefore a+b+c+d=4+20+1+2=27$

04 `Action` 자연수 N을 p로 나누었을 때 몫이 q이고 나머지가 r이면
$N=pq+r$ (단, $0\leq r<p$)로 나타냄을 이용한다.
0 이상의 두 정수 a, $b(a\geq b)$에 대하여 $A=7a+5$,
$B=7b+3$이라고 하면
$A^2-B^2=(7a+5)^2-(7b+3)^2$
$\qquad\quad =49a^2+70a+25-(49b^2+42b+9)$
$\qquad\quad =49a^2+70a-49b^2-42b+16$
$\qquad\quad =7(7a^2+10a-7b^2-6b+2)+2$
따라서 A^2-B^2을 7로 나누었을 때의 나머지는 2이다.

> **♠》 Lecture**
>
> 나머지는 0 이상이고 나누는 수 7보다 작으므로
> $A^2-B^2=49a^2+70a-49b^2-42b+16$
> $\qquad\quad =7(7a^2+10a-7b^2-6b+3)-5$
> 로 나타내어 나머지가 -5라고 답하지 않도록 주의한다.

05 `Action` $y=x-4$이므로 $x-y=4$이고 $A=1\times A$임을 이용하여 곱셈 공식 $(a+b)(a-b)=a^2-b^2$을 이용할 수 있도록 주어진 등식의 좌변을 변형한다.

$y=x-4$에서 $x-y=4$이므로
$(x+y)(x^2+y^2)(x^4+y^4)$
$=\dfrac{1}{x-y}\times(x-y)(x+y)(x^2+y^2)(x^4+y^4)$
$=\dfrac{1}{4}(x^2-y^2)(x^2+y^2)(x^4+y^4)$
$=\dfrac{1}{4}(x^4-y^4)(x^4+y^4)=\dfrac{1}{4}(x^8-y^8)$
$\therefore a=\dfrac{1}{4}$, $b=8$

06 `Action` $\overline{HI}$, $\overline{IJ}$의 길이를 각각 a, b의 식으로 나타낸다.
$\overline{BF}=\overline{AB}=b$이므로 $\overline{FC}=\overline{BC}-\overline{BF}=a-b$
$\overline{HG}=\overline{FC}=a-b$이므로 $\overline{DG}=\overline{HG}=a-b$
$\overline{GC}=\overline{DC}-\overline{DG}=b-(a-b)=2b-a$이므로
$\overline{IG}=\overline{GC}=2b-a$, $\overline{IJ}=\overline{GC}=2b-a$
$\overline{HI}=\overline{HG}-\overline{IG}=a-b-(2b-a)=2a-3b$
$\therefore \square HFJI=\overline{HI}\times\overline{IJ}$
$\qquad\qquad\quad =(2a-3b)(2b-a)$
$\qquad\qquad\quad =-2a^2+7ab-6b^2$

07 `Action` 주어진 그림에서 길을 적당히 이동시켜 땅을 직사각형 모양으로 만든다.
주어진 그림을 변형하면 다음과 같으므로 땅의 넓이는 가로의 길이가 $15-2x-y$, 세로의 길이가 $10-y$인 직사각형의 넓이와 같다.

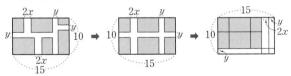

$\therefore$ (땅의 넓이)
$=(15-2x-y)(10-y)$
$=150-15y-20x+2xy-10y+y^2$
$=y^2+2xy-20x-25y+150$

08 `Action` 공통부분을 하나의 문자로 치환한다. 이때 공통부분은 여러 개 나올 수 있다.
$1-a^3=P$, $a-a^2=Q$라고 하면
$(1-a+a^2-a^3)(1+a-a^2-a^3)$
$=\{(1-a^3)-(a-a^2)\}\{(1-a^3)+(a-a^2)\}$
$=(P-Q)(P+Q)$
$=P^2-Q^2$
$=(1-a^3)^2-(a-a^2)^2$
$=1-2a^3+a^6-(a^2-2a^3+a^4)$
$=a^6-a^4-a^2+1$

09 Action $x^2+2x-6=0$이므로 $x^2+2x=6$임을 이용한다.

$x^2+2x-6=0$에서 $x^2+2x=6$

$(x-3)(x-1)(x+3)(x+5)+100$

$=\{(x-3)(x+5)\}\{(x-1)(x+3)\}+100$

$=(x^2+2x-15)(x^2+2x-3)+100$

$=(6-15)(6-3)+100$

$=(-9)\times3+100$

$=73$

10 Action $\dfrac{1}{2-3}\times(2-3)=1$이고 $A=1\times A$임을 이용하여 곱셈 공식 $(a+b)(a-b)=a^2-b^2$을 이용할 수 있도록 주어진 식을 변형한다.

$(2+3)(2^2+3^2)(2^4+3^4)(2^8+3^8)(2^{16}+3^{16})$

$=\dfrac{1}{2-3}\times(2-3)(2+3)(2^2+3^2)(2^4+3^4)(2^8+3^8)(2^{16}+3^{16})$

$=-(2-3)(2+3)(2^2+3^2)(2^4+3^4)(2^8+3^8)(2^{16}+3^{16})$

$=-(2^2-3^2)(2^2+3^2)(2^4+3^4)(2^8+3^8)(2^{16}+3^{16})$

$=-(2^4-3^4)(2^4+3^4)(2^8+3^8)(2^{16}+3^{16})$

$=-(2^8-3^8)(2^8+3^8)(2^{16}+3^{16})$

$=-(2^{16}-3^{16})(2^{16}+3^{16})$

$=-(2^{32}-3^{32})=3^{32}-2^{32}$

11 Action $(2-\sqrt{3})^4=(2-\sqrt{3})^3(2-\sqrt{3})$, $(2-\sqrt{3})^7=(2-\sqrt{3})^5(2-\sqrt{3})^2$임을 이용한다.

$(2+\sqrt{3})(2-\sqrt{3})=2^2-(\sqrt{3})^2=1$이므로 10%

$(2+\sqrt{3})^3(2-\sqrt{3})^4=\{(2+\sqrt{3})(2-\sqrt{3})\}^3(2-\sqrt{3})$

$\qquad\qquad\qquad=2-\sqrt{3}$ 30%

$(2+\sqrt{3})^5(2-\sqrt{3})^7=\{(2+\sqrt{3})(2-\sqrt{3})\}^5(2-\sqrt{3})^2$

$\qquad\qquad\qquad=(2-\sqrt{3})^2=7-4\sqrt{3}$ 30%

$\therefore (2+\sqrt{3})^3(2-\sqrt{3})^4-(2+\sqrt{3})^5(2-\sqrt{3})^7$

$\quad=(2-\sqrt{3})-(7-4\sqrt{3})$

$\quad=2-\sqrt{3}-7+4\sqrt{3}=-5+3\sqrt{3}$ 30%

12 Action $3.05=3+0.05, 2.95=3-0.05$이므로 곱셈 공식 $(a+b)^2=a^2+2ab+b^2, (a-b)^2=a^2-2ab+b^2$을 이용한다.

$3.05^2+2.95^2$

$=(3+0.05)^2+(3-0.05)^2$

$=3^2+2\times3\times0.05+0.05^2+3^2-2\times3\times0.05+0.05^2$

$=2\times(3^2+0.05^2)=18.005$

$\therefore [3.05^2+2.95^2]=[18.005]=18$

13 Action 두 정사각형의 둘레의 길이의 합을 이용하여 $x+y$의 값을 구하고, 넓이의 합을 이용하여 x^2+y^2의 값을 구한다.

두 정사각형의 둘레의 길이의 합이 84 cm이므로

$4x+4y=84$ $\quad\therefore x+y=21$

두 정사각형의 넓이의 합이 261 cm^{2}이므로

$x^2+y^2=261$

$(x+y)^2=x^2+2xy+y^2$에서 $21^2=261+2xy$

$\therefore xy=90$

$\therefore (x-y)^2=(x+y)^2-4xy=21^2-4\times90=81$

14 Action $x^2-x-1=0$의 양변을 x로 나누어 $x-\dfrac{1}{x}$의 값을 구한다.

$x^2-x-1=0$에서 $x\neq0$이므로 양변을 x로 나누면

$x-1-\dfrac{1}{x}=0$ $\quad\therefore x-\dfrac{1}{x}=1$

$x^2+\dfrac{1}{x^2}=\left(x-\dfrac{1}{x}\right)^2+2=1^2+2=3$

$x^4+\dfrac{1}{x^4}=\left(x^2+\dfrac{1}{x^2}\right)^2-2=3^2-2=7$

$\therefore x^8+\dfrac{1}{x^8}=\left(x^4+\dfrac{1}{x^4}\right)^2-2=7^2-2=47$

15 Action 분모의 유리화를 이용하여 $\dfrac{1}{f(x)}$을 간단히 한 후 $x=1, 2, 3, \cdots, 35$를 차례로 대입한다.

$\dfrac{1}{f(x)}=\dfrac{1}{\sqrt{x}+\sqrt{x+1}}$

$\qquad=\dfrac{\sqrt{x}-\sqrt{x+1}}{(\sqrt{x}+\sqrt{x+1})(\sqrt{x}-\sqrt{x+1})}$

$\qquad=\dfrac{\sqrt{x}-\sqrt{x+1}}{x-(x+1)}=\dfrac{\sqrt{x}-\sqrt{x+1}}{-1}$

$\qquad=\sqrt{x+1}-\sqrt{x}$ 60%

$\therefore \dfrac{1}{f(1)}+\dfrac{1}{f(2)}+\dfrac{1}{f(3)}+\cdots+\dfrac{1}{f(35)}$

$\quad=(\sqrt{2}-\sqrt{1})+(\sqrt{3}-\sqrt{2})+(\sqrt{4}-\sqrt{3})+\cdots$

$\qquad\qquad\qquad\qquad\qquad\quad+(\sqrt{36}-\sqrt{35})$

$\quad=-\sqrt{1}+\sqrt{36}=-1+6$

$\quad=5$ 40%

16 Action 먼저 x의 분모를 유리화한다.

$x=\dfrac{\sqrt{3}+\sqrt{2}}{\sqrt{3}-\sqrt{2}}=\dfrac{(\sqrt{3}+\sqrt{2})^2}{(\sqrt{3}-\sqrt{2})(\sqrt{3}+\sqrt{2})}$

$\quad=5+2\sqrt{6}$

$\therefore \dfrac{\sqrt{x+1}-\sqrt{x-1}}{\sqrt{x+1}+\sqrt{x-1}}+\dfrac{\sqrt{x+1}+\sqrt{x-1}}{\sqrt{x+1}-\sqrt{x-1}}$

$\quad=\dfrac{(\sqrt{x+1}-\sqrt{x-1})^2}{(\sqrt{x+1}+\sqrt{x-1})(\sqrt{x+1}-\sqrt{x-1})}$

$\qquad\quad+\dfrac{(\sqrt{x+1}+\sqrt{x-1})^2}{(\sqrt{x+1}-\sqrt{x-1})(\sqrt{x+1}+\sqrt{x-1})}$

$\quad=\dfrac{2x-2\sqrt{(x+1)(x-1)}}{x+1-(x-1)}+\dfrac{2x+2\sqrt{(x+1)(x-1)}}{x+1-(x-1)}$

$\quad=\dfrac{4x}{2}=2x$

$\quad=2(5+2\sqrt{6})=10+4\sqrt{6}$

최고
수준
뛰어넘기

P 44~ P 45

| 01 41 | 02 $8\sqrt{2}$ | 03 $-4, 4$ | 04 $-8+8\sqrt{2}$ |
| 05 156 | 06 8 | | |

01 **Action** 모든 항의 계수와 상수항의 총합은 주어진 식에 $x=1$을 대입해야 함을 이용한다.

$(1+x+x^2+x^3+x^4+x^5)^2$
$=(1+x+x^2+x^3+x^4+x^5)(1+x+x^2+x^3+x^4+x^5)$
이므로 x^4항이 나오는 부분만 전개하면
$1\times x^4+x\times x^3+x^2\times x^2+x^3\times x+x^4\times 1=5x^4$
$\therefore a=5$

모든 항의 계수와 상수항의 총합은 주어진 식에 $x=1$을 대입하면 된다.

즉 주어진 식에 $x=1$을 대입하면
$6^2=36$ $\therefore b=36$
$\therefore a+b=5+36=41$

02 **Action** 곱셈 공식 $(a+b)(a-b)=a^2-b^2$을 여러 번 이용하여 주어진 식을 전개한다.

$(x-a)(x+a)(x^2+a^2)(x^4+a^4)(x^8+a^8)$
$=(x^2-a^2)(x^2+a^2)(x^4+a^4)(x^8+a^8)$
$=(x^4-a^4)(x^4+a^4)(x^8+a^8)$
$=(x^8-a^8)(x^8+a^8)$
$=x^{16}-a^{16}$
즉 $x^{16}-a^{16}=x^b-256$이므로
$x^{16}=x^b$에서 $b=16$
$a^{16}=256$에서 $256=2^8=\{(\sqrt{2})^2\}^8=(\sqrt{2})^{16}$
$\therefore a=\sqrt{2}$
$\therefore \dfrac{b}{a}=\dfrac{16}{\sqrt{2}}=8\sqrt{2}$

03 **Action** $(x+y)^n=A, (x-y)^n=B$로 치환한다.

$x^2-y^2+1=0$에서 $x^2-y^2=-1$
$(x+y)^n=A, (x-y)^n=B$로 치환하면
$\{(x+y)^n+(x-y)^n\}^2-\{(x+y)^n-(x-y)^n\}^2$
$=(A+B)^2-(A-B)^2$
$=A^2+2AB+B^2-(A^2-2AB+B^2)$
$=4AB=4(x+y)^n(x-y)^n$
$=4\{(x+y)(x-y)\}^n=4(x^2-y^2)^n$
$=4\times(-1)^n$

(i) $n\geq 2$인 홀수일 때, $(-1)^n=-1$이므로
$\quad 4\times(-1)^n=4\times(-1)=-4$

(ii) $n\geq 2$인 짝수일 때, $(-1)^n=1$이므로
$\quad 4\times(-1)^n=4\times 1=4$

따라서 구하는 값은 $-4, 4$이다.

04 **Action** 정사각형에서 잘라낸 네 모퉁이는 직각이등변삼각형이므로 피타고라스 정리를 이용하여 정팔각형의 한 변의 길이를 구한다.

오른쪽 그림과 같이 직각이등변삼각형 ABC에서 $\overline{AB}=\overline{AC}=x$라고 하면 피타고라스 정리에 의해
$\overline{BC}=\sqrt{x^2+x^2}=\sqrt{2x^2}=\sqrt{2}x$

이때 처음 정사각형의 한 변의 길이는 2이므로
$x+\sqrt{2}x+x=2, (2+\sqrt{2})x=2$
$\therefore x=\dfrac{2}{2+\sqrt{2}}=\dfrac{2(2-\sqrt{2})}{(2+\sqrt{2})(2-\sqrt{2})}=\dfrac{2(2-\sqrt{2})}{2}=2-\sqrt{2}$

$\therefore$ (정팔각형의 넓이)
$\therefore =$ (정사각형의 넓이)$-4\triangle ABC$
$=2\times 2-4\times\left\{\dfrac{1}{2}\times(2-\sqrt{2})\times(2-\sqrt{2})\right\}$
$=4-4\times\left\{\dfrac{1}{2}\times(6-4\sqrt{2})\right\}$
$=4-12+8\sqrt{2}=-8+8\sqrt{2}$

05 **Action** 먼저 $\dfrac{-a+b}{a+2}=\dfrac{a-b}{b+2}$를 변형하여 $a+b$의 값을 구한다.

조건 (다)에서 $\dfrac{-a+b}{a+2}=\dfrac{a-b}{b+2}$이므로 $\dfrac{-(a-b)}{a+2}=\dfrac{a-b}{b+2}$
이때 $a\neq b$이므로 양변을 $a-b$로 나누면
$\dfrac{-1}{a+2}=\dfrac{1}{b+2}, a+2=-(b+2)$ $\therefore a+b=-4$
조건 (나)에서 $ab=-5$이므로
$(a-b)^2=(a+b)^2-4ab$
$=(-4)^2-4\times(-5)=36$
이때 조건 (가)에서 $a>b$이므로 $a-b=6$
$a^2+b^2=(a+b)^2-2ab$
$=(-4)^2-2\times(-5)=26$
$\therefore (a-b)(a^2+b^2)=6\times 26=156$

06 **Action** 정사각형의 한 변의 길이를 x, 직사각형의 가로와 세로의 길이를 각각 a, b로 놓고 문제에 주어진 조건에 맞게 식을 세운다.

정사각형의 한 변의 길이를 x, 직사각형의 가로와 세로의 길이를 각각 a, b라고 하자.

정사각형과 직사각형의 둘레의 길이가 서로 같으므로
$4x=2(a+b)$ $\therefore x=\dfrac{a+b}{2}$ ······ ㉠

또, 넓이의 차가 16이므로 $|x^2-ab|=16$ ······ ㉡

㉡에 ㉠을 대입하면 $\left|\left(\dfrac{a+b}{2}\right)^2-ab\right|=16$

양변에 4를 곱하면
$|(a+b)^2-4ab|=64, |(a-b)^2|=64$
$\therefore |a-b|=8$

따라서 직사각형의 두 변의 길이의 차는 8이다.

2. 다항식의 인수분해

❶ 48– ❶ 52

01 ⑤	**02** ④	**03** ④	**04** ⑤
05 ②	**06** ④	**07** $2x-4$	**08** ③
09 ⑤	**10** 11	**11** $(3x+1)(5x-2)$	
12 $4a+10$	**13** ②	**14** $2x+17$	**15** ⑤
16 5	**17** $(x^2+x-7)^2$		**18** ①
19 ③, ④	**20** ③	**21** $(x+2y-1)^2$	
22 ②	**23** ②	**24** 10030	**25** ⑤
26 ③	**27** ③	**28** ②	**29** ③
30 150π cm^2			

02 Action 공통 인수를 찾을 수 있도록 주어진 식을 변형한다.

$$2x(a-b)+2y(b-a)=2x(a-b)-2y(a-b)$$
$$=2(a-b)(x-y)$$

03 Action 완전제곱식은 (다항식)^2 또는 (수)×(다항식)^{2}의 꼴이다.

① $x^2+2x+1=(x+1)^2$

② $a^2-8a+16=(a-4)^2$

③ $\dfrac{1}{4}a^2+a+1=\left(\dfrac{1}{2}a+1\right)^2$

⑤ $3x^2-12x+12=3(x^2-4x+4)=3(x-2)^2$

04 Action 주어진 식을 전개하여 간단히 한 후 완전제곱식이 될 조건을 이용한다.

$$(3x-4)(3x+8)+a=9x^2+12x-32+a$$
$$=(3x)^2+2\times3x\times2-32+a$$

위의 식이 완전제곱식이 되어야 하므로

$$-32+a=2^2 \qquad \therefore a=36$$

📣 **Lecture**

완전제곱식이 되려면 세 항 사이에 다음과 같은 관계가 성립해야 한다.

$$a^2+2ab+b^2=(a+b)^2$$
제곱　　제곱

05 Action 근호 안의 식을 인수분해 공식 $a^2-2ab+b^2=(a-b)^2$을 이용하여 인수분해한 후 $\sqrt{A^2}=\begin{cases} A\,(A\geq0) \\ -A\,(A<0) \end{cases}$임을 이용한다.

$2<x<3$이므로 $x-2>0$, $x-3<0$

$$\therefore \sqrt{x^2-4x+4}+\sqrt{x^2-6x+9}$$
$$=\sqrt{(x-2)^2}+\sqrt{(x-3)^2}$$
$$=(x-2)+\{-(x-3)\}$$
$$=x-2-x+3$$
$$=1$$

06 Action 공통인수로 묶은 후 인수분해 공식 $a^2-b^2=(a+b)(a-b)$를 이용한다.

$$a^3-a=a(a^2-1)$$
$$=a(a+1)(a-1)$$

07 Action 인수분해 공식 $x^2+(a+b)x+ab=(x+a)(x+b)$를 이용한다.

$$x^2-4x-12=(x+2)(x-6)$$

따라서 구하는 두 일차식의 합은

$$(x+2)+(x-6)=2x-4$$

📣 **Lecture**

$x^2-4x-12$의 인수분해

곱이 -12인 두 정수는 1, -12 또는 2, -6 또는 3, -4 또는 4, -3 또는 6, -2 또는 12, -1이다.

이 중에서 합이 -4인 두 정수는 2, -6이므로

$$x^2-4x-12=(x+2)(x-6)$$

08 Action 인수분해 공식 $acx^2+(ad+bc)x+bd=(ax+b)(cx+d)$를 이용하여 인수분해한다.

① $a^2-2ab-24b^2=(a+4b)(a-6b)$

② $2x^2+7xy-4y^2=(x+4y)(2x-y)$

④ $x^2+3xy-10y^2=(x-2y)(x+5y)$

⑤ $3a^2-ab-14b^2=(a+2b)(3a-7b)$

📣 **Lecture**

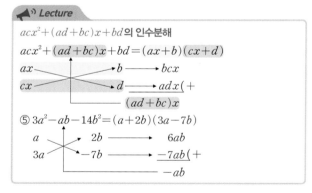

$acx^2+(ad+bc)x+bd$의 인수분해

$$acx^2+(ad+bc)x+bd=(ax+b)(cx+d)$$

⑤ $3a^2-ab-14b^2=(a+2b)(3a-7b)$

09 Action 인수분해 공식 $acx^2+(ad+bc)x+bd=(ax+b)(cx+d)$를 이용하여 인수분해한 후 두 다항식의 공통인수를 찾는다.

$$2x^2+7x+3=(x+3)(2x+1)$$
$$6x^2-5x-4=(2x+1)(3x-4)$$

따라서 두 다항식의 공통인수는 ⑤이다.

10 Action $2x^2+ax-6$이 $x+6$을 인수로 갖고, x^2의 계수가 2이므로 다른 인수를 $2x+k$로 놓는다.

$2x^2+ax-6=(x+6)(2x+k)$라고 하면

$$2x^2+ax-6=2x^2+(k+12)x+6k$$

$-6=6k$에서 $k=-1$

$$\therefore a=k+12=(-1)+12=11$$

11 [Action] 민준이는 x^2의 계수와 x의 계수를 바르게 보았고, 다희는 x^2의 계수와 상수항을 바르게 보았으므로 이를 이용하여 처음 이차식을 구한다.

민준이가 인수분해한 식은
$$(3x-2)(5x+3)=15x^2-x-6$$
이때 민준이는 상수항을 잘못 보았으므로 x^2의 계수와 x의 계수는 바르게 보았다. 즉 처음 이차식의 x^2의 계수는 15, x의 계수는 -1이다. …… 40%

다희가 인수분해한 식은
$$(15x-2)(x+1)=15x^2+13x-2$$
이때 다희는 x의 계수를 잘못 보았으므로 x^2의 계수와 상수항은 바르게 보았다. 즉 처음 이차식의 상수항은 -2이다. …… 40%

따라서 처음 이차식은 $15x^2-x-2$이므로 이 식을 바르게 인수분해하면
$$15x^2-x-2=(3x+1)(5x-2)$$ …… 20%

12 [Action] 정사각형 7개와 직사각형 5개의 넓이의 합을 구한 후 인수분해한다.

정사각형 7개와 직사각형 5개의 넓이의 합은
$$a\times a+5\times(1\times a)+6\times(1\times 1)=a^2+5a+6$$
$$=(a+2)(a+3)$$
따라서 새로 만든 직사각형의 가로와 세로의 길이는 각각 $a+2$, $a+3$ 또는 $a+3$, $a+2$이므로 그 둘레의 길이는
$$2\{(a+2)+(a+3)\}=4a+10$$

> **Lecture**
>
> **직사각형의 넓이**
>
> 정사각형 7개와 직사각형 5개를 모두 사용하여 만든 직사각형은 오른쪽 그림과 같고 그 넓이는
> $a^2+5a+6=(a+2)(a+3)$이다.
>
>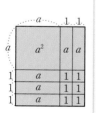

13 [Action] 주어진 다항식의 각 항에서 공통인수를 찾아 인수분해한다.
$$3a^3b+18a^2b+15ab=3ab(a^2+6a+5)$$
$$=3ab(a+1)(a+5)$$
따라서 주어진 다항식의 인수가 아닌 것은 ②이다.

14 [Action] 공통부분 $x+5$를 한 문자로 치환한 후 인수분해한다.

$x+5=A$로 치환하면 …… 20%
$$(x+5)^2+7(x+5)-8=A^2+7A-8$$
$$=(A-1)(A+8)$$
$$=(x+5-1)(x+5+8)$$
$$=(x+4)(x+13)$$ …… 60%

따라서 두 일차식의 합은
$$(x+4)+(x+13)=2x+17$$ …… 20%

15 [Action] 공통부분 $a+3b$를 한 문자로 치환한 후 인수분해한다.

$a+3b=A$로 치환하면
$$(a+3b+4)(a+3b+2)-24=(A+4)(A+2)-24$$
$$=A^2+6A-16$$
$$=(A-2)(A+8)$$
$$=(a+3b-2)(a+3b+8)$$

16 [Action] $2x+1=A$, $x-3=B$로 치환한 후 인수분해 공식 $A^2-B^2=(A+B)(A-B)$를 이용한다.

$2x+1=A$, $x-3=B$로 치환하면
$$(2x+1)^2-(x-3)^2$$
$$=A^2-B^2$$
$$=(A+B)(A-B)$$
$$=\{(2x+1)+(x-3)\}\{(2x+1)-(x-3)\}$$
$$=(3x-2)(x+4)$$
따라서 $a=3$, $b=-2$이므로
$$a-b=3-(-2)=5$$

17 [Action] 일차식의 상수항의 합이 같아지도록 2개씩 짝을 지어 전개한다.
$$(x-1)(x-3)(x+2)(x+4)+25$$
$$=\{(x-1)(x+2)\}\{(x-3)(x+4)\}+25$$
$$=(x^2+x-2)(x^2+x-12)+25$$
$x^2+x=A$로 치환하면
$$(주어진 식)=(A-2)(A-12)+25$$
$$=A^2-14A+49$$
$$=(A-7)^2$$
$$=(x^2+x-7)^2$$

> **Lecture**
>
> **( )( )( )( )$+k$의 꼴의 인수분해**
>
> ❶ 공통부분이 생기도록 ( )( )( )( )를 2개씩 짝 지어 전개한다.
> ❷ 공통부분을 한 문자로 치환하여 전개한 후 인수분해한다.

18 [Action] 각 다항식을 인수분해하여 공통인수를 구한다.
$$ab^2-b^2-4a+4=b^2(a-1)-4(a-1)$$
$$=(a-1)(b^2-4)$$
$$=(a-1)(b+2)(b-2)$$
$$ab-a-b+1=a(b-1)-(b-1)$$
$$=(b-1)(a-1)$$
따라서 두 다항식의 공통인수는 ①이다.

19 Action 완전제곱식이 되는 3개의 항을 묶어 A^2-B^2의 꼴로 만든다.

$$a^2-4ab+4b^2-16c^2=(a^2-4ab+4b^2)-16c^2$$
$$=(a-2b)^2-(4c)^2$$
$$=(a-2b+4c)(a-2b-4c)$$

따라서 주어진 다항식의 인수인 것은 ③, ④이다.

📣 *Lecture*

항이 4개인 다항식의 인수분해

(1) 공통인수가 나오도록 (항 2개)+(항 2개)로 짝 지어 인수분해한다.

(2) (항 3개)+(항 1개)로 나누어 A^2-B^2의 꼴로 만든 후 인수분해한다. → 완전제곱식

20 Action 차수가 낮은 문자 y에 대하여 내림차순으로 정리한 후 인수분해한다.

$$3x^2-xy+8x-2y+4=(-x-2)y+(3x^2+8x+4)$$
$$=-(x+2)y+(x+2)(3x+2)$$
$$=(x+2)(3x-y+2)$$

21 Action 두 문자 x, y의 차수가 같으므로 어느 한 문자에 대하여 내림차순으로 정리한다.

x에 대하여 내림차순으로 정리하면
$$x^2+4y^2-2x-4y+4xy+1$$
$$=x^2+(4y-2)x+(4y^2-4y+1)$$
$$=x^2+2(2y-1)x+(2y-1)^2$$
$$=(x+2y-1)^2$$

다른 풀이

y에 대하여 내림차순으로 정리하면
$$x^2+4y^2-2x-4y+4xy+1$$
$$=4y^2+4(x-1)y+(x^2-2x+1)$$
$$=(2y)^2+2\times2y(x-1)+(x-1)^2$$
$$=(x+2y-1)^2$$

22 Action 수를 문자로 생각하여 인수분해 공식을 이용한다.

$$0.2\times77.7^2-0.2\times22.3^2$$
$$=0.2\times(77.7^2-22.3^2)$$
$$=0.2\times(77.7+22.3)(77.7-22.3)$$
$$=0.2\times100\times55.4$$
$$=1108$$

따라서 계산에 이용되는 인수분해 공식은 ㉠, ㉢이다.

23 Action 분자는 공통인수를 이용하여 인수분해하고, 분모는 수를 문자로 생각하여 인수분해 공식을 이용한다.

$$\frac{1000\times1001-1001}{1000^2-1}=\frac{1001\times(1000-1)}{(1000+1)(1000-1)}$$
$$=\frac{1001}{1001}=1$$

24 Action 수를 문자로 생각하여 인수분해 공식을 이용한다.

$$A=86^2+28\times86+14^2=86^2+2\times86\times14+14^2$$
$$=(86+14)^2=100^2$$
$$=10000 \quad\quad\quad \cdots\cdots \ \mathbf{40\%}$$

$$B=\sqrt{34^2-16^2}=\sqrt{(34+16)(34-16)}$$
$$=\sqrt{50\times18}=\sqrt{900}$$
$$=30 \quad\quad\quad \cdots\cdots \ \mathbf{40\%}$$

$$\therefore A+B=10000+30=10030 \quad\quad \cdots\cdots \ \mathbf{20\%}$$

📣 *Lecture*

인수분해 공식을 이용한 수의 계산

A의 값을 구할 때, $86=a, 14=b$라고 하면
$$A=86^2+28\times86+14^2$$
$$=86^2+2\times86\times14+14^2$$
$$=a^2+2ab+b^2=(a+b)^2$$
$$=(86+14)^2=100^2$$
$$=10000$$

25 Action 주어진 식을 인수분해한 후 a, b의 값을 각각 대입한다.

$$a^2-b^2=(a+b)(a-b)$$
$$=\{(1+\sqrt{2})+(1-\sqrt{2})\}\{(1+\sqrt{2})-(1-\sqrt{2})\}$$
$$=2\times2\sqrt{2}=4\sqrt{2}$$

26 Action 먼저 x, y의 분모를 각각 유리화한다.

$$x=\frac{2}{\sqrt{3}-1}=\frac{2(\sqrt{3}+1)}{(\sqrt{3}-1)(\sqrt{3}+1)}=\frac{2(\sqrt{3}+1)}{2}=\sqrt{3}+1$$
$$y=\frac{2}{\sqrt{3}+1}=\frac{2(\sqrt{3}-1)}{(\sqrt{3}+1)(\sqrt{3}-1)}=\frac{2(\sqrt{3}-1)}{2}=\sqrt{3}-1$$
$$\therefore x^2+2xy+y^2=(x+y)^2$$
$$=\{(\sqrt{3}+1)+(\sqrt{3}-1)\}^2$$
$$=(2\sqrt{3})^2=12$$

📣 *Lecture*

분모의 유리화

$a>0, b>0$일 때

(1) $\dfrac{b}{\sqrt{a}}=\dfrac{b\sqrt{a}}{\sqrt{a}\sqrt{a}}=\dfrac{b\sqrt{a}}{a}$

(2) $\dfrac{c}{\sqrt{a}+\sqrt{b}}=\dfrac{c(\sqrt{a}-\sqrt{b})}{(\sqrt{a}+\sqrt{b})(\sqrt{a}-\sqrt{b})}=\dfrac{c(\sqrt{a}-\sqrt{b})}{a-b}$ (단, $a\neq b$)

27 Action $x-3=A$로 치환하여 주어진 식을 인수분해한 후 식의 값을 구한다.

$x-3=A$로 치환하면
$$(x-3)^2+4(x-3)+4$$
$$=A^2+4A+4$$
$$=(A+2)^2=(x-3+2)^2$$
$$=(x-1)^2=(3\sqrt{2}+1-1)^2$$
$$=(3\sqrt{2})^2=18$$

28 Action 색칠한 부분의 넓이는 큰 원의 넓이에서 작은 원의 넓이를 뺀 것이다.

큰 원의 지름의 길이가 $13r$이므로 반지름의 길이는 $\dfrac{13}{2}r$이다.

작은 원의 지름의 길이는 $13r-2\times3r=7r$이므로 반지름의 길이는 $\dfrac{7}{2}r$이다. 따라서 색칠한 부분의 넓이는

$$\left(\frac{13}{2}r\right)^2\pi-\left(\frac{7}{2}r\right)^2\pi=\left\{\left(\frac{13}{2}\right)^2-\left(\frac{7}{2}\right)^2\right\}\pi r^2$$
$$=\left(\frac{13}{2}+\frac{7}{2}\right)\left(\frac{13}{2}-\frac{7}{2}\right)\pi r^2$$
$$=10\times3\times\pi r^2=30\pi r^2$$

29 Action 도형 (가)의 넓이는 한 변의 길이가 $3x+1$인 정사각형의 넓이에서 한 변의 길이가 x인 정사각형의 넓이를 뺀 것이다.

$$\text{(도형 (가)의 넓이)}=(3x+1)^2-x^2$$
$$=(3x+1+x)(3x+1-x)$$
$$=(4x+1)(2x+1)$$

이때 도형 (나)는 가로의 길이가 $4x+1$이고 도형 (가)와 넓이가 같으므로 세로의 길이는 $2x+1$이다.

30 Action 반지름의 길이가 r이고 중심각의 크기가 $x°$인 부채꼴의 넓이는 $\pi r^2\times\dfrac{x}{360}$임을 이용한다.

$$\text{(그림이 그려진 부분의 넓이)}$$
$$=\pi\times21^2\times\frac{150}{360}-\pi\times9^2\times\frac{150}{360} \qquad \cdots\cdots 30\%$$
$$=\frac{5}{12}\pi\times(21^2-9^2) \qquad\qquad\qquad \cdots\cdots 20\%$$
$$=\frac{5}{12}\pi\times(21+9)(21-9) \qquad\quad \cdots\cdots 30\%$$
$$=\frac{5}{12}\pi\times30\times12$$
$$=150\pi\ (\text{cm}^2) \qquad\qquad\qquad\qquad \cdots\cdots 20\%$$

최고수준 완성하기 ⓟ 53– ⓟ 56

01 15	**02** 8	**03** $-a-b$
04 $(x-z)(x+4y-5z)$	**05** 36	**06** $3x-y$
07 $(a-b)(a^2+b^2+c^2)$	**08** 2502	**09** -960
10 64	**11** 23	**12** $\sqrt{10}+3$
14 85	**15** $a=6\sqrt{3},\ b=\sqrt{3}$	**13** 90
16 (1) 16 (2) $16\pi a$		

---

01 Action 두 다항식 $2x^2+ax-10,\ 3x^2+14x+b$의 공통인수가 $x+2$이므로 다른 인수의 x의 계수는 각각 $2,\ 3$임을 이용한다.

$2x^2+ax-10=(x+2)(2x+m)$이라고 하면
$2x^2+ax-10=2x^2+(m+4)x+2m$
$-10=2m$에서 $m=-5$
$\therefore a=m+4=-5+4=-1$
$3x^2+14x+b=(x+2)(3x+n)$이라고 하면
$3x^2+14x+b=3x^2+(n+6)x+2n$
$14=n+6$에서 $n=8$
$\therefore b=2n=2\times8=16$
$\therefore a+b=-1+16=15$

02 Action $(ax+2)(bx+6)$의 전개식과 $kx^2+20x+12$가 서로 같음을 이용한다.

$kx^2+20x+12=(ax+2)(bx+6)$이므로
$kx^2+20x+12=abx^2+(6a+2b)x+12$
$20=6a+2b$에서 $3a+b=10$
위의 식을 만족하는 자연수 $a,\ b$의 순서쌍 $(a,\ b)$는 $(1,\ 7)$, $(2,\ 4)$, $(3,\ 1)$이다.
이때 $k=ab$이므로 가능한 k의 값은 $1\times7=7,\ 2\times4=8$, $3\times1=3$이다. 따라서 k의 최댓값은 8이다.

03 Action 근호 안의 식을 인수분해하여 완전제곱식의 꼴로 만든다.

$a-b>0,\ ab<0$이므로 $a>0,\ b<0$
즉 $3b-a<0$이므로 $\qquad\qquad\qquad \cdots\cdots 20\%$
$$\sqrt{9b^2-6ab+a^2}-\sqrt{4(a^2+b^2)-8ab}$$
$$=\sqrt{(3b-a)^2}-\sqrt{4(a^2-2ab+b^2)}$$
$$=\sqrt{(3b-a)^2}-\sqrt{\{2(a-b)\}^2} \qquad \cdots\cdots 50\%$$
$$=-(3b-a)-2(a-b)$$
$$=-3b+a-2a+2b$$
$$=-a-b \qquad\qquad\qquad\qquad\quad \cdots\cdots 30\%$$

📣 **Lecture**

$\sqrt{(a-b)^2}$의 근호 풀기
(1) $a\geq b$일 때, $a-b\geq0$이므로
$\quad\sqrt{(a-b)^2}=a-b$
(2) $a<b$일 때, $a-b<0$이므로
$\quad\sqrt{(a-b)^2}=-(a-b)=b-a$

04 Action 약속에 따라 식을 세운 후 공통인수를 찾아 인수분해한다.

$[x,\ y,\ z]+5[z,\ x,\ y]$
$=(x-y)(x-z)+5(z-x)(z-y)$
$=(x-y)(x-z)-5(x-z)(z-y)$
$=(x-z)\{(x-y)-5(z-y)\}$
$=(x-z)(x+4y-5z)$

05 Action 공통부분이 생기도록 식을 적당히 묶는다.

$(x-5)(x-3)(x+3)(x+1)+k$
$=\{(x-5)(x+3)\}\{(x-3)(x+1)\}+k$
$=(x^2-2x-15)(x^2-2x-3)+k$
$x^2-2x=A$로 치환하면
(주어진 식)$=(A-15)(A-3)+k$
$=A^2-18A+45+k$
위의 식이 완전제곱식이 되어야 하므로
$45+k=(-9)^2$ $\therefore k=36$

🔊 **Lecture**

주어진 식이 완전제곱식이 되는지 확인하기
$k=36$일 때
(주어진 식)$=A^2-18A+45+36$
$=A^2-18A+81$
$=(A-9)^2$
$=(x^2-2x-9)^2$
이므로 완전제곱식이 된다.

06 Action 주어진 식을 전개한 후 인수분해한다.

$y-(xy+1)x+x^3=y-x^2y-x+x^3$
$=y(1-x^2)-x(1-x^2)$
$=(1-x^2)(y-x)$
$=(1+x)(1-x)(y-x)$
$=(x+1)(x-1)(x-y)$
따라서 구하는 합은 $(x+1)+(x-1)+(x-y)=3x-y$

🔊 **Lecture**

x의 계수가 1인 세 일차식의 곱

문제에서 x의 계수가 1인 세 일차식의 곱으로 인수분해된다고 하였으므로 $(1+x)(1-x)(y-x)$에서 인수분해를 끝내지 않고, 세 일차식의 x의 계수가 모두 1이 되도록 계수를 정리해야 한다.
➡ $(1+x)(1-x)(y-x)=(x+1)\{-(x-1)\}\{-(x-y)\}$
$=(x+1)(x-1)(x-y)$

07 Action 차수가 가장 낮은 한 문자에 대하여 내림차순으로 정리한다.

$a^3-a^2b+ab^2+ac^2-b^3-bc^2$
$=(a-b)c^2+a^3-a^2b+ab^2-b^3$
$=(a-b)c^2+a^2(a-b)+b^2(a-b)$
$=(a-b)(a^2+b^2+c^2)$

08 Action 수를 문자로 생각하여 인수분해 공식을 이용한다.

$2500\times2504+4=2500\times(2500+4)+4$
$=2500\times2500+2500\times4+4$
$=2500^2+2\times2500\times2+2^2$
$=(2500+2)^2$
$=2502^2$
$\therefore a=2502$

09 Action 인수분해 공식 $a^2-b^2=(a+b)(a-b)$를 이용할 수 있도록 주어진 식의 항을 이동한다.

$10^2+11^2+12^2-20^2-21^2-22^2$
$=(10^2-20^2)+(11^2-21^2)+(12^2-22^2)$
$=(10+20)(10-20)+(11+21)(11-21)$
$\qquad\qquad\qquad\qquad+(12+22)(12-22)$
$=30\times(-10)+32\times(-10)+34\times(-10)$
$=-10\times(30+32+34)$
$=-10\times96=-960$

10 Action $2^{80}=(2^{40})^2$이고 $1=1^2$임을 이용한다.

$2^{80}-1=(2^{40})^2-1$
$=(2^{40}+1)(2^{40}-1)$
$=(2^{40}+1)(2^{20}+1)(2^{20}-1)$
$=(2^{40}+1)(2^{20}+1)(2^{10}+1)(2^{10}-1)$
$=(2^{40}+1)(2^{20}+1)(2^{10}+1)(2^5+1)(2^5-1)$
따라서 $2^{80}-1$은 30과 40 사이의 두 자연수 $2^5+1=33$,
$2^5-1=31$로 나누어떨어지므로 구하는 두 자연수의 합은
$33+31=64$

🔊 **Lecture**

지수법칙
$a\neq0$이고 m,n이 자연수일 때
(1) $a^m\times a^n=a^{m+n}$
(2) $(a^m)^n=a^{mn}$
(3) $a^m\div a^n=\begin{cases} a^{m-n} & (m>n) \\ 1 & (m=n) \\ \dfrac{1}{a^{n-m}} & (m<n) \end{cases}$
(4) $(ab)^n=a^nb^n$
(5) $\left(\dfrac{a}{b}\right)^n=\dfrac{a^n}{b^n}$ (단, $b\neq0$)

11 Action 주어진 다항식을 인수분해하고, 소수는 약수가 1과 자기 자신뿐인 수임을 이용한다.

$3n^2-16n-12=(n-6)(3n+2)$가 소수가 되려면
$1\times$(소수)이어야 한다.
(i) $n-6=1$일 때, $n=7$
$\therefore 3n+2=3\times7+2=23$
(ii) $3n+2=1$일 때, $n=-\dfrac{1}{3}$

이때 n은 자연수가 아니므로 조건을 만족하지 않는다.
(i), (ii)에 의하여 구하는 소수는 23이다.

12 Action $\sqrt{9}<\sqrt{10}<\sqrt{16}$이므로 $3<\sqrt{10}<4$이고, $\sqrt{4}<\sqrt{8}<\sqrt{9}$이므로 $2<2\sqrt{2}<3$임을 이용한다.

$\sqrt{9}<\sqrt{10}<\sqrt{16}$이므로 $3<\sqrt{10}<4$

따라서 $\sqrt{10}$의 정수 부분은 3이므로 소수 부분은 $\sqrt{10}-3$

$\therefore a=\sqrt{10}-3$ 30%

$\sqrt{4}<\sqrt{8}<\sqrt{9}$이므로 $2<2\sqrt{2}<3$

따라서 $2\sqrt{2}$의 정수 부분은 2이므로 $b=2$ 30%

$\therefore \dfrac{a^2+4ab+3b^2}{a+b}=\dfrac{(a+b)(a+3b)}{a+b}=a+3b$

$\qquad\qquad =(\sqrt{10}-3)+3\times 2$

$\qquad\qquad =\sqrt{10}+3$ 40%

> **📢 Lecture**
>
> $\sqrt{x}$의 정수 부분과 소수 부분
>
> $\sqrt{x}$가 무리수이고 n이 자연수일 때, $n<\sqrt{x}<n+1$이면 $\sqrt{x}$의 정수 부분은 n이고 소수 부분은 $\sqrt{x}-n$이다.

13 Action 먼저 분모의 유리화를 이용하여 k의 값을 간단히 하고, 주어진 식을 인수분해한 후 k의 값을 대입한다.

$k=\dfrac{1}{1+\sqrt{2}}+\dfrac{1}{\sqrt{2}+\sqrt{3}}+\cdots+\dfrac{1}{\sqrt{89}+\sqrt{90}}$

$=\dfrac{1-\sqrt{2}}{(1+\sqrt{2})(1-\sqrt{2})}+\dfrac{\sqrt{2}-\sqrt{3}}{(\sqrt{2}+\sqrt{3})(\sqrt{2}-\sqrt{3})}+\cdots$

$\qquad\qquad +\dfrac{\sqrt{89}-\sqrt{90}}{(\sqrt{89}+\sqrt{90})(\sqrt{89}-\sqrt{90})}$

$=-(1-\sqrt{2})+\{-(\sqrt{2}-\sqrt{3})\}+\cdots+\{-(\sqrt{89}-\sqrt{90})\}$

$=-1+\sqrt{2}-\sqrt{2}+\sqrt{3}-\cdots-\sqrt{89}+\sqrt{90}$

$=\sqrt{90}-1=3\sqrt{10}-1$

$\therefore (k-2)^2+6(k-2)+9$

$=(k-2)^2+2(k-2)\times 3+3^2$

$=(k-2+3)^2$

$=(k+1)^2=(3\sqrt{10}-1+1)^2$

$=(3\sqrt{10})^2=90$

14 Action 곱셈 공식의 변형을 이용하여 $(a-b)^2$의 값을 구한다.

$a^2(a-b)+b^2(b-a)=a^2(a-b)-b^2(a-b)$

$\qquad\qquad =(a-b)(a^2-b^2)$

$\qquad\qquad =(a-b)(a+b)(a-b)$

$\qquad\qquad =(a-b)^2(a+b)$

이때 $(a-b)^2=(a+b)^2-4ab$이므로

$(a-b)^2=5^2-4\times 2=25-8=17$

$\therefore a^2(a-b)+b^2(b-a)=(a-b)^2(a+b)$

$\qquad\qquad\qquad\qquad =17\times 5=85$

15 Action 길의 둘레의 길이와 넓이를 각각 a, b에 대한 식으로 나타낸다.

길의 폭이 b이므로 꽃밭은 한 변의 길이가 $a-2b$인 정사각형 모양이다.

길의 둘레의 길이는 $4a+4(a-2b)=40\sqrt{3}$이므로

$8a-8b=40\sqrt{3}$ $\therefore a-b=5\sqrt{3}$ ...... ㉠

길의 넓이는 $a^2-(a-2b)^2=60$이므로

$(a+a-2b)\{a-(a-2b)\}=60$

$(2a-2b)\times 2b=60$

$4b(a-b)=60$ $\therefore b(a-b)=15$ ...... ㉡

㉡에 ㉠을 대입하면 $b\times 5\sqrt{3}=15$ $\therefore b=\sqrt{3}$

㉠에 $b=\sqrt{3}$을 대입하면

$a-\sqrt{3}=5\sqrt{3}$ $\therefore a=6\sqrt{3}$

16 Action $\overline{BD}$의 길이를 구하고, $\overline{AD}, \overline{CD}$의 길이를 각각 a를 사용한 식으로 나타낸다.

(1) $\overline{BD}$를 지름으로 하는 원의 반지름의 길이를 r라고 하면

$2\pi r=16\pi$, $r=8$ $\therefore \overline{BD}=16$

(2) $\overline{AD}=\overline{AB}+\overline{BD}=a+16$, $\overline{CD}=\overline{BD}-\overline{BC}=16-a$이므로

(색칠한 부분의 넓이)

$=(\overline{AD}$를 지름으로 하는 원의 넓이$)$

$\qquad\qquad -(\overline{CD}$를 지름으로 하는 원의 넓이$)$

$=\pi\times\left(\dfrac{a+16}{2}\right)^2-\pi\times\left(\dfrac{16-a}{2}\right)^2$

$=\pi\left\{\left(\dfrac{16+a}{2}\right)^2-\left(\dfrac{16-a}{2}\right)^2\right\}$

$=\pi\left(\dfrac{16+a}{2}+\dfrac{16-a}{2}\right)\left(\dfrac{16+a}{2}-\dfrac{16-a}{2}\right)$

$=\pi\times 16\times a=16\pi a$

최고수준 뛰어넘기   ❷ 57~ ❷ 58

01 $(a+b)(b+c)(c+a)$ **02** $\dfrac{4}{3}$ **03** 288

04 461   **05** 80

06 서쪽으로 200 cm, 남쪽으로 220 cm

01 Action 주어진 식을 전개한 후 어느 한 문자에 대하여 내림차순으로 정리한다.

$a(b^2+c^2)+b(c^2+a^2)+c(a^2+b^2)+2abc$

$=ab^2+ac^2+bc^2+ba^2+ca^2+cb^2+2abc$

$=(b+c)a^2+(b^2+2bc+c^2)a+bc^2+cb^2$

$=(b+c)a^2+(b+c)^2a+bc(b+c)$

$=(b+c)\{a^2+(b+c)a+bc\}$

$=(b+c)(a+b)(a+c)$

$=(a+b)(b+c)(c+a)$

02 Action $4=2^2$, $8=2^3$, $16=2^4$임을 이용한다.

$$\sqrt{\frac{8^8 \times 2^3 - 16^6}{4^{13} - 8^6 \times 2^2}} = \sqrt{\frac{(2^3)^8 \times 2^3 - (2^4)^6}{(2^2)^{13} - (2^3)^6 \times 2^2}} = \sqrt{\frac{2^{24} \times 2^3 - 2^{24}}{2^{26} - 2^{18} \times 2^2}}$$
$$= \sqrt{\frac{2^{27} - 2^{24}}{2^{26} - 2^{20}}} = \sqrt{\frac{2^{24}(2^3 - 1)}{2^{20}(2^6 - 1)}}$$
$$= \sqrt{\frac{2^4(2^3 - 1)}{2^6 - 1}} = \sqrt{\frac{2^4(2^3 - 1)}{(2^3 + 1)(2^3 - 1)}}$$
$$= \sqrt{\frac{2^4}{2^3 + 1}} = \sqrt{\frac{16}{9}}$$
$$= \frac{4}{3}$$

03 Action $287 = 289 - 2$, $291 = 289 + 2$이고 $289 = 17^2$임을 이용한다.

$289 = 17^2$이므로

$$\sqrt{\left(287 + \frac{1}{289}\right)\left(291 + \frac{1}{289}\right)}$$
$$= \sqrt{\left(17^2 - 2 + \frac{1}{17^2}\right)\left(17^2 + 2 + \frac{1}{17^2}\right)}$$

$17 = x$로 치환하면

$$(\text{주어진 식}) = \sqrt{\left(x^2 - 2 + \frac{1}{x^2}\right)\left(x^2 + 2 + \frac{1}{x^2}\right)}$$
$$= \sqrt{\left(x - \frac{1}{x}\right)^2 \left(x + \frac{1}{x}\right)^2}$$
$$= \left(x - \frac{1}{x}\right)\left(x + \frac{1}{x}\right)$$
$$= \left(17 - \frac{1}{17}\right)\left(17 + \frac{1}{17}\right)$$
$$= 17^2 - \frac{1}{17^2}$$
$$= 289 - \frac{1}{289}$$

따라서 $288 < \sqrt{\left(287 + \frac{1}{289}\right)\left(291 + \frac{1}{289}\right)} < 289$이므로
주어진 수의 정수 부분은 288이다.

04 Action $20 = x$로 놓으면 연속하는 네 자연수는 x, $x+1$, $x+2$, $x+3$임을 이용한다.

$20 = x$라고 하면

$20 \times 21 \times 22 \times 23 + 1$
$= x(x+1)(x+2)(x+3) + 1$
$= \{x(x+3)\}\{(x+1)(x+2)\} + 1$
$= (x^2 + 3x)(x^2 + 3x + 2) + 1$

$x^2 + 3x = A$로 치환하면

$20 \times 21 \times 22 \times 23 + 1 = A(A+2) + 1$
$\qquad\qquad\qquad\qquad\quad = A^2 + 2A + 1$
$\qquad\qquad\qquad\qquad\quad = (A+1)^2$
$\qquad\qquad\qquad\qquad\quad = (x^2 + 3x + 1)^2$
$\qquad\qquad\qquad\qquad\quad = (20^2 + 3 \times 20 + 1)^2$
$\qquad\qquad\qquad\qquad\quad = 461^2$

$\therefore \sqrt{20 \times 21 \times 22 \times 23 + 1} = \sqrt{461^2} = 461$

05 Action 어느 한 문자에 대하여 내림차순으로 정리한 후 인수분해한다.

$abc + ab + bc + ca + a + b + c + 1$
$= a(bc + b + c + 1) + (bc + b + c + 1)$
$= (a+1)(bc + b + c + 1)$
$= (a+1)\{b(c+1) + (c+1)\}$
$= (a+1)(b+1)(c+1)$
$= 165$

이때 a, b, c는 자연수이므로
$(a+1)(b+1)(c+1) = 165 = 3 \times 5 \times 11$
또, $a < b < c$이므로 $a = 2$, $b = 4$, $c = 10$
따라서 구하는 직육면체의 부피는
$2 \times 4 \times 10 = 80$

06 Action 달팽이의 위치를 좌표평면 위의 점의 좌표로 나타내어 본다.

달팽이의 집의 위치를 원점 $(0, 0)$으로 하는 좌표평면 위에
달팽이의 위치를 점의 좌표로 나타내면
첫째 날은 $(1^2, 0)$, 둘째 날은 $(1^2, 2^2)$,
셋째 날은 $(1^2 - 3^2, 2^2)$, 넷째 날은 $(1^2 - 3^2, 2^2 - 4^2)$,
다섯째 날은 $(1^2 - 3^2 + 5^2, 2^2 - 4^2)$,
여섯째 날은 $(1^2 - 3^2 + 5^2, 2^2 - 4^2 + 6^2)$이다.
이와 같은 방법으로 20째 날의 달팽이의 위치의 x좌표는
$1^2 - 3^2 + 5^2 - 7^2 + \cdots + 17^2 - 19^2$
$= (1+3)(1-3) + (5+7)(5-7) + \cdots + (17+19)(17-19)$
$= -2 \times (1 + 3 + 5 + 7 + \cdots + 17 + 19)$
$= -2 \times 100$
$= -200$
20째 날의 달팽이의 위치의 y좌표는
$2^2 - 4^2 + 6^2 - 8^2 + \cdots + 18^2 - 20^2$
$= (2+4)(2-4) + (6+8)(6-8) + \cdots + (18+20)(18-20)$
$= -2 \times (2 + 4 + 6 + 8 + \cdots + 18 + 20)$
$= -2 \times 110$
$= -220$
따라서 달팽이가 출발한 지 20째 날의 위치는 집을 기준으로
서쪽으로 200 cm, 남쪽으로 220 cm 떨어져 있다.

교과서 속 **창의 사고력** ⓟ 59 ~ ⓟ 60

01 360	**02** 12
03 $\dfrac{1}{9}$	**04** $(a+b)^3$

01
Action (직육면체의 부피)=(밑넓이)×(높이)임을 이용하여 x에 대한 이차식으로 나타낸다.

쌓기나무 하나의 부피는
$$5(3x+2)(x-5)=5(3x^2-13x-10)$$
$$=15x^2-65x-50$$
이때 입체도형은 쌓기나무 24개로 만들어졌으므로 그 부피는
$$24(15x^2-65x-50)=360x^2-1560x-1200$$
따라서 이 입체도형의 부피의 x^2의 계수는 360이다.

02
Action $19999=20000-1$, $39999=2\times20000-1$이므로 $20000=x$로 놓고 곱셈 공식을 이용한다.

$20000=x$라고 하면
$$19999^2+39999=(20000-1)^2+(2\times20000-1)$$
$$=(x-1)^2+(2x-1)$$
$$=x^2-2x+1+2x-1$$
$$=x^2$$
$$=20000^2$$
$$=400000000$$
$$=4\times10^8$$
따라서 $A=4$, $B=8$이므로
$$A+B=4+8=12$$

03
Action 다항식 x^2-ax+b가 완전제곱식이 되려면 $b=\left(\dfrac{-a}{2}\right)^2$이어야 한다.

모든 순서쌍 (a,b)의 개수는 $6\times6=36$
다항식 x^2-ax+b가 완전제곱식이 되어야 하므로
$$b=\left(\frac{-a}{2}\right)^2=\frac{a^2}{4}$$이어야 한다.
즉 $a^2=4b$를 만족하는 순서쌍 (a,b)는 $(2,1)$, $(4,4)$, $(6,9)$, $(8,16)$의 4개이다.
따라서 구하는 확률은 $\dfrac{4}{36}=\dfrac{1}{9}$

04
Action 한 모서리의 길이가 $a+b$인 정육면체를 그려 본다.

한 모서리의 길이가 $a+b$인 정육면체를 그려 보면 오른쪽 그림과 같고, 이 정육면체를 이루고 있는 네 종류의 직육면체의 개수는 각각 다음과 같다.

1개　　3개　　3개　　1개

따라서 새로 만든 정육면체의 부피를 일차식의 곱으로 나타내면
$$a^3+3a^2b+3ab^2+b^3=(a+b)^3$$

III. 이차방정식

1. 이차방정식의 풀이

01 ①, ④	**02** ①	**03** ②, ④	**04** 3
05 -7	**06** -4	**07** ③	**08** -1
09 ①	**10** 3	**11** ④, ⑤	**12** 15
13 $x=8$	**14** (1) 풀이 참조 (2) 풀이 참조		**15** 8
16 $k\geq2$	**17** $\dfrac{45}{16}$	**18** 24	**19** 26
20 -6	**21** -6	**22** $x=7\pm2\sqrt{10}$	
23 72	**24** $x=1$ 또는 $x=\dfrac{9}{5}$		

01
Action 등식의 모든 항을 좌변으로 이항하여 정리한 식이 (x에 대한 이차식)=0의 꼴이 되는지 알아본다.

② 이차식
③ $x^2-3=x^2-3x+1$에서 $3x-4=0$이므로 일차방정식이다.
④ $(x-2)(2x+1)=-2$에서 $2x^2-3x=0$이므로 이차방정식이다.
⑤ $x^2(1-x)=x^3+x^2+x+1$에서 $-2x^3-x-1=0$이므로 이차방정식이 아니다.
따라서 이차방정식인 것은 ①, ④이다.

02
Action x에 대한 이차방정식이 되려면 (x^2의 계수)$\neq0$이어야 함을 이용한다.

$2(x+1)^2-1=-ax^2+2x-5$에서 $(2+a)x^2+2x+6=0$이므로 x에 대한 이차방정식이 되려면 $2+a\neq0$이어야 한다.
$\therefore a\neq-2$

03
Action 각 이차방정식에 $x=2$를 대입하여 등식이 참이 되는 것을 찾는다.

① $2^2-2\neq0$ (거짓)
② $2^2-5\times2+6=0$ (참)
③ $2\times2^2+2-3\neq0$ (거짓)
④ $3\times2^2-5\times2-2=0$ (참)
⑤ $(2+1)\times(2-4)\neq0$ (거짓)
따라서 $x=2$를 해로 갖는 것은 ②, ④이다.

04 Action 주어진 두 이차방정식에 $x=-1$을 각각 대입하여 a, b의 값을 구한다.

$2x^2+ax-5=0$에 $x=-1$을 대입하면

$2-a-5=0, -a=3$ ∴ $a=-3$

$x^2-(2-b)x+4b=0$에 $x=-1$을 대입하면

$1+(2-b)+4b=0, 3b=-3$ ∴ $b=-1$

∴ $ab=-3\times(-1)=3$

05 Action 이차방정식 $x^2+mx+n=0$의 한 근이 k일 때, $k^2+mk+n=0$이므로 $k^2+mk=-n$임을 이용한다.

$x^2-2x-4=0$에 $x=a$를 대입하면

$a^2-2a-4=0$ ∴ $a^2-2a=4$ 30%

$x^2-3x-3=0$에 $x=b$를 대입하면

$b^2-3b-3=0$ ∴ $b^2-3b=3$ 30%

∴ $(a^2-2a-5)(2b^2-6b+1)$

$=\{(a^2-2a)-5\}\{2(b^2-3b)+1\}$

$=(4-5)\times(2\times3+1)$

$=(-1)\times7=-7$ 40%

06 Action 주어진 이차방정식에 $x=a$를 대입하여 a에 대한 식으로 변형한다.

$x^2+4x-1=0$에 $x=a$를 대입하면

$a^2+4a-1=0$

$a\neq0$이므로 양변을 a로 나누면

$a+4-\dfrac{1}{a}=0$ ∴ $a-\dfrac{1}{a}=-4$

07 Action 두 식 A, B에 대하여 $AB=0$이면 $A=0$ 또는 $B=0$임을 이용한다.

각 이차방정식의 해를 구하면 다음과 같다.

① $x=-1$ 또는 $x=5$ 　　② $x=-5$ 또는 $x=\dfrac{1}{3}$

③ $x=5$ 또는 $x=-\dfrac{1}{3}$ 　　④ $x=1$ 또는 $x=-5$

⑤ $x=-1$ 또는 $x=5$

따라서 해가 $x=-\dfrac{1}{3}$ 또는 $x=5$인 것은 ③이다.

08 Action 인수분해를 이용하여 이차방정식의 해를 구한다.

$6x^2+x-2=0$에서 $(3x+2)(2x-1)=0$

∴ $x=-\dfrac{2}{3}$ 또는 $x=\dfrac{1}{2}$

따라서 $a=-\dfrac{2}{3}, b=\dfrac{1}{2}$이므로

$3a+2b=3\times\left(-\dfrac{2}{3}\right)+2\times\dfrac{1}{2}=-2+1=-1$

09 Action 주어진 이차방정식에 $x=2$를 대입하여 상수 a의 값을 먼저 구한다.

$x^2+(2a+1)x-6a=0$에 $x=2$를 대입하면

$4+2(2a+1)-6a=0, -2a=-6$ ∴ $a=3$

즉 $x^2+7x-18=0$에서 $(x-2)(x+9)=0$

∴ $x=2$ 또는 $x=-9$

따라서 다른 한 근은 $x=-9$이다.

10 Action 이차방정식 $x^2+3x-28=0$을 인수분해를 이용하여 푼 후 큰 근을 이차방정식 $2x^2-(a+1)x-16=0$에 대입한다.

$x^2+3x-28=0$에서 $(x-4)(x+7)=0$

∴ $x=4$ 또는 $x=-7$

두 근 중 큰 근은 $x=4$이므로

$2x^2-(a+1)x-16=0$에 $x=4$를 대입하면

$32-4(a+1)-16=0, 32-4a-4-16=0$

$-4a=-12$ ∴ $a=3$

11 Action 이차방정식이 $a(x-m)^2=0(a\neq0)$의 꼴로 인수분해되면 중근 $x=m$을 갖는다.

① $x^2-2x=0$에서 $x(x-2)=0$ ∴ $x=0$ 또는 $x=2$

② $x^2+4x-5=0$에서 $(x-1)(x+5)=0$

∴ $x=1$ 또는 $x=-5$

③ $x^2-5x=14$에서 $x^2-5x-14=0$

$(x+2)(x-7)=0$ ∴ $x=-2$ 또는 $x=7$

④ $x^2-3x+9=5x-7$에서 $x^2-8x+16=0$

$(x-4)^2=0$ ∴ $x=4$

⑤ $(2x-1)^2+8x=0$에서 $4x^2-4x+1+8x=0$

$4x^2+4x+1=0, (2x+1)^2=0$ ∴ $x=-\dfrac{1}{2}$

따라서 중근을 갖는 것은 ④, ⑤이다.

Lecture

이차방정식이 중근을 가질 조건

(1) 이차방정식이 (완전제곱식)$=0$의 꼴로 인수분해되면 그 이차방정식은 중근을 갖는다.

(2) 이차방정식 $x^2+ax+b=0(b>0)$에서 $b=\left(\dfrac{a}{2}\right)^2$이면 중근을 갖는다.

12 Action 이차방정식 $x^2+ax+b=0$이 중근을 가질 조건은 $b=\left(\dfrac{a}{2}\right)^2$임을 이용한다.

$x(x-6)=3-k$, 즉 $x^2-6x-3+k=0$이 중근을 가지려면

$-3+k=\left(\dfrac{-6}{2}\right)^2$이어야 하므로

$-3+k=9$ ∴ $k=12$

$x^2-6x-3+k=0$에 $k=12$를 대입하면

$x^2-6x+9=0, (x-3)^2=0$ ∴ $x=3$, 즉 $m=3$

∴ $k+m=12+3=15$

13 Action 각 이차방정식을 풀어 공통인 해를 찾는다.

$x^2-5x-24=0$에서 $(x+3)(x-8)=0$

$\therefore x=-3$ 또는 $x=8$

$2x^2-15x-8=0$에서 $(x-8)(2x+1)=0$

$\therefore x=8$ 또는 $x=-\dfrac{1}{2}$

따라서 두 이차방정식의 공통인 해는 $x=8$이다.

14 Action 인수분해와 제곱근을 각각 이용하여 주어진 이차방정식을 푼다.

(1) $3(x-1)^2-12=0$의 괄호를 풀면

$3x^2-6x+3-12=0$, $3x^2-6x-9=0$

$x^2-2x-3=0$, $(x+1)(x-3)=0$

$\therefore x=-1$ 또는 $x=3$ 50%

(2) $3(x-1)^2-12=0$에서 $3(x-1)^2=12$

$(x-1)^2=4$, $x-1=\pm2$

$\therefore x=-1$ 또는 $x=3$ 50%

15 Action 제곱근을 이용하여 해를 구한 후 주어진 해와 비교하여 미지수의 값을 구한다.

$4(x+a)^2=b$에서 $(x+a)^2=\dfrac{b}{4}$

$x+a=\pm\dfrac{\sqrt{b}}{2}$ $\qquad\therefore x=-a\pm\dfrac{\sqrt{b}}{2}$

따라서 $a=1$, $b=7$이므로 $a+b=1+7=8$

16 Action 이차방정식 $(x-p)^2=q$가 해를 가질 조건은 $q\geq0$임을 이용한다.

$\left(x+\dfrac{2}{5}\right)^2=\dfrac{k-2}{3}$가 해를 가지려면 $\dfrac{k-2}{3}\geq0$이어야 하므로 $k-2\geq0$ $\qquad\therefore k\geq2$

> 📢 *Lecture*
>
> **이차방정식 $(x-p)^2=q$의 해**
>
> 이차방정식 $(x-p)^2=q$에서
>
> (1) $q>0$이면 $x=p\pm\sqrt{q}$
>
> (2) $q=0$이면 $x=p$
>
> (3) $q<0$이면 해가 없다.
>
> ➡ 해를 가질 조건은 $q\geq0$

17 Action x^2의 계수를 1로 만들고 상수항을 우변으로 이항한 후 양변에 $\left(\dfrac{x의\ 계수}{2}\right)^2$을 더하여 정리한다.

$2x^2-3x-6=0$에서 $x^2-\dfrac{3}{2}x-3=0$

$x^2-\dfrac{3}{2}x=3$, $x^2-\dfrac{3}{2}x+\dfrac{9}{16}=3+\dfrac{9}{16}$

$\therefore\left(x-\dfrac{3}{4}\right)^2=\dfrac{57}{16}$

따라서 $p=-\dfrac{3}{4}$, $q=\dfrac{57}{16}$이므로

$p+q=-\dfrac{3}{4}+\dfrac{57}{16}=-\dfrac{12}{16}+\dfrac{57}{16}=\dfrac{45}{16}$

18 Action (완전제곱식)=(상수)의 꼴로 고쳐서 푼다.

$x^2-8x+3=0$에서 $x^2-8x=-3$

$x^2-8x+16=-3+16$, $(x-4)^2=13$

$x-4=\pm\sqrt{13}$ $\qquad\therefore x=4\pm\sqrt{13}$

따라서 $A=16$, $B=-4$, $C=13$, $D=4$, $E=13$이므로

$A-B-C+D+E=16-(-4)-13+4+13=24$

19 Action 근의 공식을 이용하여 해를 구한다.

$5x^2+3x-1=0$에서

$x=\dfrac{-3\pm\sqrt{3^2-4\times5\times(-1)}}{2\times5}=\dfrac{-3\pm\sqrt{29}}{10}$

따라서 $A=-3$, $B=29$이므로

$A+B=-3+29=26$

20 Action 근의 공식을 이용하여 해를 구한다. 이때 x의 계수가 짝수일 때에는 x의 계수가 짝수일 때의 근의 공식을 이용한다.

$x^2+4x+A=0$에서

$x=-2\pm\sqrt{2^2-1\times A}=-2\pm\sqrt{4-A}$

이때 $-2\pm\sqrt{4-A}=B\pm2\sqrt{3}$이므로

$B=-2$, $\sqrt{4-A}=2\sqrt{3}=\sqrt{12}$

즉 $4-A=12$이므로 $A=-8$

$\therefore A-B=-8-(-2)=-6$

> 📢 *Lecture*
>
> **x의 계수가 짝수일 때의 근의 공식**
>
> 이차방정식 $ax^2+bx+c=0$에서 $b=2b'$이면
>
> $x=\dfrac{-b\pm\sqrt{b^2-4ac}}{2a}=\dfrac{-2b'\pm\sqrt{4b'^2-4ac}}{2a}$
>
> $=\dfrac{-2b'\pm2\sqrt{b'^2-ac}}{2a}=\dfrac{-b'\pm\sqrt{b'^2-ac}}{a}$

21 Action 계수가 소수이므로 양변에 10의 거듭제곱을 곱하여 계수를 정수로 고친다.

$0.1x^2-0.6=0.4x$의 양변에 10을 곱하면

$x^2-6=4x$, $x^2-4x-6=0$

$\therefore x=-(-2)\pm\sqrt{(-2)^2-1\times(-6)}=2\pm\sqrt{10}$

따라서 두 근의 곱은

$(2+\sqrt{10})(2-\sqrt{10})=2^2-(\sqrt{10})^2=-6$

22 Action 계수가 분수이므로 양변에 분모의 최소공배수를 곱하여 계수를 정수로 고친다.

주어진 이차방정식의 양변에 12를 곱하면

$3(x-1)(x+3)=4x(x-2)$, $x^2-14x+9=0$

$$\therefore x = -(-7) \pm \sqrt{(-7)^2 - 1 \times 9}$$
$$= 7 \pm \sqrt{40} = 7 \pm 2\sqrt{10}$$

23 **Action** $0.5 = \dfrac{1}{2}$이므로 양변에 $5, 2, 10$의 최소공배수를 곱하여 계수를 정수로 고친다.

주어진 이차방정식의 양변에 10을 곱하면
$$2(2x^2 + x) + 5x = 1, \ 4x^2 + 7x - 1 = 0$$
$$\therefore x = \frac{-7 \pm \sqrt{7^2 - 4 \times 4 \times (-1)}}{2 \times 4} = \frac{-7 \pm \sqrt{65}}{8}$$
따라서 $A = -7, B = 65$이므로
$$B - A = 65 - (-7) = 72$$

24 **Action** $x - 2 = A$로 치환한 후 A에 대한 이차방정식을 푼다. 이때 $A = x - 2$를 다시 대입하여 해를 구해야 함에 유의한다.

$x - 2 = A$로 치환하면 10%
$$5A^2 + 6A + 1 = 0, \ (A+1)(5A+1) = 0$$
$$\therefore A = -1 \ \text{또는} \ A = -\frac{1}{5} \qquad \cdots\cdots \ 40\%$$
즉 $x - 2 = -1$ 또는 $x - 2 = -\dfrac{1}{5}$이므로
$$x = 1 \ \text{또는} \ x = \frac{9}{5} \qquad \cdots\cdots \ 50\%$$

최고수준 **완성하기** ❷ 68- ❷ 70

01 $k \neq 1$	**02** 28	**03** (1) 2 (2) $x = 3$	
04 $\dfrac{1}{18}$	**05** $\dfrac{5}{4}$	**06** 8	**07** $\dfrac{5}{4}$
08 $a = -6, b = -11$		**09** 11	**10** 12
11 $x = 1, y = 1$	**12** $x = \dfrac{1 \pm \sqrt{21}}{2}$ 또는 $x = \dfrac{1 \pm \sqrt{37}}{2}$		

01 **Action** 방정식 $ax^2 + bx + c = 0$이 x에 대한 이차방정식이 되려면 $a \neq 0$임을 이용한다.

$(k^2 + 1)x^2 - x = 2k(x-1)^2$에서
$$(k^2 + 1)x^2 - x = 2k(x^2 - 2x + 1)$$
$$(k^2 + 1)x^2 - x = 2kx^2 - 4kx + 2k$$
$$(k^2 - 2k + 1)x^2 + (4k - 1)x - 2k = 0$$
이때 이 식이 x에 대한 이차방정식이 되려면 $k^2 - 2k + 1 \neq 0$이어야 한다.
따라서 $(k-1)^2 \neq 0$이므로 $k \neq 1$

02 **Action** 주어진 이차방정식의 한 근이 $x = a$이므로 $x = a$를 대입하여 $a + \dfrac{1}{a}$의 값을 먼저 구한다.

$x^2 - 5x + 1 = 0$에 $x = a$를 대입하면 $a^2 - 5a + 1 = 0$
$a \neq 0$이므로 양변을 a로 나누면 $a - 5 + \dfrac{1}{a} = 0$

$$\therefore a + \frac{1}{a} = 5$$
$$\therefore a^2 + a + \frac{1}{a} + \frac{1}{a^2} = \left(a^2 + \frac{1}{a^2}\right) + \left(a + \frac{1}{a}\right)$$
$$= \left\{\left(a + \frac{1}{a}\right)^2 - 2\right\} + a + \frac{1}{a}$$
$$= 5^2 - 2 + 5 = 28$$

◀》 Lecture

곱셈 공식의 변형
(1) $a^2 + \dfrac{1}{a^2} = \left(a + \dfrac{1}{a}\right)^2 - 2 = \left(a - \dfrac{1}{a}\right)^2 + 2$
(2) $\left(a + \dfrac{1}{a}\right)^2 = \left(a - \dfrac{1}{a}\right)^2 + 4, \ \left(a - \dfrac{1}{a}\right)^2 = \left(a + \dfrac{1}{a}\right)^2 - 4$

03 **Action** 주어진 이차방정식에 $x = 2$를 대입하여 상수 a의 값을 구한다.

(1) 주어진 이차방정식에 $x = 2$를 대입하면
$$4(a-1) - 2(a^2 + 1) + 2(a+1) = 0$$
$$4a - 4 - 2a^2 - 2 + 2a + 2 = 0, \ -2a^2 + 6a - 4 = 0$$
$$a^2 - 3a + 2 = 0, \ (a-1)(a-2) = 0$$
$$\therefore a = 1 \ \text{또는} \ a = 2$$
그런데 $a = 1$이면 주어진 방정식은 $-2x + 4 = 0$이므로 이차방정식이 되지 않는다. $\qquad \therefore a = 2$
(2) 주어진 이차방정식에 $a = 2$를 대입하면
$$x^2 - 5x + 6 = 0, \ (x-2)(x-3) = 0$$
$$\therefore x = 2 \ \text{또는} \ x = 3$$
따라서 다른 한 근은 $x = 3$이다.

04 **Action** 이차방정식 $x^2 + ax + b = 0$이 중근을 가질 조건은 $b = \left(\dfrac{a}{2}\right)^2$임을 이용한다.

한 개의 주사위를 두 번 던질 때 일어나는 모든 경우의 수는 $6 \times 6 = 36$
$x^2 + ax + b = 0$이 중근을 가지려면 $b = \left(\dfrac{a}{2}\right)^2$, 즉 $a^2 = 4b$이어야 한다.
이를 만족하는 순서쌍 (a, b)는 $(2, 1), (4, 4)$의 2가지
따라서 구하는 확률은 $\dfrac{2}{36} = \dfrac{1}{18}$

05 **Action** 이차방정식 $2x^2 + x - 15 = 0$의 두 근을 각각 이차방정식 $x^2 - 3x + k = 0$에 대입하여 조건에 맞는 상수 k의 값을 구한다.

$2x^2 + x - 15 = 0$에서 $(x+3)(2x-5) = 0$
$$\therefore x = -3 \ \text{또는} \ x = \frac{5}{2}$$
$x^2 - 3x + k = 0$과 공통인 근이
(i) $x = -3$일 때,
$$(-3)^2 - 3 \times (-3) + k = 0$$
$$9 + 9 + k = 0 \qquad \therefore k = -18$$

(ii) $x=\dfrac{5}{2}$일 때,

$$\left(\dfrac{5}{2}\right)^2-3\times\dfrac{5}{2}+k=0$$

$$\dfrac{25}{4}-\dfrac{15}{2}+k=0 \qquad \therefore k=\dfrac{5}{4}$$

그런데 $k>0$이므로 (i), (ii)에 의하여 $k=\dfrac{5}{4}$

06 **Action** $\langle x\rangle$에 대한 이차방정식을 인수분해를 이용하여 푼다.

$\langle x\rangle^2+\langle x\rangle-6=0$에서 $(\langle x\rangle-2)(\langle x\rangle+3)=0$

$\therefore \langle x\rangle=2$ 또는 $\langle x\rangle=-3$

그런데 $\langle x\rangle>0$이므로 $\langle x\rangle=2$

즉 자연수 x의 약수의 개수가 2이므로 x는 소수이다.

따라서 20보다 작은 소수는 2, 3, 5, 7, 11, 13, 17, 19의 8개이다.

07 **Action** 제곱근을 이용하여 이차방정식을 푼다.

$5(x-3)^2=a$에서 $(x-3)^2=\dfrac{a}{5}$

$x-3=\pm\sqrt{\dfrac{a}{5}} \qquad \therefore x=3\pm\sqrt{\dfrac{a}{5}}$

두 근의 차가 1이어야 하므로

$$\left(3+\sqrt{\dfrac{a}{5}}\right)-\left(3-\sqrt{\dfrac{a}{5}}\right)=1$$

$2\sqrt{\dfrac{a}{5}}=1$에서 $\sqrt{\dfrac{a}{5}}=\dfrac{1}{2}$

양변을 제곱하면 $\dfrac{a}{5}=\dfrac{1}{4} \qquad \therefore a=\dfrac{5}{4}$

08 **Action** 완전제곱식을 이용하여 해를 구한 후 주어진 해와 비교하여 미지수의 값을 구한다.

$x^2+ax+b=0$에서 $x^2+ax=-b$

$x^2+ax+\dfrac{a^2}{4}=-b+\dfrac{a^2}{4},\ \left(x+\dfrac{a}{2}\right)^2=\dfrac{a^2-4b}{4}$

$x+\dfrac{a}{2}=\pm\dfrac{\sqrt{a^2-4b}}{2} \qquad \therefore x=-\dfrac{a}{2}\pm\dfrac{\sqrt{a^2-4b}}{2}$ $\cdots$ 40%

따라서 $-\dfrac{a}{2}=3$에서 $a=-6$ $\cdots\cdots$ 30%

$\dfrac{\sqrt{a^2-4b}}{2}=2\sqrt5$에서 $\sqrt{(-6)^2-4b}=4\sqrt5$

양변을 제곱하면 $36-4b=80$

$-4b=44 \qquad \therefore b=-11$ $\cdots\cdots$ 30%

09 **Action** 이차방정식의 해가 모두 유리수가 되려면 근의 공식에서 근호 안의 수가 0 또는 어떤 수의 제곱의 꼴이어야 한다.

$2x^2-3x+a-4=0$에서

$x=\dfrac{-(-3)\pm\sqrt{(-3)^2-4\times2\times(a-4)}}{2\times2}$

$=\dfrac{3\pm\sqrt{41-8a}}{4}$

이때 해가 모두 유리수가 되려면 $41-8a$는 0 또는 41보다 작은 제곱수이어야 한다.

즉 $41-8a=0, 1, 4, 9, 16, 25, 36$이므로

$a=\dfrac{41}{8}, 5, \dfrac{37}{8}, 4, \dfrac{25}{8}, 2, \dfrac{5}{8}$

따라서 자연수 a는 5, 4, 2이므로 구하는 합은

$5+4+2=11$

10 **Action** $x-y=A$로 치환한 후 A에 대한 이차방정식을 먼저 푼다.

$x-y=A$로 치환하면

$A^2-3A-10=0,\ (A+2)(A-5)=0$

$\therefore A=-2$ 또는 $A=5$ $\cdots\cdots$ 40%

$\therefore x-y=-2$ 또는 $x-y=5$

그런데 $x<y$, 즉 $x-y<0$이므로 $x-y=-2$ $\cdots\cdots$ 20%

따라서 $x-y=-2,\ xy=4$이므로

$x^2+y^2=(x-y)^2+2xy$

$\qquad\quad =(-2)^2+2\times4=12$ $\cdots\cdots$ 40%

11 **Action** $x+2y=A$로 치환한 후 A에 대한 이차방정식을 먼저 푼다.

$x+2y=A$로 치환하면 $(A-1)(A+3)-12=0$

$A^2+2A-15=0,\ (A-3)(A+5)=0$

$\therefore A=3$ 또는 $A=-5$

$\therefore x+2y=3$ 또는 $x+2y=-5$

그런데 x, y는 양수이므로 $x+2y=3$

따라서 $x+2y=3, 2x-y=1$을 연립하여 풀면

$x=1, y=1$

12 **Action** 공통부분이 나오도록 주어진 방정식의 좌변을 적당히 묶어 전개한다.

$(x+1)(x+3)(x-2)(x-4)+21=0$에서

$\{(x+1)(x-2)\}\{(x+3)(x-4)\}+21=0$

$(x^2-x-2)(x^2-x-12)+21=0$

$x^2-x=A$로 치환하면 $(A-2)(A-12)+21=0$

$A^2-14A+45=0,\ (A-5)(A-9)=0$

$\therefore A=5$ 또는 $A=9$

(i) $A=5$, 즉 $x^2-x=5$에서 $x^2-x-5=0$

$\therefore x=\dfrac{-(-1)\pm\sqrt{(-1)^2-4\times1\times(-5)}}{2\times1}$

$\qquad =\dfrac{1\pm\sqrt{21}}{2}$

(ii) $A=9$, 즉 $x^2-x=9$에서 $x^2-x-9=0$

$\therefore x=\dfrac{-(-1)\pm\sqrt{(-1)^2-4\times1\times(-9)}}{2\times1}$

$\qquad =\dfrac{1\pm\sqrt{37}}{2}$

(i), (ii)에 의하여 $x=\dfrac{1\pm\sqrt{21}}{2}$ 또는 $x=\dfrac{1\pm\sqrt{37}}{2}$

01 2　　　　**02** 4　　　　**03** 0

04 $x=-2\pm\sqrt{6}$　　**05** $-\dfrac{5}{2}$　　**06** $-2,6$

01 [Action] 주어진 이차방정식에 $x=a$를 대입한 후 $a-\dfrac{1}{a}$의 꼴이 나오도록 변형한다.

주어진 이차방정식에 $x=a$를 대입하면

$4a^2-(3k+2)a-4=0$

$a\neq0$이므로 양변을 a로 나누면

$4a-(3k+2)-\dfrac{4}{a}=0$

$4\left(a-\dfrac{1}{a}\right)=3k+2,\ a-\dfrac{1}{a}=\dfrac{3k+2}{4}$

따라서 $k=\dfrac{3k+2}{4}$이므로 $4k=3k+2$　　$\therefore k=2$

02 [Action] 주어진 일차함수의 식에 지나는 점의 좌표를 대입하여 a에 대한 이차방정식을 세운다.

$y=ax+4$의 그래프가 점 $(7-a, a^2)$을 지나므로

$a^2=a(7-a)+4,\ a^2=7a-a^2+4$

$2a^2-7a-4=0,\ (a-4)(2a+1)=0$

$\therefore a=4$ 또는 $a=-\dfrac{1}{2}$

이때 일차함수의 그래프가 제4사분면을 지나지 않으려면

(기울기)>0, (y절편)≥0이어야 하므로 $a>0$이어야 한다.

$\therefore a=4$

03 [Action] 약속에 따라 방정식의 좌변을 정리한 후 두 근 α,β를 구한다.

$(x+1)\bigstar(x-3)=x+1-(x-3)+(x+1)(x-3)$

$\qquad\qquad\qquad\quad=x+1-x+3+x^2-2x-3$

$\qquad\qquad\qquad\quad=x^2-2x+1$　　　　 …… 30%

즉 $(x+1)\bigstar(x-3)=4$에서 $x^2-2x+1=4$

$x^2-2x-3=0,\ (x+1)(x-3)=0$

$\therefore x=-1$ 또는 $x=3$

이때 $\alpha<\beta$이므로 $\alpha=-1,\ \beta=3$　 …… 30%

따라서 $4\alpha+\beta=-4+3=-1$이므로

$4\alpha+\beta+(4\alpha+\beta)^2+(4\alpha+\beta)^3+\cdots+(4\alpha+\beta)^{2020}$

$=-1+(-1)^2+(-1)^3+\cdots+(-1)^{2020}$

$=-1+1-1+\cdots+1=0$　　　　 …… 40%

04 [Action] $\dfrac{7}{3+\sqrt{2}}$의 분모를 유리화한 후 주어진 수의 정수 부분과 소수 부분을 구한다.

$\dfrac{7}{3+\sqrt{2}}=\dfrac{7(3-\sqrt{2})}{(3+\sqrt{2})(3-\sqrt{2})}=3-\sqrt{2}$

이때 $1<\sqrt{2}<2$에서 $-2<-\sqrt{2}<-1$이므로

$1<3-\sqrt{2}<2$

$\therefore a=1,\ b=(3-\sqrt{2})-1=2-\sqrt{2}$

주어진 이차방정식에 $a=1,\ b=2-\sqrt{2}$를 대입하면

$x^2+(2+2-\sqrt{2}+\sqrt{2})x-(2+\sqrt{2})(2-\sqrt{2})=0$

$x^2+4x-2=0$

$\therefore x=-2\pm\sqrt{2^2-1\times(-2)}=-2\pm\sqrt{6}$

05 [Action] 잘못 구한 두 근과 근의 공식을 이용하여 옳은 두 근을 구한다.

잘못 구한 두 근이 $-2, 7$이므로

$-2=\dfrac{b-\sqrt{b^2-4ac}}{a},\ 7=\dfrac{b+\sqrt{b^2-4ac}}{a}$

한편 이차방정식 $ax^2+bx+c=0$의 근의 공식은

$x=\dfrac{-b\pm\sqrt{b^2-4ac}}{2a}$이므로

$\dfrac{-b+\sqrt{b^2-4ac}}{2a}=\dfrac{-(b-\sqrt{b^2-4ac})}{2\times a}$

$\qquad\qquad\qquad\quad=-\dfrac{1}{2}\times\dfrac{b-\sqrt{b^2-4ac}}{a}$

$\qquad\qquad\qquad\quad=-\dfrac{1}{2}\times(-2)=1$

$\dfrac{-b-\sqrt{b^2-4ac}}{2a}=\dfrac{-(b+\sqrt{b^2-4ac})}{2\times a}$

$\qquad\qquad\qquad\quad=-\dfrac{1}{2}\times\dfrac{b+\sqrt{b^2-4ac}}{a}$

$\qquad\qquad\qquad\quad=-\dfrac{1}{2}\times7=-\dfrac{7}{2}$

따라서 바르게 구한 두 근은 $1, -\dfrac{7}{2}$이므로

구하는 합은 $1+\left(-\dfrac{7}{2}\right)=-\dfrac{5}{2}$

06 [Action] 주어진 방정식에 $x=a$를 대입한 후 양변을 a^2으로 나눈다.

주어진 방정식에 $x=a$를 대입하면

$a^4-4a^3-10a^2-4a+1=0$

$a\neq0$이므로 양변을 a^2으로 나누면

$a^2-4a-10-\dfrac{4}{a}+\dfrac{1}{a^2}=0$

$\left(a^2+\dfrac{1}{a^2}\right)-4\left(a+\dfrac{1}{a}\right)-10=0$

$\left\{\left(a+\dfrac{1}{a}\right)^2-2\right\}-4\left(a+\dfrac{1}{a}\right)-10=0$

$\therefore \left(a+\dfrac{1}{a}\right)^2-4\left(a+\dfrac{1}{a}\right)-12=0$

$a+\dfrac{1}{a}=A$로 치환하면 $A^2-4A-12=0$

$(A+2)(A-6)=0$　　$\therefore A=-2$ 또는 $A=6$

$\therefore a+\dfrac{1}{a}=-2$ 또는 $a+\dfrac{1}{a}=6$

2. 이차방정식의 활용

**최고
수준** 입문하기　　　　　　　　　　℗ 75 - ℗ 79

01 ③	**02** 21	**03** $x=\dfrac{5\pm\sqrt{41}}{2}$	
04 ⑤	**05** ⑤	**06** $\dfrac{5}{3}$	**07** ㉢
08 -8	**09** $x=\dfrac{1\pm\sqrt{17}}{4}$		**10** 2
11 3	**12** 8	**13** 5	
14 $2x^2-24x+70=0$		**15** $x^2-2x-4=0$	
16 ⑤	**17** 21	**18** 360	**19** 24
20 $x=1$ 또는 $x=5$		**21** 5세	**22** 14
23 (1) 2초 후 (2) 5초 후		**24** 6초	**25** 7 cm
26 4 cm	**27** 18 cm²	**28** 3	**29** 17 cm
30 12초 후			

01 **Action** 이차방정식 $ax^2+bx+c=0$의 근의 개수는 b^2-4ac의 값의 부호에 따라 결정된다.

① $(-2)^2-4\times1\times(-4)=20>0$이므로 서로 다른 두 근을 갖는다.

② $(-5)^2-4\times2\times3=1>0$이므로 서로 다른 두 근을 갖는다.

③ $1^2-4\times2\times6=-47<0$이므로 근이 없다.

④ $(-4)^2-4\times3\times(-1)=28>0$이므로 서로 다른 두 근을 갖는다.

⑤ $10^2-4\times3\times(-5)=160>0$이므로 서로 다른 두 근을 갖는다.

따라서 근의 개수가 나머지 넷과 다른 하나는 ③이다.

◀» Lecture

이차방정식의 근의 개수

이차방정식 $ax^2+bx+c=0$에서

① $b^2-4ac>0$ ➡ 근이 2개

② $b^2-4ac=0$ ➡ 근이 1개(중근)

③ $b^2-4ac<0$ ➡ 근이 없다.

02 **Action** 이차방정식 $ax^2+bx+c=0$이 중근을 가질 조건은 $b^2-4ac=0$임을 이용하여 상수 m의 값을 구한다.

$4x^2+(m-1)x+m+4=0$이 중근을 가지므로

$(m-1)^2-4\times4\times(m+4)=0$

$m^2-2m+1-16m-64=0$, $m^2-18m-63=0$

$(m+3)(m-21)=0$　　∴ $m=-3$ 또는 $m=21$

그런데 $m>0$이므로 $m=21$

03 **Action** 이차방정식 $kx^2-2x+2=0$이 중근을 가지는 상수 k의 값을 구한 후 이차방정식 $kx^2+(k-3)x-2=0$에 k의 값을 대입한다.

$kx^2-2x+2=0$이 중근을 가지므로

$(-2)^2-4\times k\times2=0$

$-8k=-4$　　∴ $k=\dfrac{1}{2}$　　　　…… 40%

$kx^2+(k-3)x-2=0$에 $k=\dfrac{1}{2}$을 대입하면

$\dfrac{1}{2}x^2-\dfrac{5}{2}x-2=0$　　　　　　　…… 30%

위 이차방정식의 양변에 2를 곱하면

$x^2-5x-4=0$

∴ $x=\dfrac{-(-5)\pm\sqrt{(-5)^2-4\times1\times(-4)}}{2\times1}$

　　$=\dfrac{5\pm\sqrt{41}}{2}$　　　　　　　　　…… 30%

04 **Action** 이차방정식 $ax^2+bx+c=0$이 근을 가질 조건은 $b^2-4ac\geq0$임을 이용한다.

$x^2+2x-k+2=0$이 근을 가지므로

$2^2-4\times1\times(-k+2)\geq0$

$4k-4\geq0$, $4k\geq4$　　∴ $k\geq1$

05 **Action** 이차방정식 $ax^2+bx+c=0$이 서로 다른 두 근을 가질 조건은 $b^2-4ac>0$임을 이용한다.

$(k+2)x^2+6x+3=0$이 서로 다른 두 근을 가지므로

$6^2-4\times(k+2)\times3>0$

$-12k+12>0$, $-12k>-12$　　∴ $k<1$

그런데 (x^2의 계수)$\neq0$이어야 하므로

$k+2\neq0$　　∴ $k\neq-2$

따라서 구하는 k의 값의 범위는

$k<-2$ 또는 $-2<k<1$

◀» Lecture

이차방정식이 되는 조건

방정식 $ax^2+bx+c=0$이 이차방정식이 되려면 $a\neq0$이어야 한다.

06 **Action** 이차방정식의 계수를 정수로 바꾼 후 근과 계수의 관계를 이용한다.

$\dfrac{1}{2}x^2-\dfrac{2}{3}x-\dfrac{1}{6}=0$의 양변에 분모의 최소공배수 6을 곱하면 $3x^2-4x-1=0$

따라서 $A=-\dfrac{-4}{3}=\dfrac{4}{3}$, $B=-\dfrac{1}{3}$이므로

$A-B=\dfrac{4}{3}-\left(-\dfrac{1}{3}\right)=\dfrac{5}{3}$

다른 풀이

$\dfrac{1}{2}x^2-\dfrac{2}{3}x-\dfrac{1}{6}=0$의 양변에 6을 곱하면

$3x^2-4x-1=0$

$$\therefore x = \frac{-(-2) \pm \sqrt{(-2)^2 - 3 \times (-1)}}{3} = \frac{2 \pm \sqrt{7}}{3}$$

즉 주어진 이차방정식의 두 근이 $\dfrac{2+\sqrt{7}}{3}, \dfrac{2-\sqrt{7}}{3}$ 이므로

$$A = \frac{2+\sqrt{7}}{3} + \frac{2-\sqrt{7}}{3} = \frac{4}{3}$$

$$B = \frac{2+\sqrt{7}}{3} \times \frac{2-\sqrt{7}}{3} = -\frac{1}{3}$$

$$\therefore A - B = \frac{4}{3} - \left(-\frac{1}{3}\right) = \frac{5}{3}$$

07 **Action** 이차방정식의 근과 계수의 관계를 이용하여 두 근의 합과 곱을 구한 후 곱셈 공식의 변형을 이용하여 식의 값을 구한다.

$x^2 - 4x + 2 = 0$ 에서 $\alpha + \beta = 4$, $\alpha\beta = 2$

$\bigcirc$ $\alpha^2 + \beta^2 = (\alpha+\beta)^2 - 2\alpha\beta$
$\qquad = 4^2 - 2 \times 2 = 16 - 4 = 12$

$\bigcirc$ $(\alpha-\beta)^2 = (\alpha+\beta)^2 - 4\alpha\beta$
$\qquad = 4^2 - 4 \times 2 = 16 - 8 = 8$

$\bigcirc$ $\dfrac{1}{\alpha} + \dfrac{1}{\beta} = \dfrac{\alpha+\beta}{\alpha\beta} = \dfrac{4}{2} = 2$

$\bigcirc$ $\dfrac{\beta}{\alpha} + \dfrac{\alpha}{\beta} = \dfrac{\alpha^2+\beta^2}{\alpha\beta} = \dfrac{(\alpha+\beta)^2 - 2\alpha\beta}{\alpha\beta}$
$\qquad = \dfrac{4^2 - 2 \times 2}{2} = \dfrac{12}{2} = 6$

따라서 구한 식의 값이 옳지 않은 것은 ㉣이다.

✎ Lecture

곱셈 공식의 변형
① $a^2 + b^2 = (a+b)^2 - 2ab = (a-b)^2 + 2ab$
② $(a+b)^2 = (a-b)^2 + 4ab$
$\quad (a-b)^2 = (a+b)^2 - 4ab$

08 **Action** 이차방정식의 근과 계수의 관계를 이용하여 a, b의 값을 각각 구한다.

$x^2 - 2x - 6 = 0$의 두 근의 합이 2, 두 근의 곱이 -6이므로
$x^2 + ax + b = 0$의 두 근은 $2, -6$이다.
$2 + (-6) = -a$에서 $a = 4$
$2 \times (-6) = b$에서 $b = -12$
$\therefore a + b = 4 + (-12) = -8$

09 **Action** $x^2 + ax + b = 0$에서 근과 계수의 관계를 이용하여 a, b의 값을 각각 구한 후 $bx^2 - ax + 2 = 0$에 각각 대입하여 해를 구한다.

$x^2 + ax + b = 0$의 두 근이 $-1, 2$이므로
$-1 + 2 = -a$에서 $a = -1$
$-1 \times 2 = b$에서 $b = -2$
$bx^2 - ax + 2 = 0$에 $a = -1$, $b = -2$를 대입하면
$-2x^2 + x + 2 = 0$, 즉 $2x^2 - x - 2 = 0$

$$\therefore x = \frac{-(-1) \pm \sqrt{(-1)^2 - 4 \times 2 \times (-2)}}{2 \times 2} = \frac{1 \pm \sqrt{17}}{4}$$

10 **Action** 이차방정식의 두 근의 차가 2이므로 두 근을 $\alpha, \alpha+2$로 놓고 근과 계수의 관계를 이용한다.

$2x^2 + 8x + 3k = 0$의 두 근을 $\alpha, \alpha+2$라고 하면
$\alpha + (\alpha+2) = -\dfrac{8}{2} = -4$에서
$2\alpha + 2 = -4$, $2\alpha = -6$ $\quad \therefore \alpha = -3$
따라서 $2x^2 + 8x + 3k = 0$의 두 근이 $-3, -1$이므로
$-3 \times (-1) = \dfrac{3k}{2}$, $3k = 6$ $\quad \therefore k = 2$

11 **Action** 두 근의 비가 $3 : 4$이므로 두 근을 $3\alpha, 4\alpha$로 놓고 근과 계수의 관계를 이용한다.

$x^2 - (2k+1)x + 4k = 0$의 두 근을 $3\alpha, 4\alpha$라고 하면
$3\alpha + 4\alpha = 2k+1$에서 $7\alpha = 2k+1$ $\quad\cdots\cdots$ $\bigcirc$
$3\alpha \times 4\alpha = 4k$에서 $k = 3\alpha^2$ $\quad\cdots\cdots$ $\bigcirc$
$\bigcirc$에 $\bigcirc$을 대입하면
$7\alpha = 2 \times 3\alpha^2 + 1$, $6\alpha^2 - 7\alpha + 1 = 0$
$(\alpha-1)(6\alpha-1) = 0$ $\quad \therefore \alpha = 1$ 또는 $\alpha = \dfrac{1}{6}$

$\therefore k = 3$ 또는 $k = \dfrac{1}{12}$
그런데 k는 정수이므로 $k = 3$

12 **Action** 이차방정식의 한 근이 $5+\sqrt{2}$이므로 다른 한 근은 $5-\sqrt{2}$임을 이용하여 m의 값을 구한다.

$x^2 - (m+2)x + 23 = 0$의 한 근이 $5+\sqrt{2}$이므로 다른 한 근은 $5-\sqrt{2}$이다.
$(5+\sqrt{2}) + (5-\sqrt{2}) = m+2$에서
$10 = m+2$ $\quad \therefore m = 8$

13 **Action** x^2의 계수가 k이고 중근 α를 갖는 이차방정식은 $k(x-\alpha)^2 = 0$임을 이용하여 a, b의 값을 각각 구한다.

x^2의 계수가 3이고 중근 -1을 갖는 이차방정식은
$3(x+1)^2 = 0$ $\quad \therefore 3x^2 + 6x + 3 = 0$
따라서 $a = 6$, $b = -1$이므로
$a + b = 6 + (-1) = 5$

14 **Action** 이차방정식이 중근을 가질 조건을 이용하여 상수 k의 값을 구한 후 조건을 만족하는 이차방정식을 구한다.

$x^2 - 6x + 2k - 1 = 0$이 중근을 가지므로
$(-6)^2 - 4 \times 1 \times (2k-1) = 0$
$-8k + 40 = 0$, $-8k = -40$ $\quad \therefore k = 5$
따라서 $5, 7$을 두 근으로 하고 x^2의 계수가 2인 이차방정식은
$2(x-5)(x-7) = 0$, 즉 $2x^2 - 24x + 70 = 0$

15 **Action** 이차방정식의 한 근이 $1+\sqrt{5}$이면 다른 한 근은 $1-\sqrt{5}$임을 이용하여 두 근의 합과 곱을 구한다.

한 근이 $1+\sqrt{5}$이면 다른 한 근은 $1-\sqrt{5}$이므로

(두 근의 합)$=(1+\sqrt{5})+(1-\sqrt{5})=2$

(두 근의 곱)$=(1+\sqrt{5})(1-\sqrt{5})=-4$

따라서 x^2의 계수가 1인 이차방정식은

$x^2-2x-4=0$

16 `Action` n각형의 대각선의 개수를 구하는 식을 이용하여 이차방정식을 세운다.

$\dfrac{n(n-3)}{2}=77$이므로 $n^2-3n-154=0$

$(n+11)(n-14)=0$ ∴ $n=-11$ 또는 $n=14$

그런데 $n>3$이므로 $n=14$

따라서 구하는 다각형은 십사각형이다.

17 `Action` n명의 사람이 악수하는 횟수를 구하는 식을 이용하여 이차방정식을 세운다.

$\dfrac{n(n-1)}{2}=210$이므로 $n^2-n-420=0$

$(n+20)(n-21)=0$ ∴ $n=-20$ 또는 $n=21$

그런데 $n>1$이므로 $n=21$

따라서 이 동호회의 회원 수는 21이다.

18 `Action` 연속하는 두 짝수를 $x, x+2$로 놓고 조건에 맞는 이차방정식을 세운다.

연속하는 두 짝수를 $x, x+2$라고 하면

$x^2+(x+2)^2=724$ ······ **40%**

$x^2+2x-360=0, (x-18)(x+20)=0$

∴ $x=18$ 또는 $x=-20$

그런데 x는 짝수이므로 $x=18$ ······ **40%**

따라서 구하는 두 수의 곱은

$18\times20=360$ ······ **20%**

19 `Action` 십의 자리의 숫자가 a, 일의 자리의 숫자가 b인 두 자리 자연수는 $10a+b$임을 이용한다.

조건 (가)에서 십의 자리의 숫자를 x라고 하면 일의 자리의 숫자는 $6-x$이다.

조건 (나)에서 $x(6-x)=10x+(6-x)-16$

$x^2+3x-10=0, (x-2)(x+5)=0$

∴ $x=2$ 또는 $x=-5$

그런데 x는 자연수이므로 $x=2$

따라서 십의 자리의 숫자는 2, 일의 자리의 숫자는 4이므로 구하는 두 자리 자연수는 24이다.

20 `Action` 수민이는 x의 계수를 잘못 보았으므로 상수항을 바르게 보았고, 동완이는 상수항을 잘못 보았으므로 x의 계수를 바르게 보았다.

x^2의 계수가 1이고 두 근이 $-5, -1$인 이차방정식은

$(x+5)(x+1)=0$, 즉 $x^2+6x+5=0$

이때 수민이는 상수항을 바르게 보았으므로

(상수항)$=5$ ······ **35%**

x^2의 계수가 1이고 두 근이 2, 4인 이차방정식은

$(x-2)(x-4)=0$, 즉 $x^2-6x+8=0$

이때 동완이는 x의 계수를 바르게 보았으므로

(x의 계수)$=-6$ ······ **35%**

따라서 처음 이차방정식은 $x^2-6x+5=0$이므로

$(x-1)(x-5)=0$ ∴ $x=1$ 또는 $x=5$ ······ **30%**

[다른 풀이]

수민이는 상수항을 바르게 보았으므로

(상수항)$=-5\times(-1)=5$ ······ **35%**

동완이는 x의 계수를 바르게 보았으므로

(x의 계수)$=-(2+4)=-6$ ······ **35%**

따라서 처음 이차방정식은 $x^2-6x+5=0$이므로

$(x-1)(x-5)=0$ ∴ $x=1$ 또는 $x=5$ ······ **30%**

21 `Action` 동생의 나이를 x세라고 하면 형의 나이는 $(x+3)$세이다.

동생의 나이를 x세라고 하면 형의 나이는 $(x+3)$세이므로

$(x+3)^2=3x^2-11$

$x^2-3x-10=0, (x+2)(x-5)=0$

∴ $x=-2$ 또는 $x=5$

그런데 x는 자연수이므로 $x=5$

따라서 동생의 나이는 5세이다.

22 `Action` 전체 학생 수를 x라고 하면 한 학생에게 나누어주는 사탕의 수는 $(x+4)$이다.

전체 학생 수를 x라고 하면 한 학생에게 나누어주는 사탕의 수는 $(x+4)$이므로

$x(x+4)=252$

$x^2+4x-252=0, (x-14)(x+18)=0$

∴ $x=14$ 또는 $x=-18$

그런데 x는 자연수이므로 $x=14$

따라서 전체 학생 수는 14이다.

23 `Action` (2) 물체가 바닥에 떨어질 때의 높이는 0 m이다.

(1) $25t-5t^2=30$에서 $t^2-5t+6=0$

   $(t-2)(t-3)=0$ ∴ $t=2$ 또는 $t=3$

   따라서 처음으로 높이가 30 m가 되는 것은 2초 후이다.

(2) 물체가 바닥에 떨어질 때의 높이는 0 m이므로

   $25t-5t^2=0$에서 $t^2-5t=0$

   $t(t-5)=0$ ∴ $t=0$ 또는 $t=5$

   그런데 $t>0$이므로 $t=5$

   따라서 물체가 바닥에 떨어지는 것은 5초 후이다.

24 　**Action** 물체가 $35\,m$ 이상의 높이에 머무르는 시간은 이차방정식
$40t-5t^2=35$의 두 근의 차임을 이용한다.
$40t-5t^2=35$에서 $t^2-8t+7=0$
$(t-1)(t-7)=0$ 　　∴ $t=1$ 또는 $t=7$
따라서 물체가 $35\,m$ 이상의 높이에 머무르는 것은 1초부터
7초까지이므로 $7-1=6$(초) 동안이다.

25 　**Action** 큰 정사각형의 한 변의 길이를 $x\,cm$로 놓는다.
큰 정사각형의 한 변의 길이를 $x\,cm$라고 하면 작은 정사각
형의 한 변의 길이는 $(10-x)\,cm$이므로
$x^2+(10-x)^2=58$
$x^2-10x+21=0,\ (x-3)(x-7)=0$
∴ $x=3$ 또는 $x=7$
그런데 $x>5$이므로 $x=7$
따라서 큰 정사각형의 한 변의 길이는 $7\,cm$이다.

26 　**Action** 가장 작은 반원의 반지름의 길이를 $x\,cm$로 놓는다.
가장 작은 반원의 반지름의 길이를 $x\,cm$라고 하면 두 번째
로 큰 반원의 반지름의 길이는
$\dfrac{1}{2}(20-2x)=10-x\ (cm)$
이때 색칠한 부분의 넓이가 $24\pi\,cm^2$이므로
$\dfrac{1}{2}\pi\times10^2-\dfrac{1}{2}\pi(10-x)^2-\dfrac{1}{2}\pi x^2=24\pi$
$x^2-10x+24=0,\ (x-4)(x-6)=0$
∴ $x=4$ 또는 $x=6$
그런데 $0<x<5$이므로 $x=4$
따라서 가장 작은 반원의 반지름의 길이는 $4\,cm$이다.

27 　**Action** 처음 삼각형의 밑변의 길이를 $x\,cm$로 놓는다.
처음 삼각형의 밑변의 길이를 $x\,cm$라 하면
$\dfrac{1}{2}(x+3)(x+6)=3\times\dfrac{1}{2}x^2$
$2x^2-9x-18=0,\ (x-6)(2x+3)=0$
∴ $x=6$ 또는 $x=-\dfrac{3}{2}$
그런데 $x>0$이므로 $x=6$
따라서 처음 삼각형의 밑변의 길이는 $6\,cm$이므로 구하는 넓
이는
$\dfrac{1}{2}\times6^2=18\ (cm^2)$

28 　**Action** 길의 폭을 일정하게 유지시키며 길의 위치를 옮겨 본다.
길을 제외한 텃밭의 넓이는
가로의 길이가 $(28-x)\,m$,
세로의 길이가 $(20-x)\,m$인
직사각형의 넓이와 같으므로

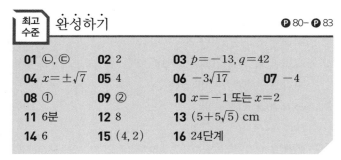

$(28-x)(20-x)=425$
$x^2-48x+135=0,\ (x-3)(x-45)=0$
∴ $x=3$ 또는 $x=45$
그런데 $x<20$이므로 $x=3$

29 　**Action** 처음 정사각형 모양의 종이의 한 변의 길이를 $x\,cm$로 놓는다.
처음 정사각형 모양의 종이의 한 변의 길이를 $x\,cm$라고 하면
$4(x-8)^2=324$
$(x-8)^2=81,\ x-8=\pm9$
∴ $x=-1$ 또는 $x=17$
그런데 $x>8$이므로 $x=17$
따라서 처음 정사각형 모양의 종이의 한 변의 길이는 $17\,cm$
이다.

30 　**Action** x초 후의 직사각형의 가로와 세로의 길이를 각각 x에 대한
식으로 나타내어 본다.
x초 후의 가로의 길이는 $(20-x)\,cm$, 세로의 길이는
$(16+2x)\,cm$이므로
$(20-x)(16+2x)=20\times16$
$x^2-12x=0,\ x(x-12)=0$
∴ $x=0$ 또는 $x=12$
그런데 $0<x<20$이므로 $x=12$
따라서 처음 직사각형의 넓이와 같아지는 것은 12초 후이다.

최고수준 **완성하기** 　　　　　　 **P** 80- **P** 83

01 ⓛ, ⓒ	**02** 2	**03** $p=-13,\ q=42$
04 $x=\pm\sqrt{7}$	**05** 4	**06** $-3\sqrt{17}$ 　 **07** -4
08 ①	**09** ②	**10** $x=-1$ 또는 $x=2$
11 6분	**12** 8	**13** $(5+5\sqrt{5})\,cm$
14 6	**15** $(4,2)$	**16** 24단계

01 　**Action** 주어진 이차방정식의 a에 각 보기의 값을 대입하여 이차방정
식의 근의 개수를 확인한다.
㉠ $3x^2+2x-5=0$에서 $(x-1)(3x+5)=0$
　∴ $x=1$ 또는 $x=-\dfrac{5}{3}$
　따라서 두 근 중 한 근만 양수이다.
㉡ $3x^2+2x-2=0$에서 $2^2-4\times3\times(-2)=28>0$이므로
　서로 다른 두 근을 갖는다.
㉢ $3x^2+2x+\dfrac{1}{3}=0$, 즉 $9x^2+6x+1=0$이므로
　$(3x+1)^2=0$ 　　∴ $x=-\dfrac{1}{3}$
　따라서 음수인 중근을 갖는다.

㉣ $3x^2+2x+a=0$이 근을 갖지 않으려면 $2^2-4\times3\times a<0$ 이어야 한다.

$4-12a<0$에서 $-12a<-4$ $\therefore a>\dfrac{1}{3}$

따라서 $a>\dfrac{1}{3}$이면 근을 갖지 않는다.

따라서 옳은 것은 ㉡, ㉢이다.

Lecture

이차방정식의 근의 개수
이차방정식 $ax^2+bx+c=0$에서
(1) $b^2-4ac>0$ ➡ 근이 2개
(2) $b^2-4ac=0$ ➡ 근이 1개(중근)
(3) $b^2-4ac<0$ ➡ 근이 없다.

02 Action 이차방정식 $ax^2+bx+c=0$의 근의 개수는 b^2-4ac의 값의 부호에 따라 결정됨을 이용한다. 이때 이차방정식이 되려면 (x^2의 계수)$\neq0$임에 주의한다.

$(k+1)x^2+3x-1=0$이 근을 가지므로
$3^2-4\times(k+1)\times(-1)\geq0$

$4k+13\geq0$, $4k\geq-13$ $\therefore k\geq-\dfrac{13}{4}$

그런데 (x^2의 계수)$\neq0$이어야 하므로
$k+1\neq0$ $\therefore k\neq-1$

$\therefore -\dfrac{13}{4}\leq k<-1$ 또는 $k>-1$

따라서 구하는 음의 정수 k는 -3, -2의 2개이다.

03 Action 두 근이 연속하는 양수이므로 두 근을 α, $\alpha+1$로 놓는다.
$x^2+px+q=0$의 두 근을 α, $\alpha+1$이라고 하면 두 근의 제곱의 차가 13이므로
$(\alpha+1)^2-\alpha^2=13$, $\alpha^2+2\alpha+1-\alpha^2=13$
$2\alpha+1=13$, $2\alpha=12$ $\therefore \alpha=6$
따라서 두 근이 6, 7이므로
$6+7=13=-p$ $\therefore p=-13$
$6\times7=42=q$

04 Action 두 근의 절댓값이 같고 부호가 서로 반대이므로 두 근을 α, $-\alpha$로 놓고 근과 계수의 관계를 이용한다.
$x^2-(k^2+3k-18)x+(k-1)=0$의 두 근을 α, $-\alpha$라고 하면 **10%**
$\alpha+(-\alpha)=k^2+3k-18$에서 $k^2+3k-18=0$
$(k-3)(k+6)=0$ $\therefore k=3$ 또는 $k=-6$ **40%**
(i) $k=3$일 때,
　$x^2+2=0$에서 $x^2=-2$ ➡ 근이 없다.
(ii) $k=-6$일 때,
　$x^2-7=0$에서 $x^2=7$ $\therefore x=\pm\sqrt{7}$

(i), (ii)에 의하여 조건을 만족하는 k의 값은 -6이고, 이때 두 근은 $x=\pm\sqrt{7}$이다. **50%**

05 Action 두 근의 곱이 -15이므로 곱해서 -15가 되는 두 정수를 순서쌍으로 나열해 본다.
$x^2+ax-15=0$의 두 근을 α, β라고 하면
$\alpha+\beta=-a$, $\alpha\beta=-15$
이때 $\alpha\beta=-15$를 만족하는 두 정수 α, β의 순서쌍 (α, β)는 $(1, -15)$, $(3, -5)$, $(5, -3)$, $(15, -1)$, $(-1, 15)$, $(-3, 5)$, $(-5, 3)$, $(-15, 1)$이므로 a의 값이 될 수 있는 수는 14, 2, -2, -14의 4개이다.

Lecture

이차방정식의 근과 계수의 관계
이차방정식 $ax^2+bx+c=0$의 두 근을 α, β라고 할 때
(1) $\alpha+\beta=-\dfrac{b}{a}$
(2) $\alpha\beta=\dfrac{c}{a}$

06 Action 약속에 따라 방정식의 좌변을 정리한 후 근과 계수의 관계와 인수분해 공식 $a^2-\beta^2=(\alpha+\beta)(\alpha-\beta)$를 이용한다.
$(x+3)*(x-2)=(x+3)(x-2)+2(x-2)-3$
$\qquad\qquad\qquad =x^2+x-6+2x-4-3$
$\qquad\qquad\qquad =x^2+3x-13$
즉 $x^2+3x-13=-11$에서 $x^2+3x-2=0$이므로
$\alpha+\beta=-3$, $\alpha\beta=-2$
$(\alpha-\beta)^2=(\alpha+\beta)^2-4\alpha\beta$
$\qquad\qquad =(-3)^2-4\times(-2)$
$\qquad\qquad =9+8=17$
$\therefore \alpha-\beta=\pm\sqrt{17}$
그런데 $\alpha>\beta$이므로 $\alpha-\beta=\sqrt{17}$
$\therefore \alpha^2-\beta^2=(\alpha+\beta)(\alpha-\beta)=-3\sqrt{17}$

07 Action $3<\sqrt{10}<4$임을 이용하여 $6-\sqrt{10}$의 정수 부분과 소수 부분을 각각 구한다.
$3<\sqrt{10}<4$이므로 $-4<-\sqrt{10}<-3$
$\therefore 2<6-\sqrt{10}<3$
따라서 $6-\sqrt{10}$의 정수 부분은 2이므로 $a=2$
소수 부분은 $(6-\sqrt{10})-2=4-\sqrt{10}$이므로 $b=4-\sqrt{10}$
이때 $b=4-\sqrt{10}$이 이차방정식 $ax^2+px+q=0$의 한 근이므로 다른 한 근은 $4+\sqrt{10}$이다.
$(4-\sqrt{10})+(4+\sqrt{10})=-\dfrac{p}{a}$에서
$8=-\dfrac{p}{2}$ $\therefore p=-16$

$(4-\sqrt{10})(4+\sqrt{10})=\dfrac{q}{a}$에서

$6=\dfrac{q}{2}$ $\therefore q=12$

$\therefore p+q=-16+12=-4$

08 **Action** 두 근의 합이 m, 곱이 n이고 x^2의 계수가 a인 이차방정식은 $a(x^2-mx+n)=0$임을 이용한다.

$x^2-7x+3=0$에서 $\alpha+\beta=7$, $\alpha\beta=3$이므로

$\dfrac{1}{\alpha}+\dfrac{1}{\beta}=\dfrac{\alpha+\beta}{\alpha\beta}=\dfrac{7}{3}$, $\dfrac{1}{\alpha}\times\dfrac{1}{\beta}=\dfrac{1}{\alpha\beta}=\dfrac{1}{3}$

따라서 구하는 이차방정식은

$x^2-\dfrac{7}{3}x+\dfrac{1}{3}=0$, 즉 $3x^2-7x+1=0$

09 **Action** 수련회에 가는 3일의 날짜는 연속하는 세 자연수이다.

수련회에 가는 날짜를 $(x-1)$일, x일, $(x+1)$일이라고 하면

$(x-1)^2+x^2+(x+1)^2=365$

$3x^2=363$, $x^2=121$ $\therefore x=\pm11$

그런데 $x>1$이므로 $x=11$

따라서 수련회의 출발 날짜는 6월 10일이다.

10 **Action** 민주는 상수항을 잘못 보았으므로 x의 계수를 바르게 보았고, 희경이는 x의 계수를 잘못 보았으므로 상수항을 바르게 보았다.

x^2의 계수가 1이고 두 근이 -2, 3인 이차방정식은

$(x+2)(x-3)=0$, 즉 $x^2-x-6=0$

이때 민주는 x의 계수를 바르게 보았으므로

(x의 계수)$=-1$

x^2의 계수가 1이고 두 근이 $-1\pm\sqrt{3}$인 이차방정식은

$\{x-(-1+\sqrt{3})\}\{x-(-1-\sqrt{3})\}=0$

즉 $x^2+2x-2=0$

이때 희경이는 상수항을 바르게 보았으므로

(상수항)$=-2$

따라서 처음 이차방정식은 $x^2-x-2=0$이므로

$(x+1)(x-2)=0$ $\therefore x=-1$ 또는 $x=2$

다른 풀이

민주는 x의 계수를 바르게 보았으므로

(x의 계수)$=-(-2+3)=-1$

희경이는 상수항을 바르게 보았으므로

(상수항)$=(-1+\sqrt{3})(-1-\sqrt{3})=-2$

따라서 처음 이차방정식은 $x^2-x-2=0$이므로

$(x+1)(x-2)=0$ $\therefore x=-1$ 또는 $x=2$

11 **Action** 먼저 $t=14$를 대입하여 호수 둘레의 길이를 구한다.

호수 둘레를 처음 한 바퀴 도는 데 14분이 걸렸으므로 호수 둘레의 길이는 $(14^2+14)\pi=210\pi$ (m)

두 바퀴 도는 데 움직인 거리는 $210\pi\times2=420\pi$ (m)이므로

$(t^2+t)\pi=420\pi$

$t^2+t-420=0$, $(t-20)(t+21)=0$

$\therefore t=20$ 또는 $t=-21$

그런데 $t>14$이므로 $t=20$

따라서 총 두 바퀴 도는 데 20분이 걸렸으므로 두 번째로 한 바퀴 도는 데 걸린 시간은 $20-14=6$(분)

12 **Action** $\triangle$ABC와 $\triangle$AED가 닮음임을 이용하여 $\overline{\text{AD}}$의 길이를 구한다.

$\triangle$ABC와 $\triangle$AED에서

$\angle$A는 공통, $\angle$ACB$=\angle$ADE이므로

$\triangle$ABC$\backsim\triangle$AED(AA 닮음)

$\overline{\text{AD}}=x$라고 하면 $\overline{\text{AB}}:\overline{\text{AE}}=\overline{\text{AC}}:\overline{\text{AD}}$에서

$(x+1):6=(6+6):x$

$x(x+1)=72$, $x^2+x-72=0$

$(x-8)(x+9)=0$ $\therefore x=8$ 또는 $x=-9$

그런데 $x>0$이므로 $x=8$

따라서 $\overline{\text{AD}}$의 길이는 8이다.

13 **Action** $\square$ABCD가 황금사각형이므로 $\square$ABCD$\backsim\square$DFEC임을 이용한다.

$\square$ABCD가 황금사각형이므로 정사각형 ABEF를 잘라내고 남은 $\square$DFEC와 $\square$ABCD는 서로 닮은 도형이다.

$\overline{\text{AD}}=x$ cm라고 하면 $\square$ABCD$\backsim\square$DFEC이므로

$\overline{\text{AB}}:\overline{\text{DF}}=\overline{\text{AD}}:\overline{\text{DC}}$에서 $10:(x-10)=x:10$

$x(x-10)=100$, $x^2-10x-100=0$

$\therefore x=-(-5)\pm\sqrt{(-5)^2-1\times(-100)}$

$=5\pm\sqrt{125}=5\pm5\sqrt{5}$

그런데 $x>0$이므로 $x=5+5\sqrt{5}$

따라서 $\overline{\text{AD}}$의 길이는 $(5+5\sqrt{5})$ cm이다.

Lecture

닮은 도형의 길이의 비

닮은 도형은 대응하는 변의 길이의 비가 일정하다.

14 **Action** $\overline{\text{AC}}\,/\!/\,\overline{\text{FG}}$, $\overline{\text{BC}}\,/\!/\,\overline{\text{DE}}$이므로 $\square$PGCE는 정사각형이고 $\triangle$FDP는 직각이등변삼각형임을 이용한다.

$\angle$C$=90°$, $\overline{\text{EC}}=\overline{\text{GC}}$, $\overline{\text{AC}}\,/\!/\,\overline{\text{FG}}$, $\overline{\text{BC}}\,/\!/\,\overline{\text{DE}}$이므로

$\square$PGCE는 정사각형이고 $\triangle$ADE, $\triangle$FBG, $\triangle$FDP는 모두 직각이등변삼각형이다.

$\overline{\text{GC}}=\overline{\text{EC}}=x$라고 하면 $\overline{\text{FG}}=\overline{\text{BG}}=16-x$,

$\overline{\text{DE}}=\overline{\text{AE}}=16-x$이고 $\overline{\text{PE}}=\overline{\text{PG}}=x$이므로

$\overline{\text{FP}}=\overline{\text{DP}}=16-2x$이다.

이때 □PGCE와 △FDP의 넓이의 합이 44이므로

$x^2 + \dfrac{1}{2}(16-2x)^2 = 44$

$3x^2 - 32x + 84 = 0$, $(x-6)(3x-14) = 0$

$\therefore x = 6$ 또는 $x = \dfrac{14}{3}$

그런데 $\overline{GC} > \overline{DP}$이므로 $x = 6$

따라서 $\overline{GC}$의 길이는 6이다.

15 [Action] 점 C의 좌표를 $(a, 0)$으로 놓고 점 B의 좌표를 a를 사용한 식으로 나타내어 본다.

일차함수 $y = -\dfrac{1}{2}x + 4$의 그래프의 y절편은 4이므로 점 A의 좌표는 $(0, 4)$이다.

점 C의 좌표를 $(a, 0)$이라고 하면 점 B의 좌표는 $\left(a, -\dfrac{1}{2}a + 4\right)$이고 □AOCB의 넓이가 12이므로

$\dfrac{1}{2} \times \left\{ \left(-\dfrac{1}{2}a + 4\right) + 4 \right\} \times a = 12$

$a^2 - 16a + 48 = 0$, $(a-4)(a-12) = 0$

$\therefore a = 4$ 또는 $a = 12$

그런데 $y = -\dfrac{1}{2}x + 4$의 그래프의 x절편이 8이므로 $a < 8$

$\therefore a = 4$

따라서 점 B의 좌표는 $(4, 2)$이다.

16 [Action] n단계에 놓이는 바둑돌의 수를 n에 대한 식으로 나타낸다.

n단계에서 바둑돌은 가로에 $(n+2)$개, 세로에 n개를 직사각형 모양으로 나열한 것이므로 n단계에 놓이는 바둑돌은 $n(n+2)$개이다.

이때 n단계에 바둑돌이 624개가 된다고 하면

$n(n+2) = 624$

$n^2 + 2n - 624 = 0$, $(n-24)(n+26) = 0$

$\therefore n = 24$ 또는 $n = -26$

그런데 n은 자연수이므로 $n = 24$

따라서 바둑돌이 624개가 되는 것은 24단계이다.

최고수준 뛰어넘기 ◐ 84- ◐ 86

01 2

02 (1) $\alpha + \beta = \dfrac{b}{a}$, $\alpha\beta = \dfrac{255}{a}$ (2) 3, 5, 17 (3) 66, 100, 136 (4) 302

03 $a = 4$, $b = 1$ **04** $x^2 - 4x + 1 = 0$ **05** 20 %

06 140 cm² **07** 13 **08** $(-6+6\sqrt{2})$ cm

09 $\dfrac{5+5\sqrt{5}}{2}$

---

01 [Action] 이차방정식 $ax^2 + bx + c = 0$이 근을 가질 조건은 $b^2 - 4ac \geq 0$임을 이용한다.

$x^2 + px + q = 0$이 근을 가지므로

$p^2 - 4 \times 1 \times q \geq 0$ $\therefore p^2 \geq 4q$

$x^2 + 2px - q^2 + 6q - 6 = 0$에서

$(2p)^2 - 4 \times 1 \times (-q^2 + 6q - 6) = 4p^2 + 4q^2 - 24q + 24$
$\qquad\qquad\qquad\qquad \geq 4 \times 4q + 4q^2 - 24q + 24$
$\qquad\qquad\qquad\qquad = 4q^2 - 8q + 24$
$\qquad\qquad\qquad\qquad = 4(q-1)^2 + 20 > 0$

따라서 서로 다른 두 근을 가지므로 근의 개수는 2이다.

02 [Action] 이차방정식의 근과 계수의 관계를 이용한다.

(2) $\alpha\beta = \dfrac{255}{a}$이고 $255 = 3 \times 5 \times 17$이므로 $\dfrac{255}{a}$가 두 소수의 곱이 되려면 a의 값은 3, 5, 17 중 하나이어야 한다.

(3) $\alpha + \beta = \dfrac{b}{a}$이므로 $b = a(\alpha + \beta)$

(ⅰ) $a = 3$일 때, $\alpha\beta = 5 \times 17$
$\quad \therefore b = 3 \times (5 + 17) = 66$

(ⅱ) $a = 5$일 때, $\alpha\beta = 3 \times 17$
$\quad \therefore b = 5 \times (3 + 17) = 100$

(ⅲ) $a = 17$일 때, $\alpha\beta = 3 \times 5$
$\quad \therefore b = 17 \times (3 + 5) = 136$

(ⅰ)~(ⅲ)에 의하여 b의 값은 66, 100, 136이다.

(4) $66 + 100 + 136 = 302$

03 [Action] 이차방정식 $x^2 - 14x + 1 = 0$의 두 근이 α^2, β^2임을 이용하여 $\alpha^2 + \beta^2$, $\alpha^2\beta^2$의 값을 각각 구한다.

$x^2 + ax + b = 0$의 두 근이 α, β이므로

$\alpha + \beta = -a$, $\alpha\beta = b$

$x^2 - 14x + 1 = 0$의 두 근이 α^2, β^2이므로

$\alpha^2 + \beta^2 = 14$, $\alpha^2\beta^2 = 1$

$(\alpha + \beta)^2 = \alpha^2 + \beta^2 + 2\alpha\beta$에서 $a^2 = 14 + 2b$

$\alpha^2\beta^2 = 1$에서 $b^2 = 1$ $\therefore b = \pm 1$

(ⅰ) $b = 1$일 때, $a^2 = 14 + 2 = 16$ $\therefore a = \pm 4$
$\quad$ 그런데 $a > b$이므로 $a = 4$

(ⅱ) $b = -1$일 때, $a^2 = 14 - 2 = 12$ $\therefore a = \pm 2\sqrt{3}$
$\quad$ 이때 a는 정수가 아니므로 조건을 만족하지 않는다.

(ⅰ), (ⅱ)에 의하여 $a = 4$, $b = 1$

04 [Action] 근호 안의 식을 각각 인수분해한 후 제곱근의 성질을 이용한다.

$\sqrt{(a+b)^2 - 8(a+b) + 16} + \sqrt{a^2b^2 - 2ab + 1} = 0$에서

$\sqrt{(a+b-4)^2} + \sqrt{(ab-1)^2} = 0$

$|a+b-4| + |ab-1| = 0$

위의 등식을 만족하려면 $a+b-4 = 0$, $ab-1 = 0$이어야 한다. $\therefore a+b = 4$, $ab = 1$

따라서 x^2의 계수가 1이고 a, b를 두 근으로 하는 이차방정식은 $x^2-4x+1=0$이다.

> **📢 Lecture**
>
> $|A|+|B|=0$이 되기 위한 조건
>
> 어떤 수의 절댓값은 항상 0 또는 양수로 나타나므로 두 수 A, B에 대하여 $|A|+|B|=0$이 되려면 $A=0$, $B=0$이어야 한다.

05 **Action** (매출액)=(가격)×(판매량)임을 이용한다.

제품 한 개의 정가를 a원, 판매량을 b개라고 하면

정가를 x % 인상한 가격은 $a\left(1+\dfrac{x}{100}\right)$원,

$\dfrac{x}{2}$ %만큼 줄어든 판매량은 $b\left(1-\dfrac{x}{200}\right)$개이므로

정가를 x % 인상한 후의 매출은

$a\left(1+\dfrac{x}{100}\right)\times b\left(1-\dfrac{x}{200}\right)$원

이때 매출이 8 % 증가해야 하므로

$a\left(1+\dfrac{x}{100}\right)\times b\left(1-\dfrac{x}{200}\right)=ab\left(1+\dfrac{8}{100}\right)$

$(100+x)(200-x)=21600$, $x^2-100x+1600=0$

$(x-20)(x-80)=0$ $\quad$ ∴ $x=20$ 또는 $x=80$

그런데 $0<x<50$이므로 $x=20$

따라서 가격을 20 % 인상해야 한다.

06 **Action** 벽의 모양이 직사각형임을 이용하여 타일의 짧은 변의 길이를 구한다.

타일의 짧은 변의 길이를 x cm라고 하면 긴 변의 길이는

$\dfrac{1}{2}(4x-12)=2x-6$ (cm)

직사각형 모양의 벽의 가로의 길이는 $4x$ cm, 세로의 길이는 $2x-6+x=3x-6$ (cm)이고 벽의 넓이가 960 cm²이므로 $4x(3x-6)=960$

$x^2-2x-80=0$, $(x+8)(x-10)=0$

∴ $x=-8$ 또는 $x=10$

그런데 $x>3$이므로 $x=10$

따라서 타일 한 개의 넓이는

$x(2x-6)=10\times14=140$ (cm²)

07 **Action** 서로 다른 n개의 점이 있는 완전 그래프의 선의 개수는 n각형의 변의 개수와 대각선의 개수의 합과 같다.

서로 다른 n개의 점이 있는 완전 그래프의 선의 개수는 n각형의 변의 개수와 대각선의 개수의 합과 같으므로

$n+\dfrac{n(n-3)}{2}=\dfrac{2n+n^2-3n}{2}=\dfrac{n^2-n}{2}$

즉 $\dfrac{n^2-n}{2}=78$에서 $n^2-n=156$, $n^2-n-156=0$

$(n+12)(n-13)=0$ $\quad$ ∴ $n=-12$ 또는 $n=13$

그런데 $n>3$이므로 $n=13$

따라서 구하는 완전 그래프의 점의 개수는 13이다.

08 **Action** 작은 정삼각형의 한 변의 길이를 x cm라고 하고 큰 정삼각형의 한 변의 길이를 x에 대한 식으로 나타낸다.

작은 정삼각형의 한 변의 길이를 x cm라고 하면 큰 정삼각형의 한 변의 길이는 $\dfrac{18-3x}{3}=6-x$ (cm)

두 정삼각형의 넓이의 비가 1 : 2이므로

$x^2:(6-x)^2=1:2$

$2x^2=(6-x)^2$, $2x^2=x^2-12x+36$

$x^2+12x-36=0$

∴ $x=-6\pm\sqrt{6^2-1\times(-36)}$

$\quad=-6\pm\sqrt{72}=-6\pm6\sqrt{2}$

그런데 $0<x<3$이므로 $x=-6+6\sqrt{2}$

따라서 작은 정삼각형의 한 변의 길이는 $(-6+6\sqrt{2})$ cm이다.

다른 풀이

작은 정삼각형의 한 변의 길이를 x cm라고 하면 큰 정삼각형의 한 변의 길이는 $(6-x)$ cm

두 정삼각형의 넓이의 비가 1 : 2가 되려면 닮음비는 $1:\sqrt{2}$이어야 한다.

즉 $x:(6-x)=1:\sqrt{2}$에서

$\sqrt{2}x=6-x$, $(\sqrt{2}+1)x=6$

∴ $x=\dfrac{6}{\sqrt{2}+1}=\dfrac{6(\sqrt{2}-1)}{(\sqrt{2}+1)(\sqrt{2}-1)}=6\sqrt{2}-6$

따라서 작은 정삼각형의 한 변의 길이는 $(6\sqrt{2}-6)$ cm이다.

09 **Action** 한 대각선의 길이를 x로 놓고 닮은 두 삼각형을 찾아 닮음비를 이용한다.

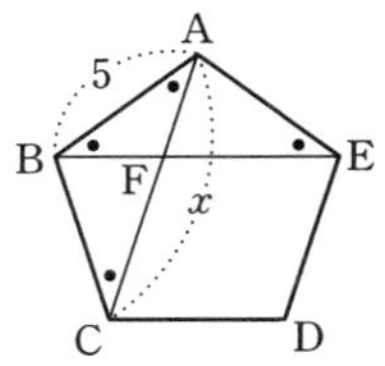

오른쪽 그림과 같이 두 대각선 AC, BE의 교점을 F라고 하자.

정오각형의 한 내각의 크기는

$\dfrac{180°\times(5-2)}{5}=108°$이고,

△ABC는 이등변삼각형이므로

$\angle BAC=\angle BCA=\dfrac{1}{2}\times(180°-108°)=36°$

마찬가지 방법으로 △ABE는 이등변삼각형이므로

$\angle ABE=\angle AEB=36°$

이때

$\angle CBF=\angle ABC-\angle ABE=108°-36°=72°$,

$\angle CFB=\angle ABF+\angle BAF=36°+36°=72°$

이므로 △CFB는 이등변삼각형이다.

∴ $\overline{CF}=\overline{CB}=5$

$\overline{AC}=x$라고 하면 $\overline{AF}=x-5$이고,

$\triangle FAB \backsim \triangle BCA$ (AA 닮음)이므로

$\overline{FA}:\overline{BC}=\overline{AB}:\overline{CA}$에서

$(x-5):5=5:x$

$x(x-5)=25$, $x^2-5x-25=0$

$\therefore x=\dfrac{-(-5)\pm\sqrt{(-5)^2-4\times1\times(-25)}}{2\times1}$

$=\dfrac{5\pm\sqrt{125}}{2}=\dfrac{5\pm5\sqrt{5}}{2}$

그런데 $x>0$이므로 $x=\dfrac{5+5\sqrt{5}}{2}$

따라서 한 대각선의 길이는 $\dfrac{5+5\sqrt{5}}{2}$이다.

교과서 속 창의 사고력

P 87- **P** 88

| **01** $x=2$ | **02** $\dfrac{1+\sqrt{5}}{2}$ | **03** 250보 |

01 **Action** 주어진 방법과 같이 직사각형과 정사각형의 넓이를 이용하여 이차방정식의 양수인 해를 구한다.

① [그림 1]과 같이 $x^2+6x=16$의 좌변 x^2+6x를 정사각형과 직사각형의 넓이를 이용하여 나타낸다.

② [그림 1]에서 넓이가 $6x$인 직사각형을 합동인 두 개의 직사각형으로 나누어 [그림 2]와 같이 옮겨 붙인다.

③ [그림 3]과 같이 정사각형이 만들어지도록 넓이가 9인 정사각형을 추가한다.

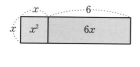

[그림 1] [그림 2]

[그림 3]

이때 새로 만든 정사각형의 넓이는 $16+9=25$이고 $25=5^2$이므로 정사각형의 한 변의 길이는 5이다.

따라서 $x+3=5$이므로 $x=2$이다.

02 **Action** 황금비의 뜻을 이해한 후 비례식을 푼다.

밀로의 비너스에서 하반신의 길이를 x라고 하면 전체의 길이는 $1+x$이고,

(상반신의 길이) : (하반신의 길이)

$\qquad\qquad$ =(하반신의 길이) : (전체의 길이)

이므로 $1:x=x:(1+x)$

$x^2=1+x$, $x^2-x-1=0$

$\therefore x=\dfrac{-(-1)\pm\sqrt{(-1)^2-4\times1\times(-1)}}{2\times1}$

$=\dfrac{1\pm\sqrt{5}}{2}$

그런데 $x>1$이므로 $x=\dfrac{1+\sqrt{5}}{2}$

따라서 하반신의 길이는 $\dfrac{1+\sqrt{5}}{2}$이다.

🔊 Lecture

비례식

비례식에서 외항의 곱은 내항의 곱과 같다.

➡ $a:b=c:d$에서 $ad=bc$

03 **Action** 문제의 내용을 그림으로 나타낸 후 닮음을 이용하여 문제를 해결한다.

문제의 내용을 그림으로 나타내면 다음과 같다.

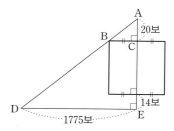

성벽의 한쪽 벽의 길이를 x보라고 하면

$\triangle ABC \backsim \triangle ADE$ (AA 닮음)이므로

$\overline{AC}:\overline{AE}=\overline{BC}:\overline{DE}$에서

$20:(20+x+14)=\dfrac{x}{2}:1775$

$\dfrac{x}{2}(x+34)=35500$, $x^2+34x-71000=0$

$(x-250)(x+284)=0$

$\therefore x=250$ 또는 $x=-284$

그런데 $x>0$이므로 $x=250$

따라서 성벽의 한쪽 벽의 길이는 250보이다.

Ⅳ. 이차함수

1. 이차함수와 그래프

최고 수준 입문하기　　　📄 91 – 📄 93

01 ②, ③	**02** ㉢, ㉤	**03** 8	**04** ①, ④
05 ④	**06** ㉢, ㉤	**07** 3	**08** 5
09 5	**10** $\left(0, -\dfrac{4}{3}\right)$	**11** 60	**12** $-\dfrac{15}{4}$
13 ②	**14** $-\dfrac{3}{2}$	**15** 제 3, 4 사분면	
16 8	**17** ㉡, ㉣	**18** $a<0, p<0, q>0$	

01 **Action** 주어진 식을 간단히 정리한 후 y가 x에 대한 이차식인 것을 찾는다.

① $y=x^2(x-1)=x^3-x^2$
② $y=x(2-x)=-x^2+2x$
③ $y=(x+3)(x+5)=x^2+8x+15$
④ $y=(x-1)^2-x^2=x^2-2x+1-x^2=-2x+1$
따라서 이차함수인 것은 ②, ③이다.

02 **Action** x와 y 사이의 관계식을 구한 후 y가 x에 대한 이차식인 것을 찾는다.

㉠ $y=180\times(x-2)=180x-360$
㉡ $y=3x$
㉢ $y=\pi x^2$
㉣ $y=6x$
㉤ $y=x^2+(x+2)^2=2x^2+4x+4$
따라서 y가 x에 대한 이차함수인 것은 ㉢, ㉤이다.

03 **Action** $f(x)=2x^2-4x+5$에 $x=2, x=4$를 각각 대입한다.

$f(2)=2\times2^2-4\times2+5=5$
$f(4)=2\times4^2-4\times4+5=21$
$\therefore 3f(2)-\dfrac{1}{3}f(4)=3\times5-\dfrac{1}{3}\times21=8$

04 **Action** y가 x에 대한 이차함수이려면 $y=(x$에 대한 이차식)의 꼴이 어야 한다.

$y=a(a+3)x^2-4x-10x^2+1$
　$=(a^2+3a-10)x^2-4x+1$
위의 식이 x에 대한 이차함수가 되려면
$a^2+3a-10\neq0$이어야 한다.
따라서 $(a-2)(a+5)\neq0$이므로
$a\neq2$이고 $a\neq-5$

05 **Action** 이차함수 $y=ax^2$에서 a의 절댓값이 클수록 그래프의 폭이 좁아짐을 이용한다.

x^2의 계수의 절댓값을 각각 구해 보면
① $\dfrac{1}{2}$　② $\dfrac{1}{4}$　③ 1　④ 3　⑤ $\dfrac{5}{2}$

x^2의 계수의 절댓값이 클수록 그래프의 폭이 좁으므로 그래프의 폭이 가장 좁은 것은 ④이다.

06 **Action** 이차함수 $y=3x^2$의 그래프의 성질을 파악해 본다.

㉢ $y=3x^2$의 그래프가 $y=2x^2$의 그래프보다 폭이 좁다.
㉤ $x<0$일 때, x의 값이 증가하면 y의 값은 감소한다.
따라서 옳지 않은 것은 ㉢, ㉤이다.

> **🔊 Lecture**
>
> 이차함수 $y=ax^2$의 그래프의 증가, 감소
> 이차함수 $y=ax^2$의 그래프에서
> (1) $a>0$일 때
> 　① $x<0$이면 x의 값이 증가할 때, y의 값은 감소한다.
> 　② $x>0$이면 x의 값이 증가할 때, y의 값도 증가한다.
> (2) $a<0$일 때
> 　① $x<0$이면 x의 값이 증가할 때, y의 값도 증가한다.
> 　② $x>0$이면 x의 값이 증가할 때, y의 값은 감소한다.

07 **Action** 원점을 꼭짓점으로 하는 포물선을 그래프로 하는 이차함수의 식은 $y=ax^2(a\neq0)$의 꼴이다.

원점을 꼭짓점으로 하는 포물선을 그래프로 하는 이차함수의 식을 $y=ax^2$이라고 하자.
$y=ax^2$의 그래프가 점 $(-2, 8)$을 지나므로
$8=4a$　$\therefore a=2$
따라서 $y=2x^2$의 그래프가 점 $(k, 18)$을 지나므로
$18=2k^2, k^2=9$　$\therefore k=\pm3$
그런데 $k>0$이므로 $k=3$

08 **Action** 이차함수 $y=ax^2$의 그래프와 x축에 대칭인 그래프를 나타내는 이차함수의 식은 $y=-ax^2$이다.

$y=-\dfrac{1}{3}x^2$의 그래프와 x축에 대칭인 그래프를 나타내는 이차함수의 식은 $y=\dfrac{1}{3}x^2$

$y=\dfrac{1}{3}x^2$의 그래프가 점 $(a-1, a+5)$를 지나므로

$a+5=\dfrac{1}{3}(a-1)^2, 3a+15=a^2-2a+1$
$a^2-5a-14=0, (a+2)(a-7)=0$
$\therefore a=-2$ 또는 $a=7$
따라서 모든 a의 값의 합은 $-2+7=5$

09 **Action** 이차함수 $y=ax^2$의 그래프를 y축의 방향으로 q만큼 평행이동한 그래프를 나타내는 이차함수의 식은 $y=ax^2+q$이다.

$y=-2x^2$의 그래프를 y축의 방향으로 q만큼 평행이동한 그래프를 나타내는 이차함수의 식은 $y=-2x^2+q$

$y=-2x^2+q$의 그래프가 점 $(1,3)$을 지나므로

$3=-2+q$ $\therefore q=5$

10 (Action) 이차함수 $y=ax^2+q$의 그래프의 꼭짓점의 좌표는 $(0,q)$이다.

$y=ax^2+q$의 그래프가 점 $(-1,1)$을 지나므로

$1=a+q$ ...... ㉠

$y=ax^2+q$의 그래프가 점 $(2,8)$을 지나므로

$8=4a+q$ ...... ㉡ 30%

㉠, ㉡을 연립하여 풀면 $a=\dfrac{7}{3}, q=-\dfrac{4}{3}$ 40%

따라서 $y=\dfrac{7}{3}x^2-\dfrac{4}{3}$의 그래프의 꼭짓점의 좌표는

$\left(0,-\dfrac{4}{3}\right)$이다. 30%

11 (Action) 이차함수 $y=ax^2$의 그래프를 x축의 방향으로 p만큼 평행이동한 그래프를 나타내는 이차함수의 식은 $y=a(x-p)^2$이다.

$y=-4x^2$의 그래프를 x축의 방향으로 3만큼 평행이동한 그래프를 나타내는 이차함수의 식은 $y=-4(x-3)^2$

$y=-4(x-3)^2$의 그래프가 점 $(2,m)$을 지나므로

$m=-4$

$y=-4(x-3)^2$의 그래프가 점 $(-1,n)$을 지나므로

$n=-64$

$\therefore m-n=-4-(-64)=60$

12 (Action) 먼저 꼭짓점의 좌표를 이용하여 p의 값을 구한다.

$y=a(x-p)^2$의 그래프의 꼭짓점의 좌표가 $(-4,0)$이므로

$y=a(x+4)^2$ $\therefore p=-4$

$y=a(x+4)^2$의 그래프가 점 $(0,4)$를 지나므로

$4=16a$ $\therefore a=\dfrac{1}{4}$

$\therefore a+p=\dfrac{1}{4}+(-4)=-\dfrac{15}{4}$

13 (Action) 이차함수 $y=a(x-p)^2$의 그래프는 축 $x=p$를 기준으로 증가, 감소하는 범위가 나뉜다.

$y=-5x^2$의 그래프를 x축의 방향으로 -2만큼 평행이동한 그래프를 나타내는 이차함수의 식은 $y=-5(x+2)^2$

이 그래프는 위로 볼록하고 축의 방정식이 $x=-2$이므로

$x<-2$일 때, x의 값이 증가하면 y의 값도 증가한다.

14 (Action) 이차함수 $y=ax^2$의 그래프를 x축의 방향으로 p만큼, y축의 방향으로 q만큼 평행이동한 그래프를 나타내는 이차함수의 식은

$y=a(x-p)^2+q$이다.

$y=\dfrac{1}{2}x^2$의 그래프를 x축의 방향으로 -1만큼, y축의 방향으로 q만큼 평행이동한 그래프를 나타내는 이차함수의 식은

$y=\dfrac{1}{2}(x+1)^2+q$

$y=\dfrac{1}{2}(x+1)^2+q$의 그래프가 점 $(-4,3)$을 지나므로

$3=\dfrac{9}{2}+q$ $\therefore q=-\dfrac{3}{2}$

15 (Action) 이차함수 $y=\dfrac{1}{3}(x-3)^2+1$의 그래프를 그려 본다.

$y=\dfrac{1}{3}(x-3)^2+1$의 그래프의 꼭짓점의 좌표는 $(3,1)$이고 아래로 볼록하며 점 $(0,4)$를 지나므로 그래프는 오른쪽 그림과 같다.

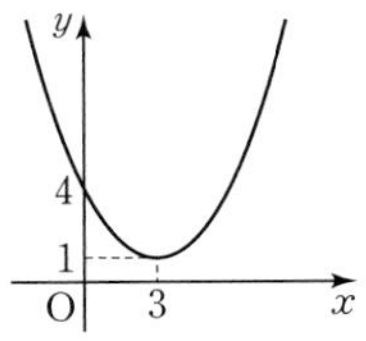

따라서 그래프가 지나지 않는 사분면은 제3, 4사분면이다.

16 (Action) 이차함수 $y=a(x-p)^2+q$의 그래프를 x축의 방향으로 m만큼, y축의 방향으로 n만큼 평행이동한 그래프를 나타내는 이차함수의 식은 $y=a(x-m-p)^2+q+n$이다.

$y=-3(x+1)^2+5$의 그래프를 x축의 방향으로 4만큼, y축의 방향으로 -3만큼 평행이동한 그래프를 나타내는 이차함수의 식은

$y=-3(x-4+1)^2+5-3$

$\quad=-3(x-3)^2+2$ 50%

따라서 꼭짓점의 좌표는 $(3,2)$, 축의 방정식은 $x=3$이므로

$a=3, b=2, c=3$ 40%

$\therefore a+b+c=3+2+3=8$ 10%

17 (Action) 이차함수 $y=-(x-2)^2+3$의 그래프를 그려 본다.

$y=-(x-2)^2+3$의 그래프는 오른쪽 그림과 같다.

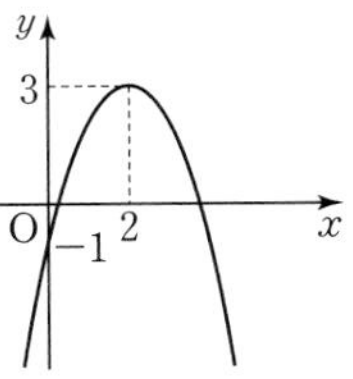

㉡ $y=-x^2$의 그래프를 x축의 방향으로 2만큼, y축의 방향으로 3만큼 평행이동한 것이다.

㉣ $x<2$일 때, x의 값이 증가하면 y의 값도 증가한다.

따라서 옳지 않은 것은 ㉡, ㉣이다.

18 (Action) 이차함수 $y=a(x-p)^2+q$의 그래프에서 a의 부호는 그래프의 모양에 따라 결정되고, p,q의 부호는 꼭짓점이 위치하는 사분면에 따라 결정된다.

그래프가 위로 볼록하므로 $a<0$

꼭짓점 $(-p,q)$가 제1사분면 위에 있으므로

$-p>0, q>0$

$\therefore a<0, p<0, q>0$

01 $-\dfrac{1}{2}$ **02** $\left(\dfrac{1}{2}, -\dfrac{1}{4}\right)$ **03** $\left(\dfrac{2}{3}, \dfrac{1}{9}\right)$ **04** $(-2, 1)$

05 (1) $2:1$ (2) $\left(\dfrac{1}{3}k, \dfrac{1}{9}k^2\right)$ (3) 6   **06** 제2사분면

07 3, 12, 27   **08** 10

09 (1) $A(-3, 0), B(3, 0), C(-3, 4), D(3, 4)$ (2) 풀이 참조, 24

10 -1 **11** 10   **12** 5   **13** $0 < a < \dfrac{7}{9}$

---

01 $\boxed{\text{Action}}$ □ABCD는 평행사변형이므로 $\overline{AB} /\!/ \overline{CD}, \overline{AB} = \overline{CD}$임을 이용한다.

□ABCD가 평행사변형이므로 $\overline{AB} = \overline{CD} = 7 - (-1) = 8$

이때 $y = ax^2$의 그래프는 y축에 대칭이므로

$A(-4, -8), B(4, -8)$

따라서 $y = ax^2$에 $x = 4, y = -8$을 대입하면

$-8 = 16a$ $\therefore a = -\dfrac{1}{2}$

02 $\boxed{\text{Action}}$ 이차함수 $y = -x^2$의 그래프는 y축에 대칭이므로 점 A의 x좌표를 a라고 하면 점 B의 x좌표는 $-a$임을 이용한다.

점 A의 x좌표를 a라고 하면

$A(a, -a^2), B(-a, -a^2), C\left(-a, \dfrac{1}{3}a^2\right)$

이때 $\overline{AB} : \overline{BC} = 3 : 1$이므로

$\{a - (-a)\} : \left\{\dfrac{1}{3}a^2 - (-a^2)\right\} = 3 : 1$

$2a : \dfrac{4}{3}a^2 = 3 : 1, 4a^2 = 2a, 2a(2a - 1) = 0$

$\therefore a = 0$ 또는 $a = \dfrac{1}{2}$

그런데 $a > 0$이므로 $a = \dfrac{1}{2}$ $\therefore A\left(\dfrac{1}{2}, -\dfrac{1}{4}\right)$

03 $\boxed{\text{Action}}$ 점 A의 x좌표를 a, 점 B의 x좌표를 b로 놓고 네 점 A, B, C, D의 좌표를 각각 a, b에 대한 식으로 나타낸다.

점 A의 x좌표를 $a(a > 0)$, 점 B의 x좌표를 $b(b > 0)$라고 하면

$A(a, a^2), B(b, a^2), C(b, b^2),$

$D(a, 4a^2)$

이때 $\overline{CD}$는 x축에 평행하므로 점 C와 점 D의 y좌표가 같다.

즉 $b^2 = 4a^2$이므로 $b = 2a \ (\because a > 0, b > 0)$

$\therefore B(2a, a^2), C(2a, 4a^2)$

□ABCD는 정사각형이므로 $\overline{AB} = \overline{AD}$에서

$2a - a = 4a^2 - a^2, 3a^2 - a = 0$

$a(3a - 1) = 0$ $\therefore a = 0$ 또는 $a = \dfrac{1}{3}$

그런데 $a > 0$이므로 $a = \dfrac{1}{3}$ $\therefore B\left(\dfrac{2}{3}, \dfrac{1}{9}\right)$

04 $\boxed{\text{Action}}$ 점 P의 x좌표를 k라고 할 때, △PBC에서 밑변의 길이를 $\overline{BC}$로 하면 높이는 $6 - k$임을 이용하여 넓이를 구한다.

점 C의 y좌표가 9이므로 $y = \dfrac{1}{4}x^2$에 $y = 9$를 대입하면

$9 = \dfrac{1}{4}x^2, x^2 = 36$ $\therefore x = 6 \ (\because x > 0)$

즉 $A(-6, 0), B(6, 0), C(6, 9), D(-6, 9)$

점 P의 x좌표를 k라고 하면 △ACD : △PBC = 3 : 2에서

$\left\{\dfrac{1}{2} \times 12 \times 9\right\} : \left\{\dfrac{1}{2} \times (6 - k) \times 9\right\} = 3 : 2$

$12 : (6 - k) = 3 : 2, 24 = 3(6 - k)$

$3k = -6$ $\therefore k = -2$

따라서 점 P의 x좌표가 -2이므로

$y = \dfrac{1}{4}x^2$에 $x = -2$를 대입하면

$y = \dfrac{1}{4} \times (-2)^2 = 1$ $\therefore P(-2, 1)$

05 $\boxed{\text{Action}}$ (1) 점 P에서 x축에 내린 수선의 발을 H라고 하면 $\overline{PH} /\!/ \overline{BO}$이므로 △ABO에서 삼각형과 평행선 사이의 선분의 길이의 비를 이용한다.

(1) △ABO에서 $\overline{PH} /\!/ \overline{BO}$이므로

$\overline{AH} : \overline{HO} = \overline{AP} : \overline{PB} = 2 : 1$

(2) $y = -x + k$에 $y = 0$을 대입하면

$0 = -x + k, x = k$

$\therefore A(k, 0)$

이때 $\overline{OA} = k$이고 $\overline{AH} : \overline{HO} = 2 : 1$이므로

$\overline{OH} = k \times \dfrac{1}{2 + 1} = \dfrac{1}{3}k$

즉 점 P의 x좌표가 $\dfrac{1}{3}k$이고 점 P는 $y = x^2$의 그래프 위의 점이므로

$y = \left(\dfrac{1}{3}k\right)^2 = \dfrac{1}{9}k^2$ $\therefore P\left(\dfrac{1}{3}k, \dfrac{1}{9}k^2\right)$

(3) 점 P는 $y = -x + k$의 그래프 위의 점이므로

$\dfrac{1}{9}k^2 = -\dfrac{1}{3}k + k, k^2 - 6k = 0$

$k(k - 6) = 0$ $\therefore k = 0$ 또는 $k = 6$

그런데 $k > 0$이므로 $k = 6$

◀ Lecture

삼각형에서 평행선과 선분의 길이의 비

△ABC에서 두 점 D, E가 각각 $\overline{AB}, \overline{AC}$ 또는 그 연장선 위에 있을 때, $\overline{BC} /\!/ \overline{DE}$이면

(1) $\overline{AB} : \overline{AD} = \overline{AC} : \overline{AE} = \overline{BC} : \overline{DE}$

(2) $\overline{AD} : \overline{DB} = \overline{AE} : \overline{EC}$

06 **Action** 먼저 주어진 그래프를 이용하여 a, b의 부호를 결정한다.

그래프가 아래로 볼록하므로 $a > 0$

꼭짓점이 x축의 아래쪽에 있으므로 $b < 0$ ······ 40%

따라서 $y = ax + b$의 그래프에서

(기울기)$= a > 0$, (y절편)$= b < 0$이므로

그 그래프는 오른쪽 그림과 같이 제 2 사

분면을 지나지 않는다. ······ 60%

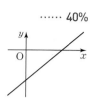

Lecture

일차함수의 그래프와 계수의 부호

a, b의 부호에 따른 일차함수 $y = ax + b$의 그래프의 모양과 그래프가 지나는 사분면은 다음과 같다.

$a > 0, b > 0$	$a > 0, b < 0$	$a < 0, b > 0$	$a < 0, b < 0$
제1, 2, 3 사분면을 지난다.	제1, 3, 4 사분면을 지난다.	제1, 2, 4 사분면을 지난다.	제2, 3, 4 사분면을 지난다.

07 **Action** 두 점 A, B의 x좌표는 $-\frac{1}{3}x^2 + q = 0$의 해이다.

$y = -\frac{1}{3}x^2 + q$에 $y = 0$을 대입하면

$0 = -\frac{1}{3}x^2 + q$, $x^2 = 3q$ $\therefore x = \pm\sqrt{3q}$

즉 $A(-\sqrt{3q}, 0)$, $B(\sqrt{3q}, 0)$이므로

$\overline{AB} = \sqrt{3q} - (-\sqrt{3q}) = 2\sqrt{3q}$

$\overline{AB}$의 길이가 정수가 되려면 $q = 3 \times$ (자연수)^{2}의 꼴이어야 한다.

이때 $0 < q < 40$이므로 구하는 q의 값은 $3 \times 1^2, 3 \times 2^2, 3 \times 3^2$, 즉 3, 12, 27이다.

08 **Action** $\square ABCD = \triangle ABD + \triangle BCD$임을 이용한다.

$y = -x^2 + m$의 그래프가 점 $D(2, 0)$을 지나므로

$0 = -4 + m$ $\therefore m = 4$

즉 $y = -x^2 + 4$의 그래프의 꼭짓점 A의 좌표는 $(0, 4)$이다.

$y = \frac{1}{4}x^2 + n$의 그래프가 점 $D(2, 0)$을 지나므로

$0 = 1 + n$ $\therefore n = -1$

즉 $y = \frac{1}{4}x^2 - 1$의 그래프의 꼭짓점 C의 좌표는 $(0, -1)$이다.

두 점 B, D는 y축에 대칭이므로 $B(-2, 0)$

$\therefore \square ABCD = \triangle ABD + \triangle BCD$

$= \frac{1}{2} \times 4 \times 4 + \frac{1}{2} \times 4 \times 1$

$= 8 + 2$

$= 10$

09 **Action** (2) 이차함수 $y = \frac{1}{3}x^2 + 1$의 그래프는 이차함수 $y = \frac{1}{3}x^2 - 3$의 그래프를 평행이동한 것임을 알고 넓이가 같은 부분을 찾는다.

(1) $y = \frac{1}{3}x^2 - 3$에 $y = 0$을 대입하면

$0 = \frac{1}{3}x^2 - 3$, $x^2 = 9$ $\therefore x = \pm 3$

$\therefore A(-3, 0)$, $B(3, 0)$

이때 점 C와 점 D의 x좌표가 각각 $-3, 3$이므로

$y = \frac{1}{3}x^2 + 1$에 $x = -3$을 대입하면

$y = 4$ $\therefore C(-3, 4)$

$y = \frac{1}{3}x^2 + 1$에 $x = 3$을 대입하면

$y = 4$ $\therefore D(3, 4)$

(2) $y = \frac{1}{3}x^2 + 1$의 그래프는

$y = \frac{1}{3}x^2 - 3$의 그래프를 평행

이동한 것이므로 오른쪽 그림

에서 파란색 부분의 넓이는 서

로 같다.

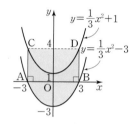

따라서 구하는 넓이는 $\square ABDC$의 넓이와 같으므로

$6 \times 4 = 24$

10 **Action** 먼저 두 이차함수 $y = -\frac{1}{2}x^2 + 2$, $y = a(x - b)^2$의 그래프의 꼭짓점의 좌표를 각각 구한다.

$y = -\frac{1}{2}x^2 + 2$의 그래프의 꼭짓점의 좌표는 $(0, 2)$이고,

$y = a(x - b)^2$의 그래프의 꼭짓점의 좌표는 $(b, 0)$이다.

$y = -\frac{1}{2}x^2 + 2$의 그래프가 점 $(b, 0)$을 지나므로

$0 = -\frac{1}{2}b^2 + 2$, $b^2 = 4$ $\therefore b = \pm 2$

그런데 $b < 0$이므로 $b = -2$

즉 $y = a(x + 2)^2$의 그래프가 점 $(0, 2)$를 지나므로

$2 = 4a$ $\therefore a = \frac{1}{2}$

$\therefore ab = \frac{1}{2} \times (-2) = -1$

11 **Action** 이차함수 $y = (x - 4)^2$의 그래프는 이차함수 $y = (x + 1)^2$의 그래프를 x축의 방향으로 5만큼 평행이동한 것이다.

$y = (x - 4)^2$의 그래프는 $y = (x + 1)^2$의 그래프를 x축의 방향으로 5만큼 평행이동한 것이므로

$\overline{AB} = \overline{CD} = 5$

$\therefore \overline{AB} + \overline{CD} = 5 + 5 = 10$

12 **Action** 두 이차함수 $y = -(x - p)^2 + 7$, $y = -(x - 1)^2 + q$의 그래프의 축의 방정식을 이용한다.

이차함수 $y=-(x-p)^2+7$의 그래프의 축의 방정식은
$x=p$, 이차함수 $y=-(x-1)^2+q$의 그래프의 축의 방정식은 $x=1$이다.
이때 $\overline{BC}=2$이고 $\overline{AB}=2\overline{BC}$이므로
$2|p|=2\times2$　　∴ $p=-2$ ($\because p<0$)
$y=-(x+2)^2+7$에 $x=0$을 대입하면
$y=-2^2+7=3$　　∴ $B(0,3)$, $k=3$
$y=-(x-1)^2+q$의 그래프가 점 $B(0,3)$을 지나므로
$3=-(-1)^2+q$　　∴ $q=4$
∴ $k+p+q=3+(-2)+4=5$

13 Action 이차함수 $y=a(x-3)^2-7$의 그래프의 꼭짓점의 좌표를 이용하여 모든 사분면을 지나도록 그래프를 그려 본다.

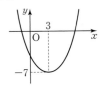

$y=a(x-3)^2-7$의 그래프의 꼭짓점의 좌표가 $(3,-7)$이므로 그래프가 모든 사분면을 지나려면 오른쪽 그림과 같이 아래로 볼록해야 한다.
∴ $a>0$　　…… ㉠
또, 그래프가 y축과 만나는 점이 x축의 아래쪽에 있어야 하므로 $y=a(x-3)^2-7$에 $x=0$을 대입하면 $y=9a-7$
$9a-7<0$　　∴ $a<\dfrac{7}{9}$　　…… ㉡

㉠, ㉡에 의하여 $0<a<\dfrac{7}{9}$

ⓟ 98 - ⓟ 99

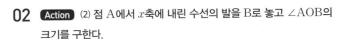

| **01** | (1) $(2\sqrt{2}, 4)$ | (2) $2\sqrt{2}-2$ | **02** | (1) $(4, 4)$ | (2) $135°$ | (3) 12π |
| **03** | 30 | | **04** | 14 | **05** | 4 | **06** | $\dfrac{5}{18}$ |

01 Action 점 C의 y좌표는 점 P의 y좌표의 2배임을 이용한다.

(1) 점 P의 x좌표가 2이므로 $y=\dfrac{1}{2}x^2$에 $x=2$를 대입하면
　　$y=2$　　∴ $P(2,2)$
　　이때 점 P가 $\overline{BD}$의 중점이므로 점 D의 y좌표는 점 P의 y좌표의 2배이고 두 점 C, D의 y좌표는 같으므로 점 C의 y좌표는 $2\times2=4$
　　$y=\dfrac{1}{2}x^2$에 $y=4$를 대입하면
　　$4=\dfrac{1}{2}x^2$, $x^2=8$　　∴ $x=\pm2\sqrt{2}$
　　그런데 점 C는 제1사분면 위의 점이므로 $C(2\sqrt{2},4)$

(2) 점 P의 x좌표가 a이므로 $y=\dfrac{1}{2}x^2$에 $x=a$를 대입하면
　　$y=\dfrac{1}{2}a^2$　　∴ $P\left(a,\dfrac{1}{2}a^2\right)$
　　위의 (1)에 의하여 점 C의 y좌표는 점 P의 y좌표의 2배이므로
　　$2\times\dfrac{1}{2}a^2=a^2$　　∴ $\overline{BC}=a^2$
　　점 C의 y좌표가 a^2이므로 $y=\dfrac{1}{2}x^2$에 $y=a^2$을 대입하면
　　$a^2=\dfrac{1}{2}x^2$, $x^2=2a^2$　　∴ $x=\pm\sqrt{2}a$
　　그런데 점 C는 제1사분면 위의 점이므로
　　$C(\sqrt{2}a,a^2)$
　　한편, 점 P에서 x축에 내린 수선의 발을 Q라고 하면
　　$Q(a,0)$, $B(\sqrt{2}a,0)$이므로
　　$\overline{AB}=2(\sqrt{2}a-a)$

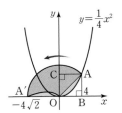

　　따라서 □ABCD가 정사각형이 되려면 $\overline{AB}=\overline{BC}$이어야 하므로
　　$2(\sqrt{2}a-a)=a^2$
　　$a^2-(2\sqrt{2}-2)a=0$, $a\{a-(2\sqrt{2}-2)\}=0$
　　∴ $a=0$ 또는 $a=2\sqrt{2}-2$
　　그런데 $a>0$이므로 $a=2\sqrt{2}-2$

02 Action (2) 점 A에서 x축에 내린 수선의 발을 B로 놓고 ∠AOB의 크기를 구한다.

(1) 점 A의 x좌표가 4이므로 $y=\dfrac{1}{4}x^2$에 $x=4$를 대입하면
　　$y=4$　　∴ $A(4,4)$

(2) 오른쪽 그림과 같이 점 A에서 x축, y축에 내린 수선의 발을 각각 B, C라고 하면 □OBAC는 한 변의 길이가 4인 정사각형이고 $\overline{OA}$가 정사각형 OBAC의 대각선이므로 ∠AOB$=45°$이다.
　　∴ ∠A'OA$=180°-45°$
　　　　　　$=135°$

(3) 위의 그림에서 파란색 부분의 넓이는 서로 같으므로 구하는 넓이는 부채꼴 A'OA의 넓이와 같다.
　　따라서 부채꼴 A'OA의 반지름의 길이는 $\overline{OA'}=4\sqrt{2}$이고 중심각의 크기는 $135°$이므로
　　(구하는 넓이)$=$(부채꼴 A'OA의 넓이)
　　　　$=\pi\times(4\sqrt{2})^2\times\dfrac{135}{360}$
　　　　$=\pi\times32\times\dfrac{3}{8}$
　　　　$=12\pi$

03 <kbd>Action</kbd> 두 점 A, B의 좌표를 각각 a에 대한 식으로 나타낸 후 직선 AB의 기울기를 구하는 식을 세운다.

$y=2x^2+3$의 그래프의 꼭짓점의 좌표는 $(0, 3)$이므로
C$(0, 3)$
점 A의 좌표는 $(a, 2a^2+3)$,
점 B의 좌표는 $(a+5, 2(a+5)^2+3)$
직선 AB의 기울기가 -2이므로
$$\frac{2(a+5)^2+3-(2a^2+3)}{a+5-a}=-2$$
$20a+50=-10$, $20a=-60$
$\therefore a=-3$, 즉 A$(-3, 21)$, B$(2, 11)$
따라서 두 점 A, B를 지나는 직선의 방정식은
$y=-2x+15$
직선 AB와 y축이 만나는 점의 좌표를 D라고 하면
D$(0, 15)$
$\therefore \triangle ACB = \triangle ACD + \triangle DCB$
$$= \frac{1}{2} \times 12 \times 3 + \frac{1}{2} \times 12 \times 2$$
$$= 18 + 12 = 30$$

📢 *Lecture*

두 점 (x_1, y_1), (x_2, y_2)를 지나는 일차함수의 그래프의 기울기
➡ $\dfrac{y_2-y_1}{x_2-x_1} = \dfrac{y_1-y_2}{x_1-x_2}$ (단, $x_1 \neq x_2$)

04 <kbd>Action</kbd> 두 점 A, B의 좌표를 각각 구한 후 일차함수 $y=\dfrac{2}{3}x+k$의 그래프가 두 점 A, B를 지날 때의 k의 값을 각각 구한다.

$y=(x-3)^2$에 $x=0$을 대입하면
$y=9$ $\therefore$ A$(0, 9)$
이때 두 점 A, B는 축 $x=3$에 대칭이므로 B$(6, 9)$

$y=\dfrac{2}{3}x+k$의 그래프의 y절편이 k

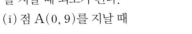

이므로 오른쪽 그림에서 k의 값은
$y=\dfrac{2}{3}x+k$의 그래프가 점 A$(0, 9)$
를 지날 때 최대가 되고 점 B$(6, 9)$
를 지날 때 최소가 된다.
(i) 점 A$(0, 9)$를 지날 때
$y=\dfrac{2}{3}x+k$에 $x=0$, $y=9$를 대입하면 $k=9$
(ii) 점 B$(6, 9)$를 지날 때
$y=\dfrac{2}{3}x+k$에 $x=6$, $y=9$를 대입하면
$9=4+k$ $\therefore k=5$
(i), (ii)에 의하여 구하는 k의 값의 범위는 $5 \leq k \leq 9$
따라서 $m=5$, $n=9$이므로
$m+n=5+9=14$

05 <kbd>Action</kbd> 세 이차함수 $y=2(x+1)^2$, $y=2(x-1)^2$, $y=2x^2-2$의 그래프를 그려서 넓이가 같은 부분을 찾는다.

세 이차함수 $y=2(x+1)^2$, $y=2(x-1)^2$, $y=2x^2-2$의 그래프로 둘러싸인 부분은 오른쪽 그림의 색칠한 부분과 같다.

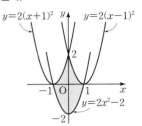

세 이차함수의 그래프는 서로 평행이동하면 일치하므로 오른쪽 그림에서 파란색 부분의 넓이는 서로 같고, 빨간색 부분의 넓이는 서로 같다.

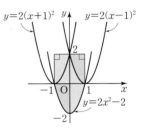

따라서 구하는 넓이는 가로의 길이가 2, 세로의 길이가 2인 정사각형의 넓이와 같으므로
$2 \times 2 = 4$

06 <kbd>Action</kbd> 이차함수 $y=-\dfrac{1}{3}x^2$의 그래프를 x축의 방향으로 p만큼, y축의 방향으로 q만큼 평행이동한 그래프를 나타내는 이차함수의 식을 구한 후 이 그래프가 모든 사분면을 지날 때의 꼭짓점의 위치와 y축과 만나는 점의 위치를 생각한다.

주사위를 두 번 던질 때, 나오는 모든 경우의 수는 $6 \times 6 = 36$
이차함수 $y=-\dfrac{1}{3}x^2$의 그래프를 x축의 방향으로 p만큼, y축의 방향으로 q만큼 평행이동한 그래프를 나타내는 이차함수의 식은 $y=-\dfrac{1}{3}(x-p)^2+q$
이 그래프의 꼭짓점의 좌표는 (p, q)이고 그래프가 y축과 만나는 점의 좌표는 $\left(0, -\dfrac{1}{3}p^2+q\right)$이다.

이때 이 그래프가 모든 사분면을 지나려면 꼭짓점이 제1사분면 또는 제2사분면 위에 있고 그래프가 y축과 만나는 점이 x축보다 위쪽에 있어야 한다.
(i) 꼭짓점이 제1사분면 위에 있는 경우의 꼭짓점의 좌표는
$(1, 1)$, $(1, 2)$, $(1, 3)$, $(2, 1)$, $(2, 2)$, $(2, 3)$, $(3, 1)$, $(3, 2)$, $(3, 3)$이고 이 중에서 $-\dfrac{1}{3}p^2+q>0$인 경우는
$(1, 1)$, $(1, 2)$, $(1, 3)$, $(2, 2)$, $(2, 3)$의 5가지이다.
(ii) 꼭짓점이 제2사분면 위에 있는 경우의 꼭짓점의 좌표는
$(-1, 1)$, $(-1, 2)$, $(-1, 3)$, $(-2, 1)$, $(-2, 2)$, $(-2, 3)$, $(-3, 1)$, $(-3, 2)$, $(-3, 3)$이고 이 중에서 $-\dfrac{1}{3}p^2+q>0$인 경우는 $(-1, 1)$, $(-1, 2)$, $(-1, 3)$, $(-2, 2)$, $(-2, 3)$의 5가지이다.
따라서 구하는 확률은
$$\frac{5+5}{36} = \frac{10}{36} = \frac{5}{18}$$

2. 이차함수의 활용

01 ④

02 꼭짓점의 좌표 : $\left(\dfrac{3}{2},\ -6\right)$, 축의 방정식 : $x=\dfrac{3}{2}$

03 ②   **04** ③   **05** ⑤   **06** 3

07 ①   **08** $(-2,1)$ **09** $(8,0)$ **10** 5

11 16   **12** -2 **13** $a<0, b>0, c>0$

14 ③   **15** ㉡, ㉢   **16** 24   **17** 3

18 $\dfrac{15}{4}$ **19** 18   **20** $-\dfrac{11}{2}$ **21** $(0,2)$

22 $\left(4,\dfrac{16}{3}\right)$ **23** 13   **24** -4

---

01 **Action** 이차함수 $y=-\dfrac{2}{3}x^2-4x+1$을 $y=a(x-p)^2+q$의 꼴로 고친다.

$$y=-\dfrac{2}{3}x^2-4x+1=-\dfrac{2}{3}(x^2+6x)+1$$
$$=-\dfrac{2}{3}(x^2+6x+9-9)+1$$
$$=-\dfrac{2}{3}(x^2+6x+9)+6+1$$
$$=-\dfrac{2}{3}(x+3)^2+7$$

따라서 $a=-\dfrac{2}{3}$, $p=-3$, $q=7$이므로

$$apq=-\dfrac{2}{3}\times(-3)\times7=14$$

02 **Action** 이차함수 $y=a(x-p)^2+q$의 그래프의 꼭짓점의 좌표는 (p,q)이고 축의 방정식은 $x=p$이다.

$$y=4x^2-12x+3=4(x^2-3x)+3$$
$$=4\left(x^2-3x+\dfrac{9}{4}-\dfrac{9}{4}\right)+3$$
$$=4\left(x^2-3x+\dfrac{9}{4}\right)-9+3$$
$$=4\left(x-\dfrac{3}{2}\right)^2-6$$

따라서 꼭짓점의 좌표는 $\left(\dfrac{3}{2},\ -6\right)$이고 축의 방정식은 $x=\dfrac{3}{2}$이다.

03 **Action** 이차함수 $y=3x^2+12x+8$을 $y=a(x-p)^2+q$의 꼴로 고친 후 꼭짓점의 좌표와 y축과 만나는 점의 좌표를 이용하여 그래프를 그려 본다.

$$y=3x^2+12x+8=3(x+2)^2-4$$

따라서 꼭짓점의 좌표가 $(-2,-4)$이고 y축과의 교점 $(0,8)$을 지나는 아래로 볼록한 포물선을 그리면 ②와 같다.

04 **Action** 주어진 이차함수의 식을 $y=a(x-p)^2+q$의 꼴로 고친 후 그래프를 그려 x축과 만나지 않는 것을 찾는다.

① $y=-2x^2-x+1$
$$=-2\left(x+\dfrac{1}{4}\right)^2+\dfrac{9}{8}$$

② $y=-x^2+8x-8$
$$=-(x-4)^2+8$$

③ $y=\dfrac{1}{2}x^2-2x+5$
$$=\dfrac{1}{2}(x-2)^2+3$$

④ $y=3x^2-18x$
$$=3(x-3)^2-27$$

⑤ $y=9x^2-12x+4$
$$=9\left(x-\dfrac{2}{3}\right)^2$$

따라서 이차함수의 그래프가 x축과 만나지 않는 것은 ③이다.

05 **Action** 이차함수 $y=2x^2-8x-1$을 $y=a(x-p)^2+q$의 꼴로 고친 후 그래프에 대한 설명으로 옳은 것을 찾는다.

$$y=2x^2-8x-1=2(x-2)^2-9$$

① 꼭짓점의 좌표는 $(2,-9)$이다.
② 아래로 볼록한 포물선이다.
③ 축의 방정식은 $x=2$이다.
④ $x>2$일 때, x의 값이 증가하면 y의 값도 증가한다.

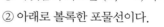

06 **Action** 두 이차함수 $y=-3x^2-6x-2$, $y=x^2+2mx+n$을 각각 $y=a(x-p)^2+q$의 꼴로 고친 후 꼭짓점의 좌표를 비교한다.

$y=-3x^2-6x-2=-3(x+1)^2+1$의 그래프의 꼭짓점의 좌표는 $(-1,1)$이고

$y=x^2+2mx+n=(x+m)^2-m^2+n$의 그래프의 꼭짓점의 좌표는 $(-m,-m^2+n)$이다.

두 이차함수의 그래프의 꼭짓점이 일치하므로

$-m=-1$, $-m^2+n=1$에서 $m=1$, $n=2$

$\therefore m+n=1+2=3$

---

07 Action 이차함수 $y=-2x^2+4x+k$의 그래프가 x축과 만나지 않으려면 꼭짓점의 y좌표가 0보다 작아야 함을 이용한다.

$y=-2x^2+4x+k=-2(x-1)^2+2+k$의 그래프가 x축과 만나지 않으려면 꼭짓점의 y좌표가 0보다 작아야 한다.

따라서 $2+k<0$이므로 $k<-2$

 Lecture

이차함수 $y=ax^2+bx+c$의 그래프와 x축의 위치 관계

이차함수 $y=ax^2+bx+c$를 $y=a(x-p)^2+q$의 꼴로 고치면 그래프의 꼭짓점의 좌표는 (p, q)이므로 그래프와 x축의 위치 관계는 a, q의 부호에 따라 다음과 같다.

(1) $a>0$일 때

$q>0$	$q=0$	$q<0$
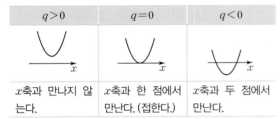		
x축과 만나지 않는다.	x축과 한 점에서 만난다. (접한다.)	x축과 두 점에서 만난다.

(2) $a<0$일 때

$q>0$	$q=0$	$q<0$
x축과 두 점에서 만난다.	x축과 한 점에서 만난다. (접한다.)	x축과 만나지 않는다.

---

08 Action 이차함수의 그래프에서 증가, 감소하는 범위는 그래프의 축을 기준으로 나뉨을 이용하여 축의 방정식을 구한다.

$x<-2$이면 x의 값이 증가할 때 y의 값은 감소하고, $x>-2$이면 x의 값이 증가할 때 y의 값도 증가하므로 그래프의 축의 방정식은 $x=-2$이다.

즉 $y=\dfrac{1}{4}x^2+px+2=\dfrac{1}{4}(x+2p)^2-p^2+2$의 축의 방정식이 $x=-2$이므로

$-2p=-2$ $\therefore p=1$

따라서 꼭짓점의 좌표는

$(-2p, -p^2+2)$, 즉 $(-2, 1)$

---

09 Action 먼저 주어진 이차함수의 식에 $x=-4$, $y=0$을 대입하여 k의 값을 구하고, x축과의 교점의 x좌표는 $y=0$일 때의 x의 값임을 이용한다.

$y=-\dfrac{1}{2}x^2+2x+k$의 그래프가 점 $(-4, 0)$을 지나므로

$0=-\dfrac{1}{2}\times(-4)^2+2\times(-4)+k$ $\therefore k=16$

즉 $y=-\dfrac{1}{2}x^2+2x+16$에 $y=0$을 대입하면

$-\dfrac{1}{2}x^2+2x+16=0$, $x^2-4x-32=0$

$(x+4)(x-8)=0$

$\therefore x=-4$ 또는 $x=8$

따라서 다른 한 점의 좌표는 $(8, 0)$이다.

---

10 Action 두 점 A, B는 축에 대칭이므로 축에서 두 점 A, B까지의 거리가 각각 같음을 이용하여 두 점 A, B의 좌표를 각각 구한다.

$y=x^2-6x+k=(x-3)^2-9+k$의 그래프의 축의 방정식은 $x=3$

이때 $\overline{AB}=4$이므로 축에서 두 점 A, B까지의 거리는 각각 $\dfrac{4}{2}=2$이다.

따라서 A$(1, 0)$, B$(5, 0)$이므로

$y=x^2-6x+k$에 $x=1$, $y=0$을 대입하면

$0=1-6+k$ $\therefore k=5$

다른 풀이

이차함수 $y=x^2-6x+k$의 그래프가 x축과 만나는 점의 x좌표는 이차방정식 $x^2-6x+k=0$의 해와 같으므로

$x^2-6x+k=0$에서 $x=3\pm\sqrt{9-k}$

$\therefore$ A$(3-\sqrt{9-k}, 0)$, B$(3+\sqrt{9-k}, 0)$

이때 $\overline{AB}=4$이므로

$(3+\sqrt{9-k})-(3-\sqrt{9-k})=4$

$2\sqrt{9-k}=4$, $\sqrt{9-k}=2$

$9-k=4$ $\therefore k=5$

---

11 Action 평행이동한 그래프를 나타내는 이차함수의 식을 p, q를 사용하여 나타낸 후 $y=x^2-8x+7$의 그래프와 일치함을 이용하여 p, q의 값을 각각 구한다.

$y=x^2+2x+3=(x+1)^2+2$의 그래프를 x축의 방향으로 p만큼, y축의 방향으로 q만큼 평행이동한 그래프를 나타내는 이차함수의 식은

$y=(x-p+1)^2+2+q$

이 그래프가 $y=x^2-8x+7=(x-4)^2-9$의 그래프와 일치하므로

$-p+1=-4$, $2+q=-9$

따라서 $p=5$, $q=-11$이므로

$p-q=5-(-11)=16$

다른 풀이

$y=x^2+2x+3=(x+1)^2+2$의 그래프의 꼭짓점의 좌표는 $(-1, 2)$이고

$y=x^2-8x+7=(x-4)^2-9$의 그래프의 꼭짓점의 좌표는 $(4, -9)$이다.

$$x축의 방향으로 5만큼 평행이동$$
$$(-1, 2) \qquad (4, -9)$$
$$y축의 방향으로 -11만큼 평행이동$$

즉 $y=x^2+2x+3$의 그래프를 x축의 방향으로 5만큼, y축의 방향으로 -11만큼 평행이동하면 $y=x^2-8x+7$의 그래프와 일치하므로

$p=5, q=-11$

$\therefore p-q=5-(-11)=16$

12 **Action** x축에 대칭이동한 그래프를 구하려면 $y=x^2-4x$에 y 대신 $-y$를 대입한다.

$y=x^2-4x$의 그래프를 x축에 대칭이동한 그래프를 나타내는 이차함수의 식은

$-y=x^2-4x$ $\qquad \therefore y=-x^2+4x$ 30%

$y=-x^2+4x=-(x-2)^2+4$의 그래프를 x축의 방향으로 -4만큼, y축의 방향으로 3만큼 평행이동한 그래프를 나타내는 이차함수의 식은

$y=-(x+4-2)^2+4+3$

$\quad =-(x+2)^2+7$

$\quad =-x^2-4x+3$ 40%

따라서 $a=-1, b=-4, c=3$이므로 20%

$a+b+c=-1+(-4)+3=-2$ 10%

> **Lecture**
>
> **이차함수 $y=ax^2+bx+c$의 그래프의 대칭이동**
>
> (1) x축에 대칭이동 : y 대신 $-y$를 대입한다.
> ➡ $y=ax^2+bx+c$의 그래프를 x축에 대칭이동한 그래프를 나타내는 이차함수의 식은
> $\quad -y=ax^2+bx+c$ $\quad \therefore y=-ax^2-bx-c$
>
> (2) y축에 대칭이동 : x 대신 $-x$를 대입한다.
> ➡ $y=ax^2+bx+c$의 그래프를 y축에 대칭이동한 그래프를 나타내는 이차함수의 식은
> $\quad y=a\times(-x)^2+b\times(-x)+c$ $\quad \therefore y=ax^2-bx+c$

13 **Action** 이차함수 $y=ax^2+bx+c$의 그래프에서 a의 부호는 그래프의 모양에 따라, b의 부호는 축의 위치에 따라, c의 부호는 y축과의 교점의 위치에 따라 결정된다.

그래프가 위로 볼록하므로 $a<0$

축이 y축의 왼쪽에 있으므로

$-ab>0$ $\qquad \therefore b>0$

y축과 만나는 점이 x축의 아래쪽에 있으므로

$-c<0$ $\qquad \therefore c>0$

$\therefore a<0, b>0, c>0$

> **Lecture**
>
> **이차함수 $y=ax^2+bx+c$의 그래프에서 b의 부호**
>
> $y=ax^2+bx+c=a\left(x+\dfrac{b}{2a}\right)^2-\dfrac{b^2-4ac}{4a}$이므로 그래프의 축의 방정식은 $x=-\dfrac{b}{2a}$이다.
>
> (1) 축이 y축의 왼쪽에 있는 경우
> $-\dfrac{b}{2a}<0$이므로 $\dfrac{b}{2a}>0$ $\quad \therefore ab>0$
> 즉 a, b는 같은 부호이다.
>
> (2) 축이 y축의 오른쪽에 있는 경우
> $-\dfrac{b}{2a}>0$이므로 $\dfrac{b}{2a}<0$ $\quad \therefore ab<0$
> 즉 a, b는 다른 부호이다.

14 **Action** 먼저 주어진 그래프를 이용하여 a, b, c의 부호를 알아본다.

그래프가 아래로 볼록하므로 $a>0$

축이 y축의 왼쪽에 있으므로 $ab>0$ $\qquad \therefore b>0$

y축과 만나는 점이 x축의 아래쪽에 있으므로 $c<0$

즉 $y=cx^2-bx+a$의 그래프는 $c<0$이므로 위로 볼록하고, $-bc>0$이므로 축은 y축의 왼쪽에 있으며 $a>0$이므로 y축과 만나는 점은 x축의 위쪽에 있다.

따라서 $y=cx^2-bx+a$의 그래프의 개형으로 알맞은 것은 ③이다.

15 **Action** 이차함수 $y=ax^2+bx+c$의 그래프에서 $x=k$일 때 $y>0$이면 $ak^2+bk+c>0$이고, $x=k$일 때 $y<0$이면 $ak^2+bk+c<0$임을 이용한다.

㉠ 그래프가 아래로 볼록하므로 $a>0$
축이 y축의 오른쪽에 있으므로 $ab<0$ $\qquad \therefore b<0$
y축과 만나는 점이 x축의 아래쪽에 있으므로 $c<0$
$\qquad \therefore abc>0$

㉡ $x=1$일 때, $y<0$이므로 $a+b+c<0$

㉢ $x=-1$일 때, $y>0$이므로 $a-b+c>0$

㉣ $x=\dfrac{1}{2}$일 때, $y<0$이므로 $\dfrac{1}{4}a+\dfrac{1}{2}b+c<0$

따라서 옳은 것은 ㉡, ㉢이다.

16 **Action** 먼저 세 점 A, B, C의 좌표를 각각 구한다.

$y=-x^2+2x+8$에 $y=0$을 대입하면

$0=-x^2+2x+8, x^2-2x-8=0$

$(x+2)(x-4)=0$ $\qquad \therefore x=-2$ 또는 $x=4$

$\therefore A(-2, 0), B(4, 0)$ 50%

$y=-x^2+2x+8$에 $x=0$을 대입하면

$y=8$ $\qquad \therefore C(0, 8)$ 20%

$\therefore \triangle ABC=\dfrac{1}{2}\times6\times8=24$ 30%

17 `Action` $\triangle ABO = \dfrac{1}{2} \times \overline{BO} \times$ (높이)임을 이용한다. 이때 높이는 점 A의 x좌표와 같다.

$y = -\dfrac{4}{3}x^2 + 4x + 4 = -\dfrac{4}{3}\left(x - \dfrac{3}{2}\right)^2 + 7$의 그래프의 꼭짓점 A의 좌표는 $\left(\dfrac{3}{2}, 7\right)$이다.

$y = -\dfrac{4}{3}x^2 + 4x + 4$에 $x = 0$을 대입하면

$y = 4$ $\therefore B(0, 4)$

$\therefore \triangle ABO = \dfrac{1}{2} \times 4 \times \dfrac{3}{2} = 3$

18 `Action` $\square ABOC = \triangle ABO + \triangle AOC$임을 이용한다.

$y = -\dfrac{1}{2}x^2 - x + \dfrac{3}{2} = -\dfrac{1}{2}(x+1)^2 + 2$의 그래프의 꼭짓점 A의 좌표는 $(-1, 2)$이다.

$y = -\dfrac{1}{2}x^2 - x + \dfrac{3}{2}$에 $y = 0$을 대입하면

$0 = -\dfrac{1}{2}x^2 - x + \dfrac{3}{2}$, $x^2 + 2x - 3 = 0$

$(x-1)(x+3) = 0$ $\therefore x = 1$ 또는 $x = -3$

$\therefore B(-3, 0)$

$y = -\dfrac{1}{2}x^2 - x + \dfrac{3}{2}$에 $x = 0$을 대입하면

$y = \dfrac{3}{2}$ $\therefore C\left(0, \dfrac{3}{2}\right)$

이때 $\overline{OC}$를 그으면

$\square ABOC = \triangle ABO + \triangle AOC$

$\qquad = \dfrac{1}{2} \times 3 \times 2 + \dfrac{1}{2} \times \dfrac{3}{2} \times 1$

$\qquad = 3 + \dfrac{3}{4}$

$\qquad = \dfrac{15}{4}$

19 `Action` 꼭짓점의 좌표가 $(2, 4)$이므로 구하는 이차함수의 식을 $y = a(x-2)^2 + 4$로 놓는다.

꼭짓점의 좌표가 $(2, 4)$이고 점 $(0, -2)$를 지나므로 구하는 이차함수의 식을 $y = a(x-2)^2 + 4$로 놓고 $x = 0$, $y = -2$를 대입하면

$-2 = 4a + 4$, $4a = -6$ $\therefore a = -\dfrac{3}{2}$

$\therefore y = -\dfrac{3}{2}(x-2)^2 + 4 = -\dfrac{3}{2}x^2 + 6x - 2$

따라서 $a = -\dfrac{3}{2}$, $b = 6$, $c = -2$이므로

$abc = -\dfrac{3}{2} \times 6 \times (-2) = 18$

20 `Action` 이차함수의 그래프를 평행이동하여도 그래프의 모양과 폭은 변하지 않으므로 x^2의 계수는 같음을 이용한다.

조건 (가), (나)에 의하여 $y = -\dfrac{1}{4}x^2$의 그래프를 평행이동한 것이므로 x^2의 계수는 $-\dfrac{1}{4}$이고, 축의 방정식이 $x = 3$이므로 구하는 이차함수의 식을 $y = -\dfrac{1}{4}(x-3)^2 + q$로 놓자.

조건 (다)에 의하여 $y = -\dfrac{1}{4}(x-3)^2 + q$에 $x = -1$, $y = 5$를 대입하면 $5 = -4 + q$ $\therefore q = 9$

$\therefore y = -\dfrac{1}{4}(x-3)^2 + 9 = -\dfrac{1}{4}x^2 + \dfrac{3}{2}x + \dfrac{27}{4}$

따라서 $a = -\dfrac{1}{4}$, $b = \dfrac{3}{2}$, $c = \dfrac{27}{4}$이므로

$a + b - c = -\dfrac{1}{4} + \dfrac{3}{2} - \dfrac{27}{4} = -\dfrac{11}{2}$

21 `Action` 축의 방정식이 $x = -1$이므로 구하는 이차함수의 식을 $y = a(x+1)^2 + q$로 놓는다.

축의 방정식이 $x = -1$이므로 구하는 이차함수의 식을 $y = a(x+1)^2 + q$로 놓고 ······ 20%

$x = -2$, $y = 2$를 대입하면 $2 = a + q$ ······ ㉠

$x = 1$, $y = 5$를 대입하면 $5 = 4a + q$ ······ ㉡

㉠, ㉡을 연립하여 풀면 $a = 1$, $q = 1$ ······ 40%

$\therefore y = (x+1)^2 + 1 = x^2 + 2x + 2$ ······ 20%

$y = x^2 + 2x + 2$에 $x = 0$을 대입하면 $y = 2$

따라서 y축과 만나는 점의 좌표는 $(0, 2)$이다. ······ 20%

22 `Action` 구하는 이차함수의 식을 $y = ax^2 + bx + c$로 놓고 주어진 세 점의 좌표를 각각 대입한다.

구하는 이차함수의 식을 $y = ax^2 + bx + c$로 놓고

$x = 0$, $y = 4$를 대입하면 $4 = c$ ······ ㉠

$x = -4$, $y = 0$을 대입하면 $0 = 16a - 4b + c$ ······ ㉡

$x = 2$, $y = 5$를 대입하면 $5 = 4a + 2b + c$ ······ ㉢

㉠, ㉡, ㉢을 연립하여 풀면 $a = -\dfrac{1}{12}$, $b = \dfrac{2}{3}$, $c = 4$

따라서 $y = -\dfrac{1}{12}x^2 + \dfrac{2}{3}x + 4 = -\dfrac{1}{12}(x-4)^2 + \dfrac{16}{3}$의 그래프의 꼭짓점의 좌표는 $\left(4, \dfrac{16}{3}\right)$이다.

23 `Action` 구하는 이차함수의 식을 $y = ax^2 + bx + c$로 놓고 주어진 세 점의 좌표를 각각 대입한다.

구하는 이차함수의 식을 $y = ax^2 + bx + c$로 놓고

$x = 0$, $y = 3$을 대입하면 $3 = c$ ······ ㉠

$x = 1$, $y = 4$를 대입하면 $4 = a + b + c$ ······ ㉡

$x = 3$, $y = 18$을 대입하면 $18 = 9a + 3b + c$ ······ ㉢

㉠, ㉡, ㉢을 연립하여 풀면 $a = 2$, $b = -1$, $c = 3$

따라서 $y = 2x^2 - x + 3$의 그래프가 점 $(-2, k)$를 지나므로

$k = 2 \times (-2)^2 - (-2) + 3 = 13$

24 **Action** x축과 두 점 $(-3, 0)$, $(2, 0)$에서 만나므로 구하는 이차함수의 식을 $y=a(x+3)(x-2)$로 놓는다.

x축과 두 점 $(-3, 0)$, $(2, 0)$에서 만나고 점 $(0, -6)$을 지나므로 구하는 이차함수의 식을 $y=a(x+3)(x-2)$로 놓고 $x=0$, $y=-6$을 대입하면

$-6=-6a$ $\therefore a=1$

$\therefore y=(x+3)(x-2)=x^2+x-6$

따라서 $a=1$, $b=1$, $c=-6$이므로

$a+b+c=1+1+(-6)=-4$

최고수준 완성하기 📄 105~ 📄 108

01 $a=-2$일 때, $(-1, 0)$, $a=3$일 때, $\left(\dfrac{3}{2}, 0\right)$ **02** 19

03 $a=-6$, $b=3$ **04** -3 **05** 14

06 (1) $f(x)=(x-1)^2+1$, $g(x)=(x+1)^2+1$

(2) $g(x)=f(x+2)$ (3) 9802

07 ㉢, ㉣ **08** 6

09 (1) 27 (2) $\left(\dfrac{7}{2}, \dfrac{9}{2}\right)$ (3) $y=x+1$ **10** 27

11 -12 **12** $2\sqrt{6}$ **13** $y=2x^2+8x-10$

---

01 **Action** 이차함수의 그래프의 꼭짓점이 x축 위에 있으려면 꼭짓점의 y좌표가 0이어야 한다.

$y=4x^2-4ax+a+6$

$=4(x^2-ax)+a+6$

$=4\left(x^2-ax+\dfrac{1}{4}a^2-\dfrac{1}{4}a^2\right)+a+6$

$=4\left(x-\dfrac{1}{2}a\right)^2-a^2+a+6$

이 그래프의 꼭짓점이 x축 위에 있으려면 꼭짓점의 y좌표가 0이어야 하므로

$-a^2+a+6=0$, $a^2-a-6=0$

$(a+2)(a-3)=0$ $\therefore a=-2$ 또는 $a=3$

(i) $a=-2$일 때, 꼭짓점의 좌표는 $(-1, 0)$

(ii) $a=3$일 때, 꼭짓점의 좌표는 $\left(\dfrac{3}{2}, 0\right)$

02 **Action** 이차함수 $y=2x^2-4mx+n$의 그래프의 꼭짓점의 좌표를 구하고 $y=2x+5$에 대입하여 m, n의 값을 각각 구한다.

$y=2x^2-4mx+n$의 그래프가 점 $(1, 11)$을 지나므로

$11=2-4m+n$ $\therefore n=4m+9$ ····· 30%

$y=2x^2-4mx+n=2(x-m)^2-2m^2+n$

$=2(x-m)^2-2m^2+4m+9$ ····· 30%

위의 그래프의 꼭짓점 $(m, -2m^2+4m+9)$가 일차함수 $y=2x+5$의 그래프 위에 있으므로

$-2m^2+4m+9=2m+5$, $m^2-m-2=0$

$(m+1)(m-2)=0$ $\therefore m=-1$ 또는 $m=2$

그런데 $m>0$이므로 $m=2$

$\therefore n=4\times2+9=17$ ····· 30%

$\therefore m+n=2+17=19$ ····· 10%

03 **Action** $B(0, b)$이고 $\overline{OA} : \overline{OB}=1 : 3$임을 이용하여 점 A의 좌표를 b를 사용하여 나타낸다.

$y=3x^2+ax+b=3\left(x+\dfrac{a}{6}\right)^2-\dfrac{a^2}{12}+b$의 그래프의 꼭짓점

A의 좌표는 $\left(-\dfrac{a}{6}, -\dfrac{a^2}{12}+b\right)$

$\therefore -\dfrac{a^2}{12}+b=0$ ····· ㉠

이때 $B(0, b)$이고 $\overline{OA} : \overline{OB}=1 : 3$이므로

$\overline{OA} : b=1 : 3$ $\therefore \overline{OA}=\dfrac{b}{3}$, 즉 $A\left(\dfrac{b}{3}, 0\right)$

따라서 $-\dfrac{a}{6}=\dfrac{b}{3}$에서 $a=-2b$

㉠에 $a=-2b$를 대입하면 $-\dfrac{b^2}{3}+b=0$

$b^2-3b=0$, $b(b-3)=0$ $\therefore b=0$ 또는 $b=3$

그런데 $b>0$이므로 $a=-6$, $b=3$

04 **Action** 먼저 이차함수 $y=x^2-4x+3$의 그래프가 x축과 만나는 두 점 사이의 거리를 구한다.

$y=x^2-4x+3$에 $y=0$을 대입하면

$0=x^2-4x+3$, $(x-1)(x-3)=0$

$\therefore x=1$ 또는 $x=3$

즉 $y=x^2-4x+3$의 그래프가 x축과 만나는 두 점의 좌표는 각각 $(1, 0)$, $(3, 0)$이므로 두 점 사이의 거리는 $3-1=2$이다. ····· 30%

또, $y=x^2-4x+3=(x-2)^2-1$의 그래프를 y축의 방향으로 k만큼 평행이동한 그래프를 나타내는 이차함수의 식은

$y=(x-2)^2-1+k$ ····· 20%

이때 이 그래프의 축의 방정식은 $x=2$이고 이 그래프가 x축과 만나는 두 점 사이의 거리는 4이어야 하므로 두 점의 좌표는 각각 $(0, 0)$, $(4, 0)$이다. ····· 30%

따라서 $y=(x-2)^2-1+k$에 $x=0$, $y=0$을 대입하면

$0=4-1+k$ $\therefore k=-3$ ····· 20%

05 **Action** 이차함수 $y=x^2+ax+b$의 그래프를 y축에 대칭이동한 그래프를 나타내는 이차함수의 식은 x 대신 $-x$를 대입하여 구한다.

$y=x^2+ax+b$의 그래프가 점 $(-1, 4)$를 지나므로

$4=1-a+b$ $\therefore a-b=-3$ ····· ㉠

$y=x^2+ax+b$의 그래프를 y축에 대칭이동한 그래프를 나타내는 이차함수의 식은

$y=(-x)^2+a\times(-x)+b$ $\therefore y=x^2-ax+b$

이 그래프가 $y=x^2+cx+d$의 그래프와 일치하므로
$-a=c, b=d$
즉 $y=x^2-ax+b$의 그래프가 점 $(2, 3)$을 지나므로
$3=4-2a+b$ $\therefore 2a-b=1$ $\cdots\cdots$ ㉡
㉠, ㉡을 연립하여 풀면 $a=4, b=7$
$\therefore c=-a=-4, d=b=7$
$\therefore a+b+c+d=4+7+(-4)+7=14$

06 [Action] 두 이차함수 $f(x), g(x)$ 사이의 관계를 알아본다.

(1) $f(x)=x^2-2x+2=(x-1)^2+1$
$\quad g(x)=x^2+2x+2=(x+1)^2+1$

(2) $g(x)=(x+1)^2+1=(x+2-1)^2+1=f(x+2)$

(3) $\dfrac{g(0)g(1)g(2)\cdots g(98)}{f(1)f(2)f(3)\cdots f(99)}=\dfrac{f(2)f(3)f(4)\cdots f(100)}{f(1)f(2)f(3)\cdots f(99)}$
$\qquad\qquad\qquad\qquad\qquad\quad =\dfrac{f(100)}{f(1)}=\dfrac{100^2-200+2}{1^2-2+2}$
$\qquad\qquad\qquad\qquad\qquad\quad =9802$

🔊 Lecture

$f(x+2)$는 $f(x)$에 x 대신 $x+2$를 대입한 것이므로 $y=f(x+2)$의 그래프는 $y=f(x)$의 그래프를 x축의 방향으로 -2만큼 평행이동한 것이다.
즉 $y=g(x)$의 그래프는 $y=f(x)$의 그래프를 x축의 방향으로 -2만큼 평행이동한 것과 같다.

07 [Action] ㉢ 이차함수의 그래프는 축 $x=\dfrac{1}{2}$에 대칭임을 이용하여 점 B의 좌표를 구한다.

㉠ 그래프가 위로 볼록하므로 $a<0$
   축이 y축의 오른쪽에 있으므로 $ab<0$ $\therefore b>0$
   y축과 만나는 점이 x축의 위쪽에 있으므로 $c>0$
   $\therefore abc<0$

㉡ $x=-1$일 때, $y=0$이므로 $a-b+c=0$

㉢ $y=ax^2+bx+c$의 그래프는 축 $x=\dfrac{1}{2}$에 대칭이므로
   x축과 만나는 다른 한 점의 좌표는 $(2, 0)$이다.
   따라서 $x=2$일 때, $y=0$이므로 $4a+2b+c=0$

㉣ $x=3$일 때, $y<0$이므로 $9a+3b+c<0$

㉤ $x=\dfrac{1}{2}$일 때, $y>0$이므로 $\dfrac{1}{4}a+\dfrac{1}{2}b+c>0$
   $\therefore \dfrac{1}{4}(a+2b+4c)>0$

따라서 옳지 않은 것은 ㉢, ㉣이다.

08 [Action] 이차함수 $y=x^2-6x+6$의 그래프는 이차함수 $y=x^2-2x-2$의 그래프를 평행이동한 것임을 알고 넓이가 같은 부분을 찾는다.
$y=x^2-2x-2=(x-1)^2-3$의 그래프의 꼭짓점 P의 좌표는 $(1, -3)$

$y=x^2-6x+6=(x-3)^2-3$의 그래프의 꼭짓점 Q의 좌표는 $(3, -3)$
이때 $y=x^2-6x+6$의 그래프는 $y=x^2-2x-2$의 그래프를 y축의 방향으로 2만큼 평행이동한 것이므로 다음 그림에서 파란색 부분의 넓이는 서로 같다.

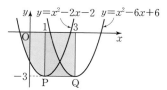

따라서 구하는 넓이는 가로의 길이가 2, 세로의 길이가 3인 직사각형의 넓이와 같으므로 $2\times 3=6$

09 [Action] (2) 직선 l에 의하여 $\triangle ABC$의 넓이가 이등분됨을 이용하여 $\overline{AC}$와 직선 l의 교점의 y좌표를 구한다.

(1) $y=-x^2+4x+5=-(x-2)^2+9$의 그래프의 꼭짓점 A의 좌표는 $(2, 9)$
$y=-x^2+4x+5$에 $y=0$을 대입하면
$0=-x^2+4x+5, x^2-4x-5=0$
$(x+1)(x-5)=0$ $\therefore x=-1$ 또는 $x=5$
즉 $B(-1, 0), C(5, 0)$이므로
$\triangle ABC=\dfrac{1}{2}\times 6\times 9=27$

(2) $\overline{AC}$와 직선 l의 교점 D의 좌표를 (m, n)이라고 하면 직선 l에 의하여 $\triangle ABC$의 넓이가 이등분되므로

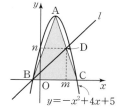

$\triangle DBC=\dfrac{1}{2}\times 6\times n=\dfrac{27}{2}$
$\therefore n=\dfrac{9}{2}$

이때 두 점 $A(2, 9), C(5, 0)$을 지나는 직선의 방정식은
$y=-3x+15$
$y=-3x+15$의 그래프가 점 $D\left(m, \dfrac{9}{2}\right)$를 지나므로
$\dfrac{9}{2}=-3m+15, 3m=\dfrac{21}{2}$ $\therefore m=\dfrac{7}{2}$
따라서 점 D의 좌표는 $\left(\dfrac{7}{2}, \dfrac{9}{2}\right)$이다.

(3) 직선 l은 두 점 $B(-1, 0), D\left(\dfrac{7}{2}, \dfrac{9}{2}\right)$를 지나므로
직선 l의 방정식은 $y=x+1$

🔊 Lecture

서로 다른 두 점을 지나는 직선의 방정식
서로 다른 두 점 $(x_1, y_1), (x_2, y_2)$(단, $x_1\neq x_2$)를 지나는 직선의 방정식은
$$y-y_1=\dfrac{y_2-y_1}{x_2-x_1}(x-x_1)$$
      ↳ 기울기

10 Action 꼭짓점 A의 좌표가 $(1, 9)$이므로 구하는 이차함수의 식을 $y=a(x-1)^2+9$로 놓는다.

꼭짓점 A의 좌표가 $(1, 9)$이고 점 $(-1, 5)$를 지나므로 구하는 이차함수의 식을 $y=a(x-1)^2+9$로 놓고

$x=-1, y=5$를 대입하면

$5=4a+9, 4a=-4$ ∴ $a=-1$

∴ $y=-(x-1)^2+9=-x^2+2x+8$

$y=-x^2+2x+8$에 $y=0$을 대입하면

$0=-x^2+2x+8, x^2-2x-8=0$

$(x+2)(x-4)=0$ ∴ $x=-2$ 또는 $x=4$

따라서 B$(-2, 0)$, C$(4, 0)$이므로

$\triangle ABC=\dfrac{1}{2}\times 6\times 9=27$

11 Action 먼저 $f(-1)=1, f(0)=3, f(1)=9$임을 이용하여 a, b, c의 값을 각각 구한다.

$f(x)=ax^2+bx+c$에서

$f(-1)=1$이므로 $1=a-b+c$ ...... ㉠

$f(0)=3$이므로 $3=c$ ...... ㉡

$f(1)=9$이므로 $9=a+b+c$ ...... ㉢

㉠, ㉡, ㉢을 연립하여 풀면 $a=2, b=4, c=3$

즉 $y=2x^2+4x+3=2(x+1)^2+1$의 그래프를 x축의 방향으로 p만큼, y축의 방향으로 q만큼 평행이동한 그래프를 나타내는 이차함수의 식은

$y=2(x-p+1)^2+1+q$

이 그래프가 $y=2x^2-4x-3=2(x-1)^2-5$의 그래프와 일치하므로

$-p+1=-1, 1+q=-5$ ∴ $p=2, q=-6$

∴ $pq=2\times(-6)=-12$

12 Action 세 점을 지나는 이차함수의 식을 구한 후 그 식에 $y=0$을 대입하여 x축과 만나는 두 점의 좌표를 구한다.

구하는 이차함수의 식을 $y=ax^2+bx+c$로 놓고

$x=1, y=6$을 대입하면 $6=a+b+c$ ...... ㉠

$x=-1, y=2$를 대입하면 $2=a-b+c$ ...... ㉡

$x=0, y=5$을 대입하면 $5=c$ ...... ㉢

㉠, ㉡, ㉢을 연립하여 풀면

$a=-1, b=2, c=5$ 50%

즉 $y=-x^2+2x+5$에 $y=0$을 대입하면

$0=-x^2+2x+5, x^2-2x-5=0$

∴ $x=1\pm\sqrt{6}$

따라서 x축과 만나는 두 점의 좌표는 $(1-\sqrt{6}, 0)$,

$(1+\sqrt{6}, 0)$이므로 30%

$\overline{AB}=(1+\sqrt{6})-(1-\sqrt{6})=2\sqrt{6}$ 20%

13 Action 축의 방정식이 $x=-2$이고 x축과 만나는 두 점 사이의 거리가 6임을 이용하여 그래프가 x축과 만나는 두 점의 좌표를 구한다.

축의 방정식이 $x=-2$이고 x축과 만나는 두 점 사이의 거리가 6이므로 축에서 x축과 만나는 점까지의 거리는 각각

$\dfrac{6}{2}=3$이다.

따라서 그래프가 x축과 두 점 $(-5, 0)$, $(1, 0)$에서 만나므로 구하는 이차함수의 식을

$y=a(x+5)(x-1)$로 놓고 $x=-4, y=-10$을 대입하면

$-10=-5a$ ∴ $a=2$

∴ $y=2(x+5)(x-1)=2x^2+8x-10$

최고 수준 **뛰어넘기** P.109 - P.110

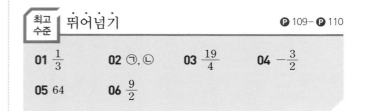

| 01 $\dfrac{1}{3}$ | 02 ㉠, ㉡ | 03 $\dfrac{19}{4}$ | 04 $-\dfrac{3}{2}$ |
| 05 64 | 06 $\dfrac{9}{2}$ | | |

01 Action 아래로 볼록한 이차함수의 그래프가 x축과 서로 다른 두 점에서 만나려면 꼭짓점의 y좌표가 0보다 작아야 함을 이용한다.

주사위를 두 번 던질 때, 나오는 모든 경우의 수는

$6\times 6=36$

$y=2x^2-2ax+3b=2\left(x-\dfrac{a}{2}\right)^2-\dfrac{a^2}{2}+3b$의 그래프가 x축과 서로 다른 두 점에서 만나려면 꼭짓점의 y좌표가 0보다 작아야 하므로

$-\dfrac{a^2}{2}+3b<0, -\dfrac{a^2}{2}<-3b$ ∴ $a^2>6b$

따라서 이 조건을 만족하는 순서쌍 (a, b)는 $(3, 1)$, $(4, 1)$, $(4, 2)$, $(5, 1)$, $(5, 2)$, $(5, 3)$, $(5, 4)$, $(6, 1)$, $(6, 2)$, $(6, 3)$, $(6, 4)$, $(6, 5)$의 12가지이므로 구하는 확률은

$\dfrac{12}{36}=\dfrac{1}{3}$

02 Action 먼저 조건 ㈎, ㈏를 만족하는 이차함수의 식을 세운다.

조건 ㈎, ㈏에 의하여 $f(x)=ax^2+bx+c=2(x+1)^2+q$로 놓자.

㉠ $f(-2)=2+q, f(2)=18+q$이므로

$f(-2)<f(2)$

㉡ $y=f(x)$의 그래프의 꼭짓점의 x좌표는 -1이다.

ㄷ (ⅰ) $c>0$, $q\geq0$일 때　　(ⅱ) $c>0$, $q<0$일 때

즉 $c>0$일 때, $f(x)$의 그래프는 제2사분면을 지난다.
따라서 옳은 것은 ㄱ, ㄴ이다.

03 Action 이차함수 $y=x^2+x-3$의 그래프를 꼭짓점을 중심으로 $180°$ 회전시킨 그래프는 처음 그래프와 꼭짓점과 축이 같고, 위로 볼록하다.

$y=x^2+x-3=\left(x+\dfrac{1}{2}\right)^2-\dfrac{13}{4}$의 그래프의 꼭짓점의 좌표는 $\left(-\dfrac{1}{2}, -\dfrac{13}{4}\right)$이다.

오른쪽 그림과 같이 꼭짓점을 중심으로 $180°$ 회전시킨 그래프는 $y=x^2+x-3$의 그래프와 꼭짓점과 축이 같고 그래프는 위로 볼록하므로

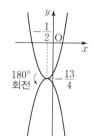

$y=-\left(x+\dfrac{1}{2}\right)^2-\dfrac{13}{4}$

이 그래프를 y축의 방향으로 k만큼 평행 이동한 그래프의 식은

$y=-\left(x+\dfrac{1}{2}\right)^2-\dfrac{13}{4}+k$

$y=-\left(x+\dfrac{1}{2}\right)^2-\dfrac{13}{4}+k$에 $x=-\dfrac{3}{2}$, $y=0$을 대입하면

$0=-1-\dfrac{13}{4}+k$　　∴ $k=\dfrac{17}{4}$

$y=-\left(x+\dfrac{1}{2}\right)^2+1$에 $x=m$, $y=0$을 대입하면

$0=-\left(m+\dfrac{1}{2}\right)^2+1$, $\left(m+\dfrac{1}{2}\right)^2=1$

$m+\dfrac{1}{2}=\pm1$　　∴ $m=-\dfrac{3}{2}$ 또는 $m=\dfrac{1}{2}$

그런데 $m\neq-\dfrac{3}{2}$이므로 $m=\dfrac{1}{2}$

∴ $k+m=\dfrac{17}{4}+\dfrac{1}{2}=\dfrac{19}{4}$

04 Action $\triangle DEO:\square ABED=1:3$이므로
$\triangle DEO:\triangle ABO=1:4$임을 이용한다.

$y=-x^2-2x+3$에 $y=0$을 대입하면

$0=-x^2-2x+3$, $x^2+2x-3=0$

$(x-1)(x+3)=0$　　∴ $x=1$ 또는 $x=-3$

∴ B$(-3, 0)$, C$(1, 0)$

$\triangle DEO:\square ABED=1:3$이므로

$\triangle DEO:\triangle ABO=1:4$

∴ $\triangle ABO=4\triangle DEO$

오른쪽 그림과 같이 $\overline{BD}$를 그으면
$\triangle ABO=2\triangle DBO$이므로
$2\triangle DBO=4\triangle DEO$
∴ $\triangle DBO=2\triangle DEO$
즉 점 E는 $\overline{BO}$의 중점이므로
E$\left(-\dfrac{3}{2}, 0\right)$

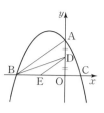

따라서 점 E의 x좌표는 $-\dfrac{3}{2}$이다.

05 Action 두 점 A, D가 직선 $x=3$에 대칭임을 이용하여 점 A의 x좌표를 $3-a(0<a<3)$라고 할 때 점 D의 x좌표를 a의 식으로 나타낸다.

$y=x^2-6x-3=(x-3)^2-12$

$y=-x^2+6x+3=-(x-3)^2+12$

두 점 A, D는 직선 $x=3$에 대칭이므로 점 A의 x좌표를 $3-a(0<a<3)$라고 하면 점 D의 x좌표는 $3+a$이므로

$\overline{AD}=2a$

두 점 A, B의 좌표는 각각 A$(3-a, -a^2+12)$,
B$(3-a, a^2-12)$이므로

$\overline{AB}=-a^2+12-(a^2-12)=-2a^2+24$

이때 $\square ABCD$의 둘레의 길이가 40이므로

$40=2(\overline{AD}+\overline{AB})=2(2a-2a^2+24)$

$4a^2-4a-8=0$, $a^2-a-2=0$

$(a+1)(a-2)=0$　　∴ $a=-1$ 또는 $a=2$

그런데 $0<a<3$이므로 $a=2$

따라서 $\overline{AD}=4$, $\overline{AB}=16$이므로

$\square ABCD=\overline{AD}\times\overline{AB}=4\times16=64$

06 Action 문제에 주어진 조건을 이용하여 이차함수 $y=ax^2+bx+ab+8$의 그래프를 그려 본다.

$y=ax^2+bx+ab+8$의 그래프를 그려 보면 오른쪽 그림과 같다.
즉 $a>0$이고 x축과 두 점 $(2, 0)$, $(6, 0)$에서 만나므로 이차함수의 식을
$y=a(x-2)(x-6)$으로 놓으면

$y=a(x-2)(x-6)=a(x^2-8x+12)=ax^2-8ax+12a$

∴ $b=-8a$, $ab+8=12a$

$ab+8=12a$에 $b=-8a$를 대입하면

$-8a^2+8=12a$, $2a^2+3a-2=0$

$(a+2)(2a-1)=0$　　∴ $a=-2$ 또는 $a=\dfrac{1}{2}$

그런데 $a>0$이므로 $a=\dfrac{1}{2}$

$b=-8a$에 $a=\dfrac{1}{2}$을 대입하면 $b=-4$

∴ $a-b=\dfrac{1}{2}-(-4)=\dfrac{9}{2}$

교과서 속 창의 사고력

⊕ 111 ~ ⊕ 112

| **01** 20 | **02** $\frac{1}{8} < a < \frac{5}{4}$ |
| **03** 9초 후 | **04** 16 m |

01 **Action** 이차함수 $y=\frac{1}{2}x^2+2$의 그래프는 이차함수 $y=\frac{1}{2}x^2-3$의 그래프를 평행이동한 것임을 알고 넓이가 같은 부분을 찾는다.

오른쪽 그림과 같이 두 이차함수 $y=\frac{1}{2}x^2+2$, $y=\frac{1}{2}x^2-3$의 그래프와 직선 $x=-3$이 만나는 두 점을 각각 A, B라 하고 두 점 A, B에서 직선 $x=1$에 내린 수선의 발을 각각 D, C라고 하자.

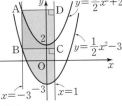

$y=\frac{1}{2}x^2+2$에 $x=-3$을 대입하면 $y=\frac{13}{2}$

$\therefore A\left(-3, \frac{13}{2}\right)$, $D\left(1, \frac{13}{2}\right)$

$y=\frac{1}{2}x^2-3$에 $x=-3$을 대입하면 $y=\frac{3}{2}$

$\therefore B\left(-3, \frac{3}{2}\right)$, $C\left(1, \frac{3}{2}\right)$

$y=\frac{1}{2}x^2+2$의 그래프는 $y=\frac{1}{2}x^2-3$의 그래프를 평행이동한 것이므로 위의 그림에서 파란색 부분의 넓이는 서로 같다.

따라서 구하는 넓이는 직사각형 ABCD의 넓이와 같으므로

$\left(\frac{13}{2}-\frac{3}{2}\right)\times\{1-(-3)\}=20$

02 **Action** 이차함수 $y=a(x-1)^2-1$의 그래프가 직사각형 ABCD의 둘레 위의 서로 다른 두 점에서 만나려면 $y=a(x-1)^2-1$의 그래프가 점 A와 점 C 사이를 지나야 함을 이용한다.

$y=a(x-1)^2-1$의 그래프가 직사각형 ABCD의 둘레 위의 서로 다른 두 점에서 만나려면 $y=a(x-1)^2-1$의 그래프가 점 A와 점 C 사이를 지나야 한다.

(ⅰ) 점 A(3, 4)를 지날 때

$y=a(x-1)^2-1$에 $x=3$, $y=4$를 대입하면

$4=4a-1$, $4a=5$ $\therefore a=\frac{5}{4}$

(ⅱ) 점 C(5, 1)을 지날 때

$y=a(x-1)^2-1$에 $x=5$, $y=1$을 대입하면

$1=16a-1$, $16a=2$ $\therefore a=\frac{1}{8}$

(ⅰ), (ⅱ)에 의하여 $\frac{1}{8} < a < \frac{5}{4}$

03 **Action** $y=-5x^2+40x+45$에 $y=0$을 대입한다.

물 로켓이 지면에 떨어질 때의 지면으로부터의 높이는 0 m 이므로

$y=-5x^2+40x+45$에 $y=0$을 대입하면

$0=-5x^2+40x+45$, $x^2-8x-9=0$

$(x+1)(x-9)=0$ $\therefore x=-1$ 또는 $x=9$

그런데 $x>0$이므로 $x=9$

따라서 물 로켓이 지면에 떨어지는 것은 쏘아 올린 지 9초 후 이다.

04 **Action** 호수의 중앙인 M 지점을 원점으로 하여 좌표평면 위에 호수의 모양을 나타내어 본다.

호수의 중앙인 M 지점을 원점으로 하여 좌표평면 위에 호수의 모양을 나타내면 오른쪽 그림과 같다.

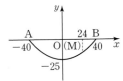

이때 호수의 모양을 그래프로 하는 이차함수의 식을 $y=a(x+40)(x-40)$으로 놓으면 그래프가 점 $(0, -25)$를 지나므로

$-25=-1600a$ $\therefore a=\frac{1}{64}$

$\therefore y=\frac{1}{64}(x+40)(x-40)=\frac{1}{64}x^2-25$

$y=\frac{1}{64}x^2-25$에 $x=24$를 대입하면

$y=\frac{1}{64}\times 24^2-25=9-25=-16$

따라서 구하는 수심은 16 m이다.